Tendances

méthode de français

A2

Jacky Girardet - Jacques Pécheur
Colette Gibbe - Marie-Louise Parizet

Crédits photographiques (de gauche à droite et de haut en bas) :

p. 11 : Tetra images/hemis.fr – **p. 12 :** DR ; ahmety34/Fotolia ; Vladislav Kochelaevs/Fotolia – **p. 13 :** Caroline Rose/Centre des monuments nationaux ; BAZ (x5) ; Eric Fougere/VIP Images/Corbis – **p. 14 :** Zarya Maxim/Fotolia ; Regormark/Fotolia ; AFP Photo/HO/Penka Baleva – **p. 15 :** Ralf Treinen – **p. 16 :** BAZ ; AleksanderssonS/Shutterstock – **p. 17 :** joseph_hilfiger/Fotolia ; aeroking/Fotolia ; wavebreakmedia/Shutterstock ; Rostislav Sedlacek/Fotolia – **p. 18 :** Natalya Levish/Fotolia ; darkbird/Fotolia ; Kiev.Victor/Shutterstock – **p. 19 :** ecco/Fotolia ; Collection Christophel © Les films des Tournelles – **p. 20 :** *Portrait of Nusch*, 1937 (oil on canvas), Picasso, Pablo (1881-1973) / Musée Picasso, Paris, France/Bridgeman Images – **p. 21 :** Thelma Films/The Kobal Collection/Aurimages – **p. 22 :** BAZ (x4) – **p. 23 :** Prod DB © Gaumont - Mandarin Cinéma - France 2 Cinéma - Magic Paper / DR – **p. 24 :** bandeau site : source : Marmiton ; Jérôme Rommé/Fotolia – **p. 25 :** SOLLUB/Fotolia ; M.studio/Fotolia ; J BOY/Fotolia ; sester1848/Fotolia ; Le Café Pinson, 6 Rue du Forez, 75003 Paris ; Jacky Girardet – **p. 26 :** BAZ (x2) ; M.studio/Fotolia – **p. 27 :** goodluz/Fotolia – **p. 28 :** julien tromeur/Fotolia ; tanor27/Fotolia ; RATOCA/Fotolia ; giorgiomtb/Fotolia ; yarkovoy/Fotolia ; ThomsonD/Shutterstock ; Kobby Dagan/Shutterstock – **p. 29 :** Elena Alexandrova – **p. 30 :** minadezhda/Fotolia – **p. 31 :** BillionPhotos.com/Fotolia ; bandeau site : source : Facebook ; ivan kmit/Fotolia ; Marina Gorskaya/Fotolia ; Rido/Fotolia ; nenetus/Fotolia ; www.latelierdelsa.com ; flowerstock/Fotolia – **p. 34 :** Jenifoto/Fotolia– **p. 35 :** GUIZIOU Franck/Hemis – **p. 36** : John Takai/Fotolia ; Photographee.eu/Fotolia– **p. 37 :** BAZ ; Photographe Christian Goupi Collection : age fotostock – **p. 38 :** michaeljung/Fotolia ; Photographe Patrice Latron, agence Look at Science ; idspopd/Fotolia – **p. 39 :** William Beaucardet / GNO / Picturetank – **p. 40 :** BAZ (x2) ; MOHAMED MESSARA/epa/Corbis – **p. 41 :** Collection Christophel © Why Not Productions /Photo Jean Claude Lother ; *Les Bronzés* : COLLECTION CHRISTOPHEL © Trinacra Films / DR Photo Jean Pierre Fizet – **p. 42 :** goodluz/Fotolia ; AntonioDiaz/Fotolia ; Gianfranco Bella/Fotolia ; Maksim Kostenko/Fotolia ; vergor/Fotolia ; Eléonore H/Fotolia ; manouila/Fotolia– **p. 43 :** AFP/FREDERICK FLORIN – **p. 44 :** Nathan ; Courtesy Editions Bordas © Jason Netherton/Sunset ; Nathan ; Nathan ; Retz ; www.lexpress.fr ; AFP PHOTO/Thomas Samson – **p. 45 :** France, Isère (38), Saint-Martin-d'Hères, le campus de l'Université Grenoble Alpes, Université Stendhal Grenoble 3, la Maison des Langues et des Cultures avec la chaîne de Belledonne en fond/Hemis ; AFP PHOTO/PHOTO PATRICK BERNARD – **p. 49 :** FELIX Alain / hemis.fr – **p. 50 :** Manpower ; BAZ (x2) – **p. 51 :** bluraz/Fotolia ; Rebboha / Andia.fr ; patrimonio designs/Fotolia ; taonga/Fotolia – **p. 52 :** rocketclips/Fotolia ; Office du tourisme de Carcassonne – **p. 53 :** olly/Fotolia – **p. 54 :** BAZ (x4) ; Poster de Catherine Deneuve : © 1960-2014 Larry Shaw/Roger-Viollet ; BAZ – **p. 55 :** markus_marb/Fotolia ; choucashoot/Fotolia ; T. Michel/Fotolia ; ftrouillas/Fotolia ; Elenarts/Fotolia ; choucashoot/Fotolia ; Elena Alexandrova ; nikonomad/Fotolia ; svetamart/Fotolia – **p. 56 :** COLLECTION CHRISTOPHEL © Mandarin Films/DR ; Potiche/DR – **p. 57 :** GAUTIER Stephane/SAGAPHOTO.COM ; Philippe Clement/Belpress/Andia ; Vincent Isore/IP3 ; Bombardier ; Nestlé ; Le Cirque du Soleil ; Belgacom ; Deezer ; Lao/Andia ; Sebastien Muylaert/Wostok Press ; Viadeo – **p. 58 :** jobijoba.com – **p. 59 :** P. Randriamanampisoa/Fotolia ; Biosphoto/Nicolas Cegalerba – **p. 62 :** Delphotostock/Fotolia ; AFP PHOTO / MIGUEL MEDINA ; kutukupret/Fotolia– **p. 63 :** HEINTZ Jean / Hemis.fr – **p. 64 :** Paolo Bona/Shutterstock ; Ron Ellis/Shutterstock ; Adela Nistora/Demotix/Corbis ; Denis Makarenko/Shutterstock ; odriography/Fotolia ; Shutterstock ; astrosystem/Fotolia ; Delpixel/Shutterstock – **p. 65 :** BAZ (x6) – **p. 66 :** Marc Xavier/Fotolia ; citylights/Fotolia ; XtravaganT/Fotolia ; Enrico Di Cino/Fotolia ; Harald Tjøstheim/Fotolia – **p. 67 :** El Watan ; Le Temps ; RTBF ; Le Soleil ; Le Monde ; L'Orient Le Jour ; France24 ; RFI ; AFP ; Pluie de billets à Hong-Kong: AFP (capture d'écran)– **p. 68 :** BAZ (x3) – **p. 69 :** sebastiangora/Fotolia ; *Le Déjeuner des canotiers*, Auguste Renoir, 1880, The Phillips Collection, © Iberfoto / Photoaisa / Roger-Viollet – **p. 70 :** odriography/Fotolia – **p. 71 :** DPA/Photononstop ; Owen Franken/Corbis ; Jackin/Fotolia – **p. 72 :** JACKY NAEGELEN / POOL/epa/Corbis ; ricochet64/Shutterstock ; Kiev.Victor/Shutterstock ; CHRISTOPHE KARABA/epa/Corbis ; Marc Domage – **p. 76 :** Mitch Gunn/Shutterstock – **p. 77 :** Aurora / hemis.fr – **p. 78 :** COLLECTION CHRISTOPHEL – **p. 79 :** BAZ (x3) – **p. 80 :** France, Paris (75), musée Rodin, 77 rue de Varenne, *Jeune Femme au chapeau fleuri* # 2367175 MORANDI Tuul et Bruno / hemis.fr ; Ousmane Sow (né en 1935). «Femme et guerrier se désaltérant» (série Zoulou). Paris, Exposition sur le Pont-des-Arts, 1999/Béatrice Soulé/Roger-Viollet ; HP_Photo/Fotolia – **p. 81 :** GARO/PHANIE ; lightwavemedia/Fotolia ; Production Perig/Fotolia ; JPC-PROD/Fotolia – **p. 82 :** BAZ (x2) – **p. 83 :** Silvano Rebai/Fotolia ; Awkward Serie TV Ashley Rickards Beau Mirchoff Elisabeth Caren / Collection Christophel – **p. 84 :** Extrait de *La BD de Soledad, la compile de l'année 2*, Soledad Bravi, éd. Rue de Sèvres,2014 – **p. 85 :** Kanjanee Chaisin/Shutterstock ; powerstock/Fotolia – **p. 86 :** bandeau : source : Doctissimo ; krappweis/Fotolia – **p. 87 :** bandeau : source : Doctissimo (x2) ; Nick Freund/Fotolia ; goodluz/Fotolia – **p. 90 :** freefly/Fotolia – **p. 91 :** Sylvain Chamaillard/Wostok Press – **p. 92 :** Piet Mondrian, Tableau 3, Piet Mondrian (1872–1944). – "Tableau 3, with Orange-Red, Yellow, Black, Blue, and Gray", 1921. Oil on canvas, 49.5 × 41.5cm Öffentliche Kunstmuseum, Basel, Inv. no. H 1937.3 Emanuel Hoffman-Stiftung. Catalogue Raisonné B123. / AKG - DE AGOSTINI PICTURE LIBRARY ; BAZ (x5) – **p. 93 :** Maître Gims/DR ; Résiste (Michel Berger / France Gall) TSPROD ; Régis Golay / federal-studio.com ; AFP PHOTO / ATTILA KISBENEDEK ; Jonas Steiger / wapico ag ; Paul Signac, Juan-les-Pins. Soir, 1914, huile sur toile, 73 x 92 cm, collection particulière – **p. 94 :** Alexi TAUZIN/Fotolia ; bandeau : source : LaFourchette ; Chez Yvonne, 10 Rue du Sanglier, 67000 Strasbourg ; Au Renard Prêchant, 34 Rue de Zurich, 67000 Strasbourg/DR ; Le Grand Shanghai, 42 Rue du Vieux Marché aux Vins, 67000 Strasbourg/DR ; Une Fleur des Champs, 4 Rue des Charpentiers, 67000 Strasbourg ; JackF/Fotolia – **p. 95 :** Lyudmyla/Fotolia ; Photographee.eu/Fotolia – **p. 96 :** beaubelle/Fotolia ; Agat Films & Cie / Artemis pr / Collection Christophel ; Pandora Filmproduktion / Rect / Collection Christophel ; COLLECTION CHRISTOPHEL © Ce qui me meut motion pictures / TPS Cinema / DR – **p. 97 :** Romain Boutillier / Ektadoc ; BAZ ; *Mon Roi* : 2015, real Maïwenn, COLLECTION CHRISTOPHEL © Les Productions du Trésor, StudioCanal, PHOTO SHANNA BESSON – **p. 98 :** amskad/Fotolia ; Stephanie Rousseau/Shutterstock – **p. 99 :** ALAMY / Hemis ; Stephane FRANCES / Onlyfrance.fr – **p. 100 :** bandeau site : Mairie de Paris ; Marco Saracco/Fotolia ; Bruno Bernier/Fotolia ; Laurie Doually / Mairie de Paris ; V&P Photo Studio/Fotolia ; Jean-Baptiste Gurliat / Mairie de Paris – **p. 101 :** Festival Interceltic de Lorient : © Roignant / Andia.fr – **p. 104 :** Earl Gibson III/Getty Images for BET/AFP / AFP / GETTY IMAGES NORTH AMERICA / Earl Gibson III – **p. 105 :** MOIRENC Camille / hemis.fr – **p. 106 :** fakegraphic/Fotolia ; Auguste Lange/Fotolia ; BAZ (x3) – **p. 107 :** Elena Alexandrova – **p. 108 :** vektorisiert/Fotolia ; made_by_nana/Fotolia ; Michel Bazin/Fotolia ; Dominique VERNIER/Fotolia ; matteo/Fotolia ; Elenarts/Fotolia ; Jackin/Fotolia ; vektorisiert/Fotolia – **p. 109 :** AFP / BELGA / ROBERT VANDEN BRUGGE ; Jacques Pavlovsky/Sygma/Corbis ; Elena Alexandrova ; CandyBox Images/Fotolia ; Elena Alexandrova – **p. 110 :** BAZ (x2) – **p. 111 :** darren whittingham/Fotolia ; Hans Georg Roth/Corbis – **p. 112 :** FranceTV info – **p. 113 :** Roland and Sabrina Michaud / akg-images ; Dubois / Andia.fr – **p. 114 :** Coreka – **p. 115 :** galam/Fotolia – **p. 118 :** Pierre Moussart/Fotolia ; Parc National des Écrins ; ffotila/Fotolia – **p. 119 :** Office du tourisme de la Réunion – **p. 120 :** Sébastien Bernard/Fotolia ; mariesacha/Fotolia ; BAZ (x3) ; Peter Hermes Furian/Fotolia ; vencav/Fotolia – **p. 121 :** AntPun/Fotolia ; ssviluppo/Fotolia – **p. 122 :** Freesurf/Fotolia ; thomathzac23/Fotolia ; Dussauj/Fotolia ; B. Piccoli/Fotolia ; joningall1/Fotolia ; Jean-Marie MAILLET/Fotolia – **p. 123 :** Anton Balazh/Fotolia – **p. 124 :** guukaa/Fotolia – **p. 125 :** eyetronic/Fotolia ; BAZ (x5) – **p. 126 :** Saint Nicolas, © Ville de Nancy ; Fête son et lumières et Saint Nicolas : © Ville de Nancy ; sp4764/Fotolia – **p. 127 :** imageegami/Fotolia ; dzianominator/Fotolia ; fderib/Fotolia ; GUIZIOU Franck / hemis.fr – **p. 128 :** Santi Rodríguez/Fotolia– **p. 129 :** Richard Villalon/Fotolia ; JC DRAPIER/Fotolia ; Vely/Fotolia (x2) ; Marci Polo / Françoise Bouillot – **p. 133 :** MOIRENC Camille / hemis.fr – **p. 134 :** pour *Un gars, une fille*, Jean-Marie Périer/Photo12 ; Collection Christophel © Voltage Pictures / HitRecord Films / Ram Bergman Productions / DR ; destina/Fotolia – **p. 135 :** BAZ (x2) ; Fotolia (x3) – **p. 136 :** ChenPG/Fotolia ; vadymvdrobot/Fotolia ; michaeljung/Fotolia – **p. 137 :** qilli/Fotolia ; *Marianne* ; Eric Fougere/VIP Images/Corbis – **p. 138 :** BAZ (x3) – **p. 139 :** Directphoto - Collection age Fotostock ; JackF/Fotolia – **p. 140 :** Jacques Bourguet/Sygma/Corbis ; Warner Music ; Alain Pitton/Demotix/Corbis – **p. 141 :** SNCF Médiathèque - BRIGITTE BAUDESSON ; Philippe Lissac/Godong/Corbis – **p. 142 :** mtjames/Fotolia ; AlexQ/Fotolia – **p. 143 :** Rafael Ben-Ari/Fotolia ; galaad973/Fotolia ; eSchmidt/Fotolia ; Kletr/Fotolia – **p. 146 :** vadymvdrobot/Fotolia

Crédits reproduction texte :

p. 40 : DERNIERE DANSE, Paroles : Indila, Musique : Indila / Skalpovich, © 2014 Universkalp / AS Publishing, Indila, **«** *Avec l'aimable autorisation d'Universkalp* »

p. 84 : *La BD de Soledad, la compile de l'année 2*, Soledad Bravi, éd. Rue de Sèvres, 2014

Direction éditoriale : Béatrice Rego
Marketing : Thierry Lucas
Édition : Charline Heid-Hollaender
Couverture : Miz'enpage ; Dagmar Stahringer
Conception maquette : Miz'enpage
Mise en page : Isabelle Vacher
Recherche iconographique : Lorena Martini
Illustrations : Conrado Giusti ; Oscar Fernandez
Enregistrements : Vincent Bund
Vidéos : BAZ

ISBN : 978-209-038528-1

N° de projet : 10261747
Imprimé en Italie en janvier 2020 par «La Tipografica Varese Srl» Varese

Introduction

Tendances est une méthode pour l'apprentissage du français langue étrangère qui s'adresse à des étudiants adultes ou grands adolescents. Elle couvre les différents niveaux du CECR (Cadre européen commun de référence). Le présent niveau est destiné à des étudiants ayant atteint le niveau A1 et les prépare au niveau A2.
Dans les documents proposés comme dans la méthodologie mise en œuvre, la méthode s'inspire des « tendances » de la société actuelle : accès au numérique, simplicité de l'approche, interactivité, modernité des sujets.

Les objectifs de *Tendances* sont résolument pratiques. Chaque niveau comporte 9 unités qui proposent, chacune, **un scénario actionnel**, anticipation d'un moment de la vie d'un utilisateur de la langue. **Ces scénarios sont des suites d'actions représentant chacune un savoir-faire à acquérir et une tâche à réaliser.** Par exemple, l'unité 1 *Recevoir des amis* prépare l'étudiant à inviter des amis, les accueillir, demander de leurs nouvelles, préparer un repas, organiser une soirée.

***Tendances* prépare l'étudiant à être pleinement acteur dans la société francophone où il va évoluer.** Des séquences vidéo façon *sitcom*, dont la bande son peut constituer un support autonome, sont intégrées aux leçons. Elles proposent de nombreuses situations de la vie quotidienne traitées avec humour. Les documents écrits sont représentatifs de l'actualité des pays francophones. L'ensemble reflète les comportements, les intérêts, les préoccupations des jeunes actifs de ces sociétés.
***Tendances* s'appuie aussi largement sur des interactions dans le groupe classe**, qu'il s'agisse des tâches de compréhension, des petites discussions par deux ou en petits groupes ou des jeux de rôles. La peur de parler, de faire des erreurs, est ainsi très vite dissipée.

L'apprentissage de la grammaire et du vocabulaire fait appel à la fois à l'intuition, à la réflexion et à des procédures d'automatisation. *Tendances* développe le sens des régularités de la langue. La grammaire comme les conjugaisons des verbes sont abordées progressivement, par petits ensembles en s'appuyant sur une pédagogie de la découverte. L'organisation en scénarios actionnels facilite le retour régulier des thèmes et des points grammaticaux. Ainsi, les situations relatives à la nourriture qui ont été abordées en A1 dans les unités 3 (*Vivre dans une famille*) et 4 (*Participer à une sortie*) seront reprises et développées à ce niveau dans l'unité 1 (*Recevoir des amis*) et dans l'unité 6 (*Sortir*). Les deux temps du récit, passé composé et imparfait, introduits en A1 seront travaillés à plusieurs reprises notamment dans les unités 0, 4, 6 et 8.

À la fin de chaque unité, **un projet individuel ou collectif donne à l'étudiant l'occasion de mobiliser ses acquis dans une tâche concrète** : trouver du travail, présenter et commenter l'actualité, échanger des conseils pour être en forme, rédiger une réclamation, etc.
Nous avons eu le souci de proposer des tâches que l'étudiant aura de fortes chances de réaliser lorsqu'il sera autonome.

Avec *Tendances*, l'étudiant est acteur dans son apprentissage. La méthodologie l'invite constamment à trouver lui-même les solutions aux problèmes qu'il se pose. En même temps, elle se veut **rassurante** car elle s'appuie sur **une progression réaliste**, adopte **des démarches graduées**, fournit de nombreux exercices de renforcement et de vérification des compétences dans le livre de l'élève et dans le cahier d'activités et propose à la fin de chaque unité un récapitulatif des outils grammaticaux et lexicaux que l'étudiant aura découverts.

Tableau des contenus

Unités	Objectifs actionnels	Grammaire et conjugaison
0 **Continuer en français**	• former un groupe classe • être autonome • travailler ensemble • surveiller la prononciation	• passé composé – imparfait (révision) • *c'est – il / elle est* • réflexion sur l'apprentissage de la grammaire
1 **Recevoir des amis**	• organiser une réception • préparer un plat • prendre un repas ensemble • s'amuser • **Projet :** **Organiser une soirée**	• les pronoms compléments (révision) • l'expression de la quantité • le discours rapporté au présent
2 **Faire des études**	• faire un projet • raconter son apprentissage • réfléchir aux façons d'apprendre • **Projet :** **Améliorer l'école**	• le futur et l'expression de la durée dans le futur • caractériser une action (adverbes et forme « *en* + participe présent ») • la restriction (*ne... que / seulement*) • les étapes de l'action
3 **Travailler**	• chercher du travail (faire un CV, une lettre de motivation, préparer un entretien d'embauche) • travailler au quotidien (gérer les relations humaines, observer un règlement) • **Projet :** **Trouver du travail**	• les pronoms relatifs *qui – que – où* • le subjonctif dans l'expression de l'obligation et de la volonté • *quelqu'un / personne – quelque chose / rien*
4 **S'informer sur l'actualité**	• lire et écouter la presse • comprendre, rapporter et commenter une information (information générale, politique, fait divers) • **Projet :** **Donner des nouvelles de l'actualité**	• la construction passive • l'accord du participe passé • le moment d'une action : *venir de... – être en train de... –* « *aller* + verbe » *– encore, toujours / ne... plus*

Thèmes et actes de communication	Phonétique	Civilisation
• se présenter et présenter quelqu'un • se fixer des objectifs • exprimer une opinion	• rythmes, enchaînements et liaisons • les sons difficiles du français	• nouveaux modes de rencontre • travail en autonomie et travail de groupe
• demander / donner des nouvelles de quelqu'un • apprécier et féliciter • soirées amicales et réceptions • la nourriture • s'amuser et jouer	• les sons [i], [y] et [u] • l'enchaînement dans les constructions avec pronoms	• les Français et la nourriture – repas entre amis et repas de famille • quelques recettes de cuisine française • comment s'amusent les Français
• enseignement et apprentissage • parler de ses succès et de ses échecs • encourager	• le e muet dans les formes du futur • le son [ɑ̃] – prononciation des adverbes en *-ment*	• les nouvelles façons d'apprendre • l'éducation en France (présentation du système et sujets de débat)
• présenter une entreprise • exprimer une demande ou un souhait • s'excuser • exprimer sa satisfaction ou son insatisfaction • exprimer un ordre ou un conseil	• les sons [k] et [g] • les sons [f] et [v]	• les entreprises et la mondialisation • un film sur l'entreprise (*Potiche*)
• comprendre et raconter un fait divers • juger la vérité d'un fait • comprendre et présenter une information politique	• les sons [p] et [b] • masculin et féminin des participes passés	• la presse francophone • quelques faits d'actualité dans les pays francophones • l'organisation administrative et politique

Unités	Objectifs actionnels	Grammaire et conjugaison
5 **Rester en forme**	• exprimer un malaise et raconter un accident • consulter un médecin • gérer son bien-être • **Projet :** **Échanger des conseils de santé et de bien-être**	• l'expression de la cause et de la conséquence • l'expression de la durée dans le passé • fréquence (*tous les jours, souvent, toujours / jamais*)
6 **Sortir**	• aller au restaurant • aller voir un spectacle • participer à une fête • **Projet :** **Faire des projets pour votre ville**	• les pronoms interrogatifs • les pronoms démonstratifs • la construction *celui qui / que - celle qui / que*, etc. • les comparatifs (révision) • le futur (révision)
7 **Se défendre**	• défendre son bien • agir en fonction des règles et des habitudes • rédiger une réclamation ou une protestation • **Projet :** **Faire une réclamation**	• les pronoms possessifs • les adjectifs et les pronoms indéfinis • la forme impersonnelle
8 **Découvrir un pays étranger**	• s'informer sur un pays étranger • présenter un lieu, une ville, une région (intérêt touristique, climat, traditions) • faire le récit d'un voyage • **Projet :** **Présenter un pays ou une région**	• *faire* + verbe à l'infinitif • la comparaison des quantités et des actions • les indicateurs de temps (*la veille, le lendemain*, etc.) • le passé composé et l'imparfait dans le récit
9 **Vivre ensemble**	• rendre service • rencontrer de nouvelles personnes • s'entendre avec quelqu'un • donner de ses nouvelles • **Projet :** **Donner de ses nouvelles**	• l'expression de la condition • l'impératif des verbes *être, avoir, savoir* • la forme « *en* + participe présent » • les adverbes en *-ment* • les verbes en *-eler*, *-eter*, *-ener* au présent

Thèmes et actes de communication	Phonétique	Civilisation
• les parties du corps • les incidents de santé et les accidents • les sports • exprimer l'inquiétude / rassurer	• les sons [s] et [z] • les sons [œ] et [ø]	• quelques informations sur le système de santé en France (sécurité sociale, carte vitale, urgences, cliniques et hôpitaux)
• choisir, comparer, hésiter • comprendre un menu de restaurant, commander un repas, résoudre un problème • réserver une place de spectacle • parler d'un film • les fêtes • juger, accuser, pardonner	• les sons [s], [z] et [ʃ] • prononciation des sons « voyelle + *x* »	• le couple dans quelques films francophones • habitudes et comportements au restaurant • quelques fêtes en Guyane, au Nouveau-Brunswick et en Nouvelle-Calédonie • les animations dans les grandes villes
• exprimer l'appartenance • décrire un objet (forme, poids, dimensions, couleurs) • interdire – demander / donner une autorisation • juger une action • exprimer la ressemblance et la différence	• les sons [jɛ̃] et [jɛn] • le son [ɲ] • les groupes « consonne + *r* + voyelle »	• ressources en cas de problèmes (police, gendarmerie, pompiers) • quelques différences de comportements dans le monde
• décrire un itinéraire • le climat • le paysage • les modes de vie • les coutumes et les traditions	• enchaînement avec la construction « *faire* + infinitif » • prononciation des groupes avec *plus* et *moins*	• les idées reçues sur les Français • le climat en France • quelques lieux touristiques (Sénégal, Corse, théâtre d'Orange, golfe du Morbihan) • quelques traditions au Québec et dans le nord de la France
• exprimer un besoin ou un manque • exprimer des sentiments • décrire une personne (physique et caractère) • décrire un déplacement • les tâches domestiques	• le son [j] dans les formes verbales au subjonctif • les sons [a] et [ɑ̃] en début de mot	• la famille et les tâches domestiques • la diversité sociale • les départements et les territoires de la France d'outre-mer

Mode d'emploi : des parcours d'apprentissage très balisés

Les unités

Une unité 0 et 9 unités bâties chacune sur un scénario actionnel. Le scénario actionnel représente une suite d'actions orientées vers un but : *Recevoir des amis, Faire des études, S'informer sur l'actualité, Rester en forme*, etc.
Chaque unité comporte :
- **une page de présentation des objectifs**
- **5 leçons**, chacune sur une double-page, **développant un moment possible du scénario actionnel** : se retrouver, préparer un plat, prendre un repas ensemble, s'amuser, etc.

Cet objectif est atteint au terme d'un **parcours d'apprentissage** qui voit se succéder différentes **tâches**. Par exemple, la leçon « Consulter un médecin » (unité 5, leçon 2) implique comme tâches : prendre rendez-vous, appeler en cas d'urgence, nommer les parties du corps, présenter un problème de santé.
La 5e leçon, qui est elle aussi un moment du scénario actionnel, donne lieu **à la réalisation d'un projet**.
- **une double-page « Outils »**
- **une page « Bilan »**

Les leçons

- **Les leçons 1 et 3 et le matériel vidéo / audio**

Elles sont **à dominante oral** et comportent toujours une séquence vidéo qui constitue le support d'un moment du parcours. Les classes qui ne possèdent pas de matériel de projection pourront travailler avec la seule bande audio.
Les séquences vidéo, à la façon des sitcoms, mettent en scène des situations familières de la vie quotidienne : repas pris entre amis, débuts dans un nouvel emploi, commentaires à la sortie d'un cinéma, petit accident, retour de voyage, etc.

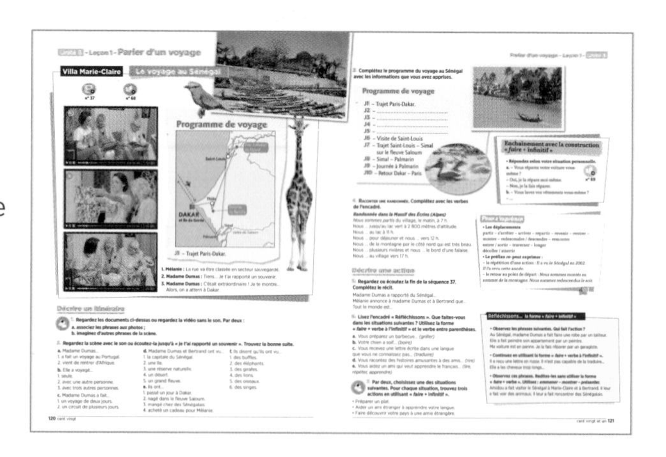

- **Les leçons 2 et 4**

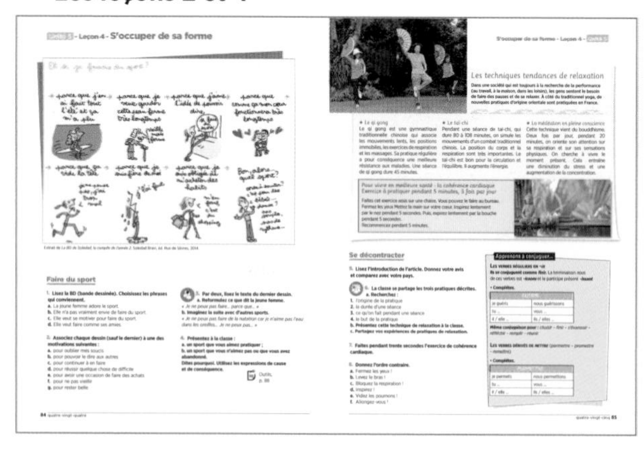

Elles sont à **dominante écrit** : écrits communicatifs de la vie courante, forums de discussion, articles de presse, extrait de guide touristique, etc.
La leçon 4 est plus particulièrement axée sur un thème de civilisation.

- **La leçon « Projet »**

Cette leçon est construite selon les étapes de la réalisation d'un projet que l'étudiant devra mener à bien. Cette réalisation permet de remettre en œuvre les savoir-faire acquis dans les quatre leçons précédentes.

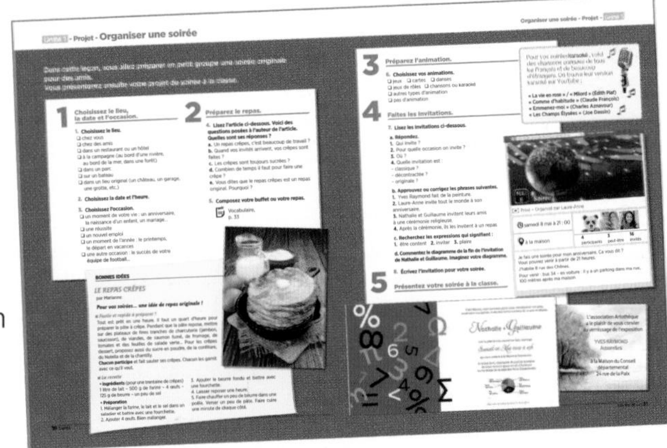

De nombreux outils pour un apprentissage efficace

• Les tâches
L'objectif de la leçon est atteint au terme d'un parcours d'apprentissage qui voit se succéder différentes tâches.

• Les activités de compréhension
Un appareil pédagogique important aide les étudiants dans leur travail de compréhension des documents oraux ou écrits : QCM, questionnaire de recherche, vrai ou faux, phrases à compléter, tableaux à remplir.

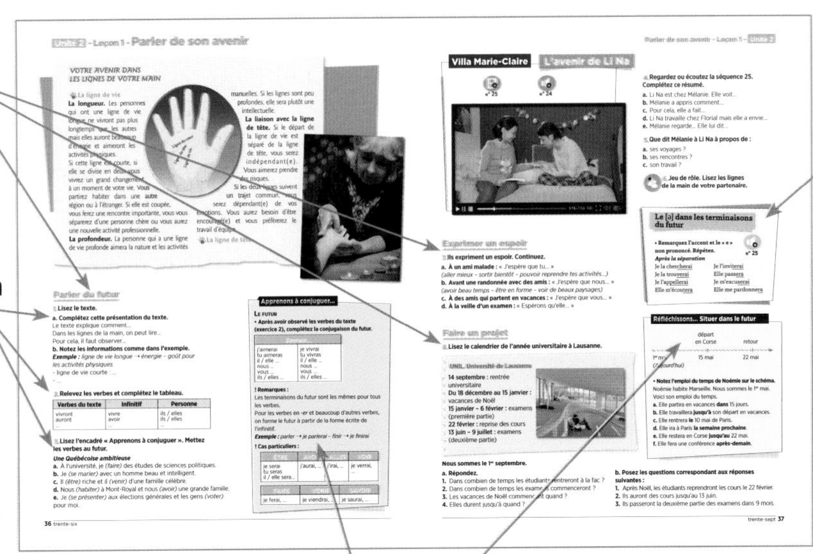

• Les encadrés de phonétique
L'encadré de phonétique propose soit un travail de discrimination et de prononciation des sons, soit un travail sur l'enchaînement des groupes nominaux ou verbaux.

• Les post-it « Apprenons à conjuguer »
Ils proposent un apprentissage progressif des conjugaisons fondé sur l'observation, la production d'hypothèses et leur vérification.

• Les focus « Réfléchissons... »
Ces focus sous forme d'encadrés proposent des moments de réflexion sur la langue. Les étudiants y induisent les structures et les règles grammaticales ou lexicales grâce à de petits exercices guidés par le professeur.

• Les activités
Elles visent la communication et l'acquisition des savoir-faire actionnels.

• Les boîtes « Pour s'exprimer »
Elles sont toujours en relation avec une activité pour laquelle elles fournissent des mots, des expressions et des réalisations d'actes de paroles.

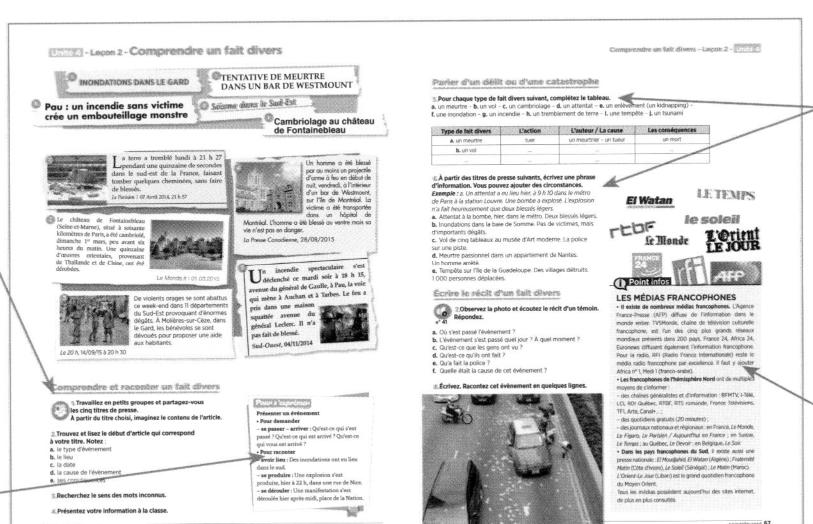

• Les exercices
Ils ont pour but la vérification de la compréhension des systèmes de la langue et contribuent à leur automatisation.

• Les « Point infos »
Ils font le point sur des aspects ponctuels de civilisation en liaison avec le contenu de la leçon.

• La double-page « Outils »
Elle récapitule les points de grammaire et de vocabulaire de l'unité. Elle présente aussi la conjugaison des nouveaux verbes. Pour l'étudiant, c'est un aide-mémoire et un instrument de référence.

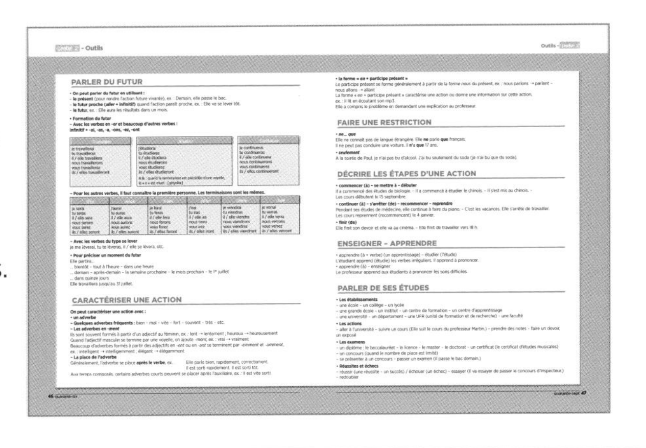

• La page « Bilan »
Elle permet une première auto-évaluation des acquisitions de l'unité.

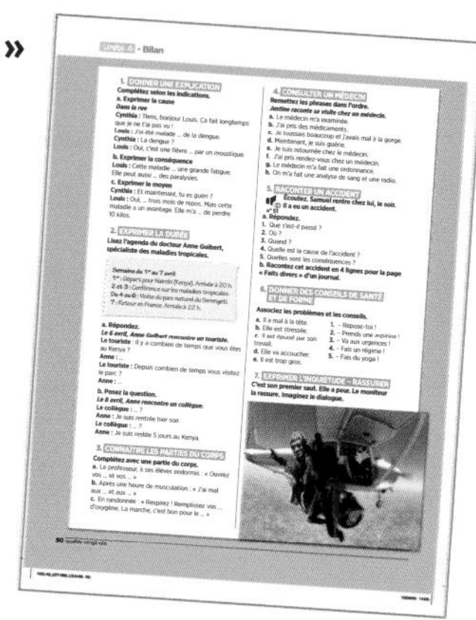

Le cahier d'activités

Il reprend les contenus de chaque leçon pour les prolonger et les approfondir.
Dans le cahier d'activités, l'étudiant trouvera pour chaque leçon :
- une liste des mots nouveaux ;
- des activités de vérification de la compréhension des textes du livre ;
- des exercices de réemploi du vocabulaire et des expressions introduits dans la leçon ;
- des exercices pour l'automatisation des formes de grammaire et de conjugaison ;
- des exercices complémentaires de prononciation ;
- des exercices d'écoute simples.

Le livre du professeur

Le professeur y trouvera :
- le contenu et l'objectif de chaque leçon ;
- des propositions de parcours et de mises en œuvre diverses ;
- les explications nécessaires pour les points de grammaire, de lexique ou de phonétique ;
- des notes culturelles relatives au contenu des leçons ;
- les corrigés ou propositions de corrigés des exercices.

UNITÉ 0

CONTINUER EN FRANÇAIS

1 FORMER UN GROUPE CLASSE
- Organiser une rencontre entre étudiants
- Faire connaissance

2 ÊTRE AUTONOME
- Se donner des objectifs
- Découvrir le sens des mots nouveaux sans dictionnaire
- Travailler les automatismes

3 APPRENDRE ENSEMBLE
- Travailler par deux
- Travailler en petit groupe

4 SURVEILLER LA PRONONCIATION
- Suivre le rythme
- Faire les enchaînements et les liaisons
- Prononcer les sons difficiles

Un « speed dating[1] » pour trouver son colocataire

Vous êtes étudiant et vous cherchez une colocation. Le CROUS[2] de Paris organise une rencontre sur le modèle du speed dating.
Pour participer, vous remplissez une fiche indiquant vos goûts et vos critères (fille / garçon, âge, fumeur / non fumeur, études, arrondissement souhaité, etc.).
De 10 h à 17 h, au CROUS de Paris, 33 avenue Georges-Bernanos (Ve), M° Port-Royal.
Entrée libre.

D'après *Le Parisien*, « Un speed dating pour trouver son coloc », 27 juin 2014.

1. Série de brèves rencontres organisées pour trouver un partenaire amoureux. Le mot est aujourd'hui utilisé pour d'autres rencontres.
2. Organisme chargé de la vie quotidienne des étudiants.

Organiser une rencontre entre étudiants

1. Lisez l'article ci-dessus. Approuvez ou corrigez les phrases suivantes.

a. Le CROUS de Paris s'occupe du logement des étudiants.
b. Le CROUS organise des rencontres entre des propriétaires et des étudiants qui cherchent un logement.
c. La rencontre a lieu dans le Ve arrondissement.
d. Pour participer, il faut préciser ses vœux.
e. Pour participer, il faut payer.

2. Organisez une rencontre entre étudiants, si possible entre des étudiants qui ne se connaissent pas.

a. Choisissez les questions à poser à votre partenaire.

- **Son nom :** Comment tu t'appelles ?
- **Son origine :** Tu habites où ? Tu viens d'où ? Quelle est ta nationalité ?
- **Ses activités :** Qu'est-ce que tu fais ? Tu travailles ?
- **Ses intérêts et ses goûts :** Tu t'intéresses à quoi ? Tu aimes quoi ? Quels sont tes loisirs ? ... ?

b. Posez-vous des questions.

Faire connaissance

3. Regardez ou écoutez la séquence 21 de *Villa Marie-Claire*. Complétez les phrases.

a. Marie-Claire Dumas habite...
b. Dans cette scène, elle présente...

4. Associez les photos et les phrases avec les noms des personnages.

a. Marie-Claire Dumas
b. Mélanie
c. Ludovic
d. Grégoire
e. Li Na

5. Pour chaque personnage, complétez la fiche.

Nom et prénom : ....
Âge : ....
Activité passée : ....
Activité présente : ....
Autres informations : ....
....

Villa Marie-Claire

Présentations

N° 21

N° 1

1. J'ai fait des études à l'École des beaux-arts.
2. J'ai passé ma vie dans les pays étrangers.
3. Nous sommes à Saint-Cloud, à côté de Paris.
4. Je suis née à Shanghai.
5. Actuellement, je suis à Berlin.
6. Je viens de Bruxelles.

Le parc de Saint-Cloud

6. Révisez l'expression du présent et du passé.

a. Dans les phrases extraites de la séquence 21, repérez :

1. les actions présentes ou permanentes ;
2. les actions passées.

b. Conjuguez les verbes entre parenthèses.

Biographie express de l'écrivain Marc Levy

1. Marc Levy *(être)* un écrivain français très populaire. Il *(naître)* en 1961.
2. Dans sa jeunesse, il *(étudier)* l'informatique. Puis, il *(créer)* son entreprise.
3. En 2000, son premier roman *Et si c'était vrai...* *(avoir)* un grand succès. La même année, Marc Levy *(aller)* habiter à Londres.
4. Depuis, il *(écrire)* beaucoup de romans.
5. Il *(s'engager)* dans des causes humanitaires.

7. Complétez avec *c'est*, *il est* ou *elle est*.

« Je vous présente Marc Levy. Il habite à Londres mais ... français. ... un écrivain célèbre.
... l'auteur de nombreux romans très populaires.
J'ai son dernier livre : ... une belle histoire d'amour.
J'ai beaucoup aimé parce que ... très émouvant. »

Réfléchissons... *C'est...* ou *Il / Elle est...*

• Complétez le tableau avec des exemples pris dans le texte suivant.

Li Na montre des photos à une amie.

L'amie : C'est qui ?
Li Na : C'est Ludo. Il est belge.
L'amie : Il est sympa ?
Li Na : Oui, c'est un bon copain. On habite ensemble. Il est informaticien.
L'amie : C'est intéressant, ça !

C'est **+ nom de personne ou pronom**	...
C'est **+ groupe nom précédé d'un article**	...
C'est **+ adjectif qui caractérise une situation ou une idée générale**	...
Il est / Elle est **+ adjectif qui caractérise une personne ou une chose**	...

8. Les étudiants qui ont travaillé avec *Tendances A1* complètent la présentation des personnages de l'histoire *Villa Marie-Claire*. Les nouveaux posent des questions.

- **Madame Dumas** a un ami. Il s'appelle Bertrand. Elle fait des voyages avec lui. C'est une grand-mère sympathique. Dans sa vie, elle a fait beaucoup de choses. Elle est allée...
- **Mélanie**...
- ...

Se donner des objectifs

1. Travaillez par deux. Classez les objectifs ci-contre selon ces affirmations.

a. Pour moi, le français, c'est utile.
b. Pour moi, c'est un plaisir d'entendre du français et de parler cette langue.
c. J'adore les rencontres avec les étrangers.

2. Dialoguez avec votre partenaire. Pourquoi apprenez-vous le français ?

Pour s'exprimer

- J'apprends le français parce que...
- J'étudie le français pour...
- Mon objectif, mon projet, c'est...
- Je voudrais...
- Je vais partir en vacances au Québec.
- Je vais travailler dans un pays d'Afrique francophone.

Pourquoi j'apprends le français ?

- ❑ Parce que j'en ai besoin pour mon travail.
- ❑ Pour trouver plus facilement du travail.
- ❑ Pour lire les sites internet en français.
- ❑ Pour rencontrer des francophones.
- ❑ Pour mes voyages de loisirs.
- ❑ Pour dialoguer sur internet avec des francophones.
- ❑ Pour comprendre les films et les chaînes de télé francophones en VO.
- ❑ Pour chanter des chansons en français.
- ❑ Pour lire des romans en français.
- ❑ Parce que j'aime la langue française.

Découvrir le sens des mots nouveaux sans dictionnaire

Une Bulgare de 80 ans saute à l'élastique d'un des plus hauts ponts d'Europe

La téméraire retraitée, qui a soufflé ses 80 bougies en juin, a sauté à l'élastique d'un pont de 190 mètres de haut près d'Innsbruck (en Autriche), l'un des ponts les plus hauts d'Europe.
« C'était magnifique, avec ces vues spectaculaires de la nature tout autour », a-t-elle commenté.

L'octogénaire est une habituée des sensations fortes. Elle dit avoir accompli 39 sauts à l'élastique par le passé et avoir découvert le saut en parachute voilà 13 ans.

D'après *Le Point.fr*, 17/08/2015.

Réfléchissons... L'apprentissage du vocabulaire

- **Pour trouver le sens d'un mot inconnu :**

– cherchez un mot de la même famille. Par exemple, vous connaissez le verbe « *voir* » et son participe passé « *vu* ». Vous pouvez comprendre « *revoir* » ou « *la vue* » ;
– regardez le sens général du texte. Dans la phrase... « *Pour cette soirée très habillée, Marina portait tous ses bijoux et en particulier, autour du cou, un magnifique sautoir de perles de sa grand-mère.* » ... le mot « *sautoir* » peut être compris par le contexte ;
– comparez avec un mot d'une autre langue. Par exemple, « *honneur* » peut se traduire « *honour* » en anglais, « *honor* » en espagnol, « *onore* » en italien.

3. Lisez l'encadré « Réfléchissons » page 14. Repérez les différentes façons de trouver le sens d'un mot nouveau.

4. Travaillez par deux. Lisez l'article « Une Bulgare... ». Voici des mots qui ne sont pas dans le niveau A1 de *Tendances*. Essayez de découvrir leur sens.

a. sauter
b. élastique
c. téméraire
d. souffler
e. octogénaire
f. spectaculaire
g. accomplir
h. parachute

5. Vérifiez votre compréhension. Associez ces mots nouveaux avec les mots suivants.

a. 80 ans
b. courageuse
c. pour éteindre la bougie
d. faire, réaliser
e. passer par-dessus un obstacle
f. pour tenir les cheveux
g. extraordinaire
h. pour sauter d'un avion

6. Discutez avec le professeur. Le dictionnaire bilingue est-il toujours nécessaire ?

Travailler les automatismes

7. Lisez l'encadré « Réfléchissons » ci-contre. Dans les extraits, relevez les constructions répétées.

8. Continuez les textes suivants en répétant la même construction.

a. Construction de la négation quand le complément est introduit par *le, la, les*.
Utilisez : *aimer - prêter - donner - faire plaisir - inviter.*
L'égoïste
Il ne s'intéresse pas aux autres.
Il n'écoute pas les autres.
...

b. Construction de la négation quand le complément est introduit par *du, de la*.
Utilisez : *le tennis - le ski - la randonnée - la voile.*
Il déteste les sports.
- Tu fais du jogging ?
- Non, je ne fais pas de jogging.
- Tu fais de la natation ?
- Non, ...

9. Pour apprendre les conjugaisons, transformez-les en petits dialogues.
Exemple :
À la sortie du cinéma
- Tu as aimé ?
- Oui, j'ai aimé.
- Et vous, vous avez aimé ?
- Oui, nous avons aimé.
- Et elle ? Et eux ?
- Elle a aimé. Ils ont aimé.

Entraînez-vous avec les verbes :
a. *savoir* au présent
- Tu sais ta leçon ?
- ...

b. *finir* au passé composé
- Tu as fini ton travail ?
- ...

Réfléchissons... L'apprentissage de la grammaire

Apprendre la grammaire, c'est comprendre le sens des constructions et des conjugaisons. C'est aussi savoir les utiliser de manière automatique. Pour cela, il faut s'entraîner en classe, mais aussi seul ou par deux. Ce travail peut être aussi un jeu. Voici quelques débuts de poèmes ou de chansons qui jouent avec les constructions grammaticales.

Quand la vie est un collier
Chaque jour est une perle [...]
Quand la vie est une forêt
Chaque jour est un arbre [...]
Jacques Prévert, *Fatras* (1966)

Dans Paris il y a une rue ;
Dans cette rue il y a une maison ;
Dans cette maison il y a un escalier [...]
Paul Éluard, *Les Sentiers et les Routes de la poésie* (1954)

[...] J'ai oublié de faire attention à moi une nuit d'été.
J'ai oublié ce que c'est de courir derrière un ballon.
J'ai oublié [...]
Grand Corps Malade, *J'ai oublié* (slam, 2007)

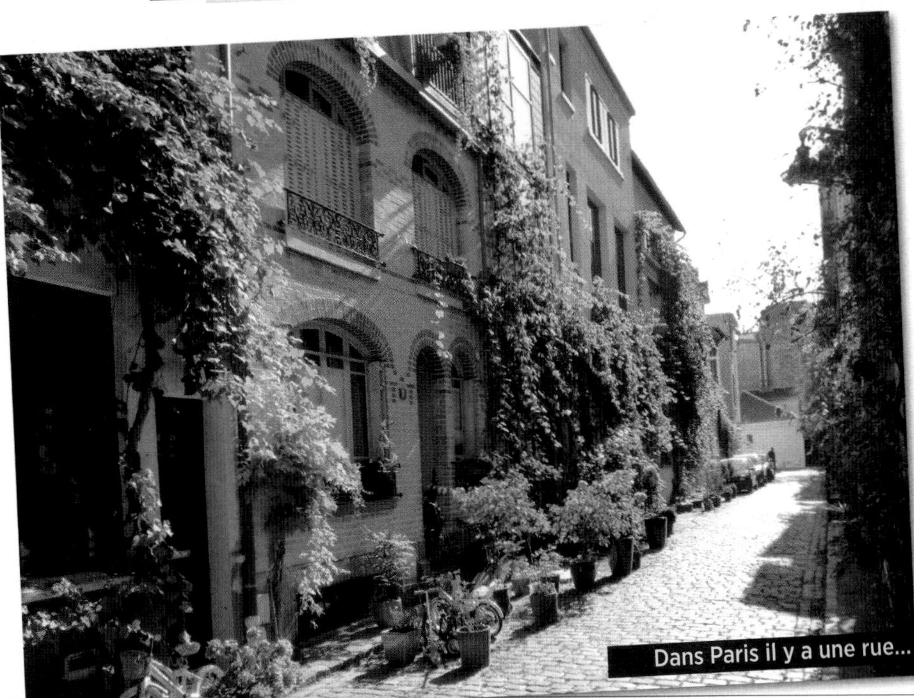
Dans Paris il y a une rue...

Villa Marie-Claire — Des nouvelles de Mélanie

N° 22

N° 2

Tenez, regardez... Ce matin, j'ai reçu une carte de Mélanie. Vous reconnaissez ?

Le palais de Sans-Souci près de Potsdam, en Allemagne, a été construit par le roi de Prusse Frédéric II en 1745. Frédéric II y invitait des artistes et des intellectuels de toute l'Europe. Il parlait français et il aimait la philosophie. En 1750, il a invité Voltaire qui est resté trois ans à Sans-Souci.

Le palais de Sans-Souci

Travailler par deux

1. Regardez ou écoutez la séquence 22. Approuvez ou corrigez les phrases suivantes.

a. La scène se passe le matin.
b. Greg est bien réveillé.
c. Il a pris son petit déjeuner.
d. Mélanie a envoyé une carte postale à sa grand-mère.
e. Greg demande des nouvelles de Mélanie.
f. Il n'a pas eu de nouvelles de Mélanie depuis longtemps.

2. Complétez l'emploi du temps de Mélanie.

Emploi du temps de juillet de Mélanie
- Du 1er au vendredi 9 juillet : ...
- Du samedi 10 au dimanche 18 juillet : ...
- Semaine du 19 au 25 juillet : ...
- Du 26 au 31 juillet : ...

Réfléchissons... Parler du passé

• Lisez ci-dessus le commentaire de la carte postale. Relevez les verbes et classez-les dans le tableau.

Le verbe exprime un évènement dans le passé	Le palais de Sans-Souci **a été construit – ...**
Le verbe commente cet événement passé. Il décrit une personne ou une chose dans le passé. Il exprime une action habituelle dans le passé	...

• Quels sont les verbes :
a. au passé composé ?
b. à l'imparfait ?

• Mettez les verbes des phrases suivantes au passé composé ou à l'imparfait.
Voltaire *(naître)* en 1694. Louis XIV *(être)* roi de France.
Voltaire *(écrire)* le conte *Candide*.
Dans ses contes et ses essais, Voltaire *(critiquer)* la monarchie et la religion.

3. Lisez la partie « Réfléchissons ». Conjuguez les verbes entre parenthèses.

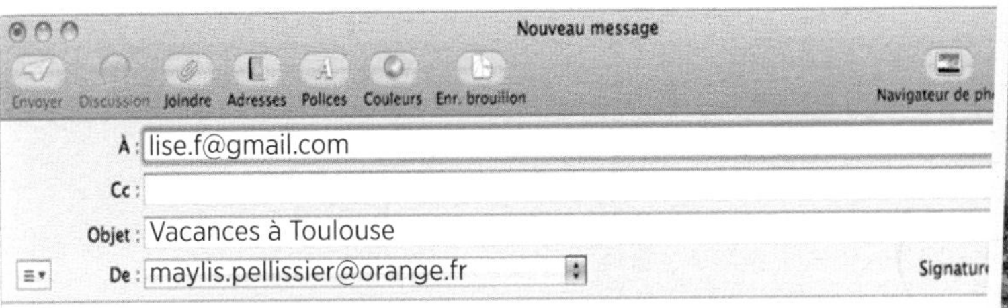

Bonsoir Lise,
Avant d'aller me coucher, je t'envoie quelques nouvelles de notre voyage.
Nous *(arriver)* hier soir à Toulouse. Loïc *(venir)* nous chercher à l'aéroport.
Ce matin, nous *(prendre)* le petit déjeuner à la terrasse d'un café de la place du Capitole. Il *(faire)* beau. C'*(être)* très agréable.
Puis, Sébastien *(faire)* du vélo avec Loïc. Ils *(aller)* sur les bords de la Garonne.
Moi, j'*(visiter)* le centre-ville. J'*(voir)* de beaux hôtels du XVIe et du XVIIe siècles. C'*(être)* jour de marché. J'*(acheter)* des prunes. Elles *(être)* délicieuses...

Pour s'exprimer

- Comment ça va ?
Qu'est-ce que tu as fait hier soir ? Pendant le week-end ? Tu as passé un bon dimanche ?
- Je suis allé(e)... J'ai vu... J'ai regardé... Avec des amis, nous avons fait du sport...

4. Avant le cours de français, vous avez l'habitude de parler à vos voisins. Préparez ces conversations.

Travailler en petit groupe

5. Travaillez par groupe de 3 ou 4. Lisez le forum. Faites la liste des points positifs et négatifs du travail en groupe. Discutez chaque point. Trouvez des exemples pour l'apprentissage du français.

→ Partage des connaissances : *quelquefois, un étudiant donne le sens d'un mot. Il donne une explication sur un lieu ou un personnage.*
→ Partage du travail : ...

Complétez les points positifs et négatifs.

Pour s'exprimer

Pour exprimer une opinion
- Je pense que... Je crois que... À mon avis... Pour moi...
- Le travail par deux est plus intéressant que... Il est aussi efficace que... Il est moins...
- On apprend mieux seul... En groupe, il y a des étudiants qui parlent trop. Ils ne sont pas assez sérieux...

www.questions-reponses.org

Forum Questions-Réponses

Est-ce plus efficace de travailler en groupe que de travailler seul ?

Sabrina123 Moi j'aime bien travailler en groupe. On partage nos connaissances. On partage aussi le travail. Ça va plus vite.

Dragibus Je suis d'accord. Moi, j'apprends mieux quand je parle, quand je dialogue avec les autres. Quand on est dans un grand groupe, on a moins l'occasion de s'exprimer.

Ambre Je crois qu'avec le travail en groupe on perd du temps. On passe beaucoup de temps à se mettre d'accord, à prendre des décisions.

JB Je pense comme toi. Je n'aime pas travailler en groupe. Quelquefois, tu as une bonne idée mais les autres n'en veulent pas.

Lucie Pour moi, le travail en groupe est plus stimulant. Mais il ne faut pas être plus de 4.

6. Participez au forum. Donnez votre avis sur la question suivante : « Préférez-vous faire les activités de français seul, par deux ou en petit groupe ? »

Unité 0 - Leçon 4 - Surveiller la prononciation

Suivre le rythme

N° 3

1. Le rythme des groupes de mots

On prononce le français par groupes rythmiques (un mot ou plusieurs mots). Un mot compte une ou plusieurs syllabes écrites et une ou plusieurs syllabes orales. La dernière syllabe orale du groupe rythmique est accentuée.

Exemple : *Paul (une syllabe écrite, une syllabe orale) – Pierre (deux syllabes écrites, une syllabe orale) – Hélène (trois syllabes écrites, deux syllabes orales)*

• Écoutez. Soulignez les syllabes accentuées. Répétez.

Au téléphone

Oui… Non… Bon…
Ça va… Et vous ?… D'accord…
Je comprends… Je connais… Je confirme…
C'est un ami… Il est français… Il est sympa…
Il comprend l'anglais… Vous le contactez… Vous me confirmez.

N° 4

2. Le « e » non prononcé

Le « e » final d'un mot écrit ne se prononce pas. La consonne écrite qui le précède se prononce.

• Écoutez. Notez l'accentuation. Répétez.

Tout pour plaire

Elle est belle… agréable… québécoise…
artiste… célèbre… et riche…

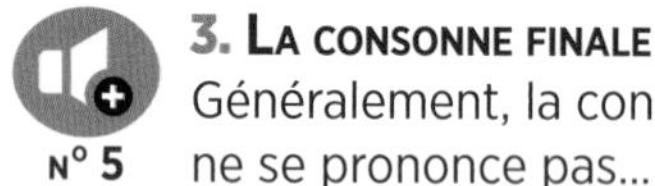

N° 5

3. La consonne finale non prononcée

Généralement, la consonne finale ne se prononce pas…

• Écoutez. Soulignez les consonnes non prononcées. Répétez.

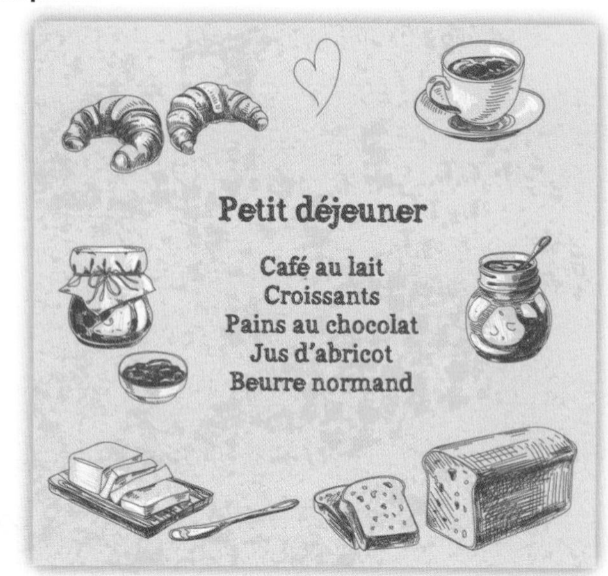

… mais elle se prononce quelquefois.

Faire les enchaînements et les liaisons

En français, les mots d'une phrase sont généralement liés entre eux.

N° 6

4. Mot terminé par une consonne prononcée suivi d'un mot qui commence par une voyelle

• Écoutez et observez les enchaînements consonne – voyelle.

Il est quelle heure ?

– Il est une heure et demie. Que peut-on faire… cet après-midi ?
– Voir un film… ou boire un verre au café.
– Avec Amélie… et notre ami Jean ?

N° 7

5. Mot terminé par une voyelle suivi d'un mot commençant par une voyelle

• Écoutez et observez les enchaînements entre voyelles.

Où est Amélie ?

– Lundi à midi… J'ai eu un appel…
Elle m'a expliqué… qu'une amie allemande… l'a invitée… à aller à Istanbul.

N° 8

6. Mot terminé par une consonne non prononcée suivi d'un mot qui commence par une voyelle

Il faut généralement faire la liaison quand la consonne est :
« s » ou « x », prononcée [z] ;
« d », prononcé [t] ;
« t » ; « n » ou « r ».

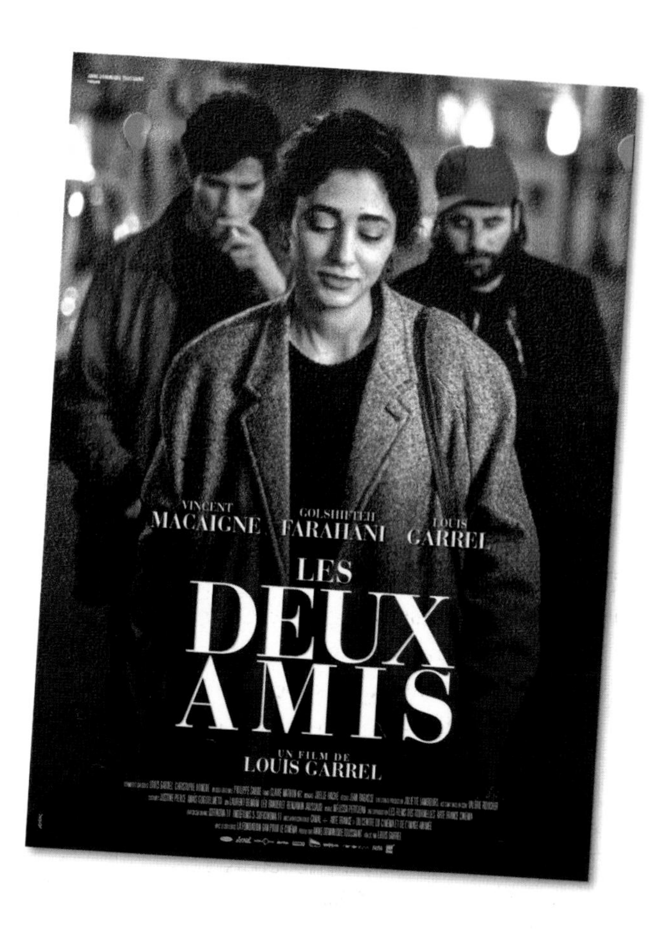

Prononcer les sons difficiles

N° 9

7. Écoutez. Répétez. Repérez les sons difficiles pour vous.

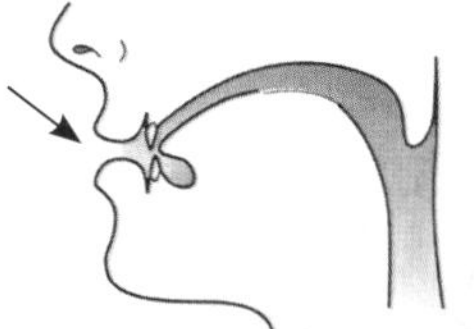

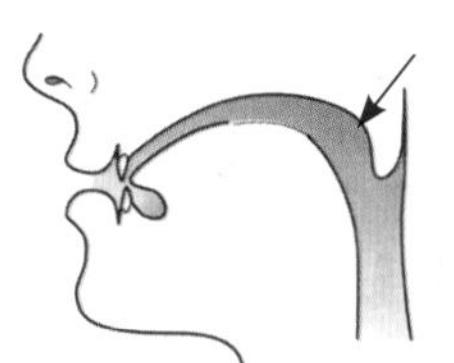

Voyelles ouvertes ↓ **Voyelles fermées**

	[a] Marie	
[ɛ] le p**è**re	[œ] un profess**eu**r	[ɔ] **au** revoir
[e] M**é**lanie	[ø] d**eu**x	[o] de l'**eau**
[ə] bel**le**		
[i] l'h**i**ver	[y] sal**u**t	[u] v**ou**s

Voyelles nasales	[ɛ̃] le p**ain**	[ɑ̃] le v**en**t	[œ̃] l**un**di	[ɔ̃] b**on**

Les semi-voyelles	[j] h**i**er	[ɥ] la n**ui**t	[w] un **oi**seau

Consonnes sourdes	[p] **p**arlez	[t] **t**enez	[f] **f**aites	[s] **s**ortez	[ʃ] **ch**antez	[k] **c**ommencez
Consonnes sonores	[b] **b**uvez	[d] **d**înez	[v] **v**oyez	[z] li**s**ez	[ʒ] **j**ouez	[g] **gu**idez
Autres consonnes	[n] u**n**iversité [m] **m**ada**m**e	[ɲ] champa**gn**e		[l] **l**ivre	[r] **r**egardez	

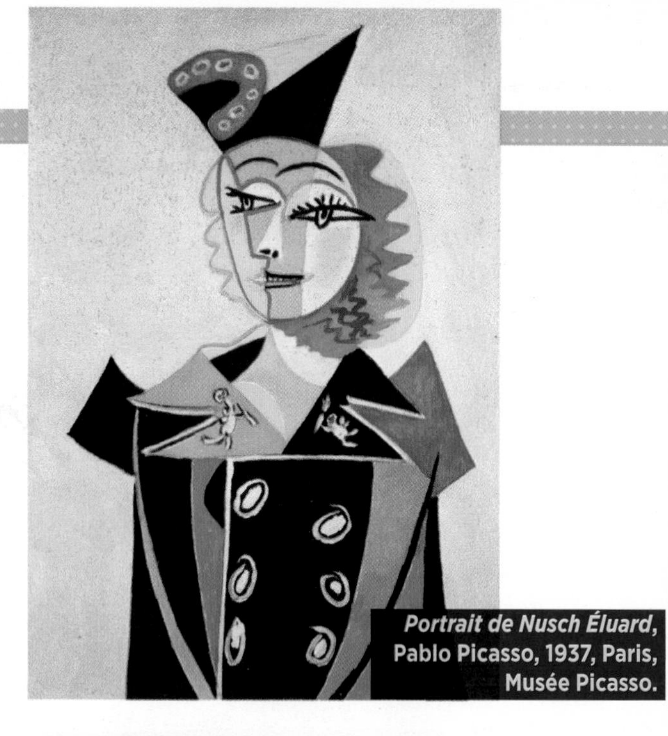
Portrait de Nusch Éluard, Pablo Picasso, 1937, Paris, Musée Picasso.

1. PRÉSENTER QUELQU'UN

Le guide du musée présente ce tableau. Complétez les phrases avec les expressions de l'encadré.

a. Voici un portrait...
b. Elle s'appelle...
c. Elle est née...
d. C'était...
e. Elle était...
f. En 1934, ...

1. ... une artiste de théâtre et de music-hall.
2. ... l'amie des poètes et des peintres surréalistes.
3. ... peint par Picasso.
4. ... Nusch Éluard.
5. ... elle a épousé le poète Paul Éluard.
6. ... en 1906.

2. TROUVER LE SENS D'UN MOT NOUVEAU

Donnez le sens des mots en gras, d'après le contexte.

Dans la presse

a. L'équipe de football de Marseille **a battu** le PSG par **2 buts** à 0.
b. Dans la nuit du 23 mars, un tableau d'une valeur de deux millions d'euros **a été dérobé** au musée de la Ville de Paris. La police enquête.
c. Les prix de l'immobilier **ont chuté** de 10 % en un an à Saint-Étienne. Le prix moyen du m^2 est passé de 1 050 à 940 euros.
d. Le **labrador** du président est mort. L'animal avait 15 ans. Il accompagnait le président dans ses promenades.

3. TRAVAILLER LES AUTOMATISMES

Pour chaque situation, écrivez deux phrases sur le même modèle.

a. *L'adolescent difficile* (utilisez : *vouloir – faire*)
Il **n'**aime **pas** se lever tôt.
...

b. *Présentation de l'équipe qui a fait un film* (utilisez : *jouer – créer*)
Voici Marie **qui** a écrit le scénario.
...

c. *Au retour d'un voyage* (utilisez : *voir – manger*)
– Tu as visité l'Italie ?
– Oui, je **l'**ai visitée.
– ...

4. FAIRE LES ENCHAÎNEMENTS ET LES LIAISONS

N° 10 **Prononcez ces phrases. Indiquez les enchaînements et les liaisons. Écoutez et vérifiez.**

a. Quel âge a Noémie ?
b. Elle a vingt-deux ans en octobre, le premier octobre.
c. Cet été, elle emménage dans un nouvel appartement.
d. Elle a un ami américain qui arrive à Paris demain.
e. C'est un grand amateur de musique classique.

5. DIFFÉRENCIER LES VOYELLES

N° 11 **Écoutez et notez les mots que vous entendez.**

a. 1. j'aime danser — 2. j'ai dansé
b. 1. le bas — 2. le banc
c. 1. c'est long — 2. c'est lent
d. 1. le cas — 2. le camp
e. 1. il écrit — 2. il est cru
f. 1. On se dit « tu » — 2. On se dit tout
g. 1. C'est eux — 2. C'est haut
h. 1. Appelle-le — 2. Appelle-les

6. DIFFÉRENCIER LES CONSONNES

N° 12 **Écoutez et notez les mots que vous entendez.**

a. 1. je fais — 2. je vais
b. 1. il bouge — 2. il bouche
c. 1. les choux — 2. les joues
d. 1. le ton — 2. le don
e. 1. elles sont décidées — 2. elles ont décidé
f. 1. ils s'aiment — 2. ils aiment
g. 1. le pain — 2. le bain
h. 1. un feu — 2. un vœu
i. 1. le vent — 2. le banc
j. 1. le Gard — 2. le car

UNITÉ 1

RECEVOIR DES AMIS

1 SE RETROUVER
- Demander des nouvelles de quelqu'un
- Faire des préparatifs

2 PRÉPARER UN PLAT
- Connaître le nom des ingrédients
- Comprendre et expliquer une recette

3 PRENDRE UN REPAS ENSEMBLE
- Réagir au cours d'un repas
- Apprécier – féliciter

4 S'AMUSER
- Raconter une soirée
- Jouer
- Inviter

PROJET

ORGANISER UNE SOIRÉE
- Faire un projet de soirée originale
- Rédiger une invitation

Villa Marie-Claire — Préparatifs de soirée

N° 23

N° 13

1. **Mélanie :** Et moi, ça **me** fait plaisir d'être ici. Tu as des nouvelles de Ludo et de Li Na ?
   Greg : Oui... Ta grand-mère ne **t'**a pas dit ?
2. **Madame Dumas :** Je vais **lui** donner des conseils.
3. **Madame Dumas :** Je **leur** ai réservé deux chambres.
4. **Mélanie :** Pour samedi soir, on **leur** prépare un repas sympa, ici... Puis, je **vous** montre mes photos d'Allemagne.

Utiliser les pronoms compléments indirects

1. Regardez ou écoutez la séquence 23.

a. Associez les phrases aux photos.

b. Choisissez la bonne phrase.

1. a. Mélanie était à la villa Marie-Claire hier.
   b. Mélanie est revenue d'Allemagne.
2. a. Greg est content de voir Mélanie.
   b. Mélanie est contente parce qu'elle retrouve Greg.
3. a. Madame Dumas va avoir de nouveaux locataires.
   b. Greg et Mélanie ne connaissent pas ces locataires.
4. a. Li Na et Ludo habitaient à Nanterre.
   b. Ils doivent quitter leur appartement parce que le propriétaire veut le vendre.
5. a. Ludo et Li Na vivent en couple.
   b. Ludo et Li Na étaient en colocation.
6. a. Pour fêter l'arrivée de Li Na et Ludo, Mélanie va préparer un repas.
   b. Greg a envie d'aller dans une discothèque.

Réfléchissons... Les pronoms compléments indirects

• **Dans les phrases extraites de la scène, que représentent les mots en gras ? Retrouvez la construction du verbe.**
*Exemple : « ça **me** fait plaisir » → me représente Mélanie – ça fait plaisir **à moi**.*

• **Complétez le tableau des pronoms compléments.**

... à moi	Il *me* fait un cadeau.
... à toi	Il ... fait un cadeau.
... à lui / à elle	...
... à nous	...
... à vous	...
... à eux / à elles	...

• **Complétez la définition.**
Les pronoms indirects *me, te, lui*, etc. remplacent ... . On les utilise quand le verbe est construit avec ... .
! Attention : avec quelques verbes on utilise les pronoms *moi, toi, lui / elle*, etc. après le verbe.
*Je pense **à lui**. – Je m'intéresse **à elle**.*

2. Faites le travail de l'encadré « Réfléchissons ». Complétez avec un pronom complément indirect.

Deux copains discutent.

- Tu as des nouvelles de Chloé ?
- Oui, elle est partie faire un stage en Allemagne.
- Elle ... a donné de ses nouvelles ?
- Oui, je ... envoie des textos. Elle ... répond toujours.
- Elle a des amis là-bas ?
- Elle a des copains intéressés comme moi par le rap. Elle ... a mis en contact. Je ... ai envoyé des fichiers de rappeurs français. Ça ... a fait plaisir.

Prononciation dans les constructions avec pronom

N° 14

• Répétez. Puis, continuez sur le même modèle.

Un fils difficile

a. Je lui ai demandé de se lever... Il m'a répondu qu'il était fatigué.
b. Je lui ai demandé de déjeuner... Il m'a répondu qu'il n'avait pas faim.
c. *(demander de faire son lit)... (être occupé)*
d. *(demander de faire ses devoirs)... (regarder la télé)*

Ados difficiles

e. Je leur ai dit de rentrer tôt... Ils m'ont dit qu'on était un samedi.
f. Je leur ai dit de m'aider. Ils m'ont dit qu'ils étaient occupés.
g. *(dire d'aller au lycée)... (avoir le temps)*
h. *(dire de travailler)... (être fatigué)*

Demander des nouvelles de quelqu'un

3. Jeu de rôle. Deux ami(e)s qui ne se sont pas vu(e)s depuis longtemps se retrouvent...

Pour s'exprimer

Rencontrer un ancien ami

• Exprimer la surprise : Tiens, mais c'est Julia ! Comment ça va ? Tu n'as pas changé... Tu as changé ta coiffure !
• Demander des nouvelles de :
– son activité : Tu fais quoi ? Tu es toujours vendeur chez Fiat ?
– son lieu d'habitation : Tu habites toujours le 18e ?
– son couple : Tu es marié(e) ? Et ta copine ? Tu as des enfants ?
– ses loisirs : Tu joues toujours au tennis ? Tu ne fais plus de squash ?
– vos amis communs : Tu vois toujours Marie ? Tu as des nouvelles de...

Nos futurs, film de Rémi Bezançon (2015). Deux amis d'enfance se retrouvent.

Faire des préparatifs

4. Continuez selon les situations. Utilisez les expressions de l'encadré et les mots de la liste.

a. Il se prépare pour le test de français. → *Il lui faut...*
b. Elle prépare l'anniversaire de son frère. → *Elle a besoin de...*
c. Des amis vont venir passer quelques jours chez vous... → *« Il me faut... »*

- des bougies – un cadeau – du champagne – un dictionnaire – un gâteau – du papier – un stylo – une surprise
- acheter... – décorer... – faire des courses – préparer... – réviser...

Pour s'exprimer

Pour exprimer un besoin

• Il faut... Il me faut un dictionnaire.
Il nous faut préparer le jeu de rôle.
• J'ai besoin d'un dictionnaire.
J'ai besoin de me reposer.
Je dois me reposer. C'est nécessaire.

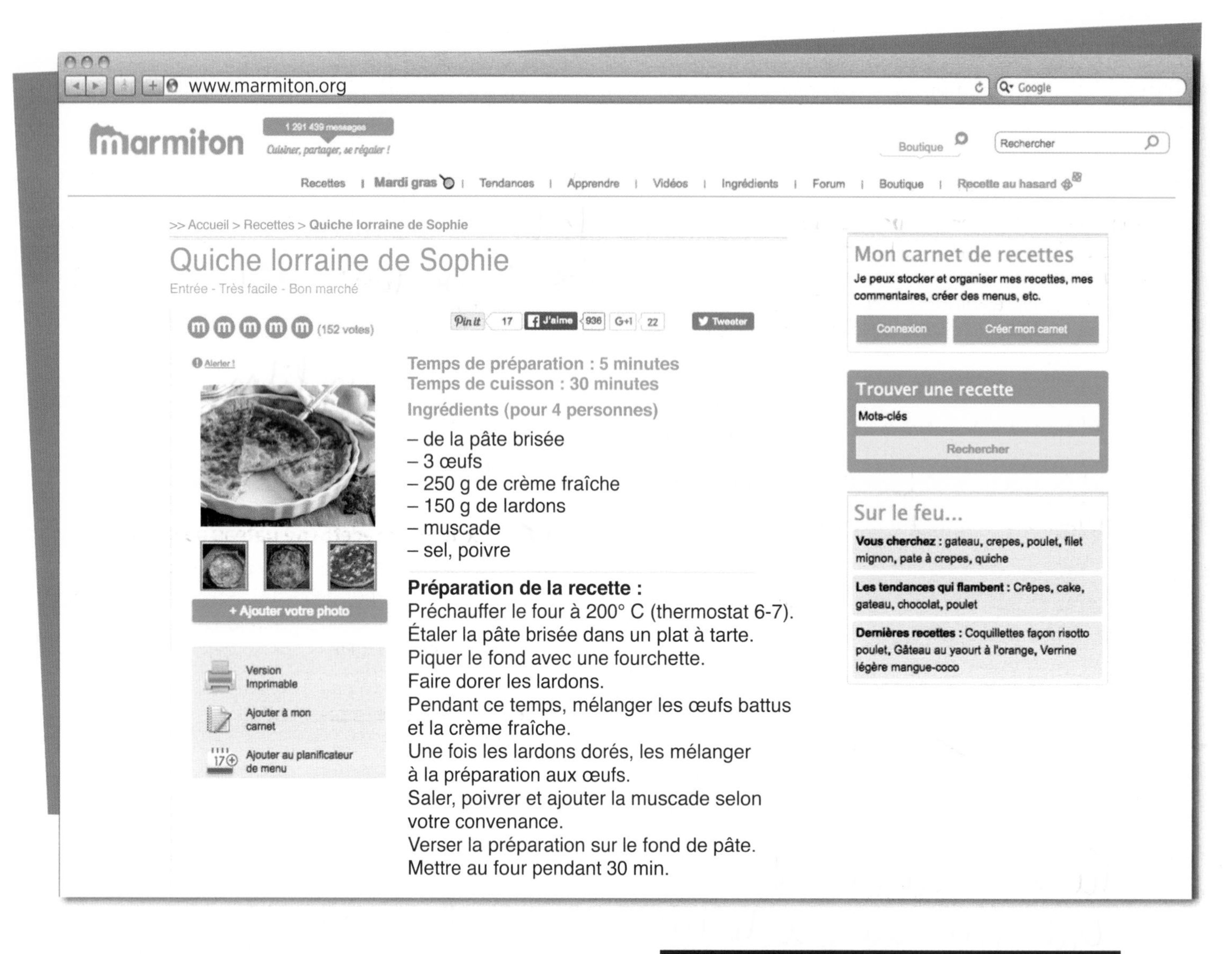

Connaître le nom des ingrédients

1. Lisez la recette de la quiche lorraine.

a. Trouvez les mots correspondant à ces définitions.

1. épices
2. petits morceaux de porc
3. pour faire cuire un plat
4. ingrédient principal pour faire une tarte
5. pour porter les aliments à la bouche

b. Mimez les étapes de la préparation de la quiche. Relevez les verbes.

c. Complétez ces phrases avec les verbes relevés.

1. Il faut ... les saucisses avant de les mettre sur le gril.
2. Il faut ... le vin dans un verre à vin.
3. Avant de servir la salade, il faut la ... à la vinaigrette.
4. Pour faire un toast, il faut faire ... le pain. Puis, on ... du beurre et de la confiture sur le pain.

Réfléchissons... L'expression de la quantité

• **Dans les phrases suivantes, observez les mots en gras. Classez les emplois dans le tableau.**

a. Je vais acheter **du** pain ?
b. Oui, va acheter **une** baguette et **un** croissant.
c. Pour ce soir, je prépare **de la** soupe de poisson avec **des** gambas grillées.
d. Fais **beaucoup de** soupe. J'adore ça !
e. Avec **la** soupe de poisson, il faut **quelques** tranches de pain grillé.
f. Tu veux **un peu de** fromage dans la soupe ?
g. À l'apéritif, je sers **beaucoup d'**olives ?

On exprime une quantité de choses bien différenciées. On peut les compter.	...
On exprime une quantité de choses indifférenciées. On ne peut pas les compter.	***a.*** *du*
On parle d'une chose précise, sans idée de quantité.	...

2. Lisez l'encadré « Réfléchissons ». Regardez les photos. Complétez avec un article ou un mot de quantité.

a. Utilisez : *beaucoup de – quelques – des – une.*
Pour le repas de dimanche, je vais préparer ... choucroute.
Il me faut ... saucisses, ... tranches de jambon et ... chou.

b. Utilisez : *du – de la – des – un peu de – un.*
J'adore la blanquette de veau. Je la sers avec ... pommes de terre ou ... riz.
Ce n'est pas un plat très difficile à faire. Il faut ... morceaux de veau, ... œuf, ... crème fraîche, ... sel et ... grains de poivre.

Les plats préférés des Français

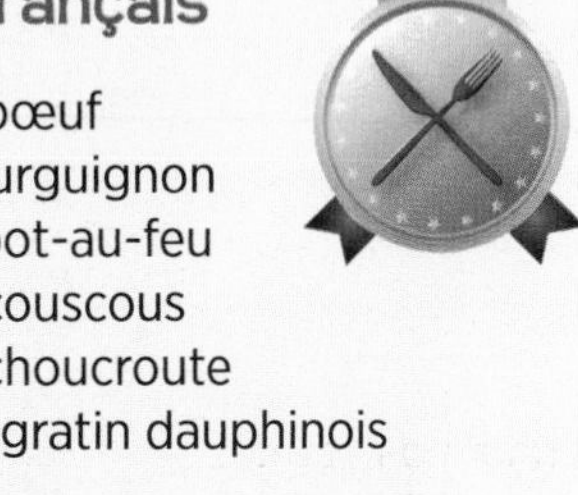

1. le poulet rôti
2. le magret de canard
3. le plateau de fruits de mer
4. la blanquette de veau
5. le steak frites
6. le bœuf bourguignon
7. le pot-au-feu
8. le couscous
9. la choucroute
10. le gratin dauphinois

Sondage BVA du 31/01/2015

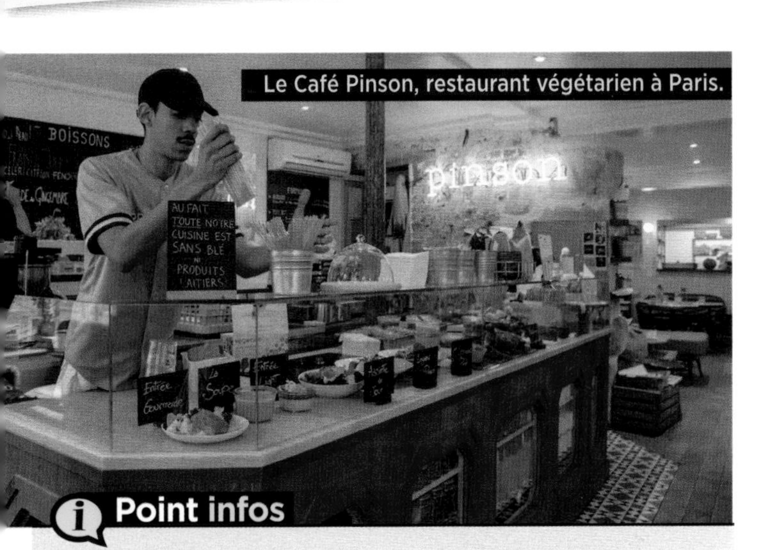

Le Café Pinson, restaurant végétarien à Paris.

Point infos

LES FRANÇAIS ET LA NOURRITURE : TENDANCES

• Les Français mangent plus souvent à la maison que les Anglais, les Américains ou les Espagnols. Le repas de tous les jours doit être vite préparé (20 min en moyenne) mais on reste à table entre 30 et 45 min.
• On cherche à faire des repas équilibrés avec de bons produits. On fait attention à l'origine du produit et au label bio. Il y a des restaurants spécialisés pour les personnes qui font un régime : cuisine végétarienne, végétalienne, cuisine sans laitage, sans farine de blé, etc.
• Les jeunes mangent souvent dans les fast-foods, qui proposent des hamburgers mais aussi des pâtes, des salades, des kébabs, des soupes, des sushis, etc.
• On aime aussi les plats exotiques. Les cuisines italienne, asiatique, grecque, espagnole, etc. sont appréciées dans les restaurants spécialisés mais aussi à la maison.

Comprendre et expliquer une recette

N° 15

3. Écoutez la recette du gâteau au yaourt.

a. Complétez la liste des ingrédients.
– un pot de yaourt (le pot de yaourt sert de mesure pour les autres ingrédients)
– un sachet de sucre vanillé
– ...

b. Notez les étapes de la préparation.
1. Préchauffer le four – 2. ...

4. En petit groupe, échangez des recettes faciles. Apprenez une recette facile aux étudiant(e)s qui ne savent pas cuisiner.

5. Écrivez la recette qui vous a intéressé(e).

Les sons [i] – [y] – [u]

N° 16

• Répétez.
Entendu au marché
Cass**ou**let d**u** s**u**d-**ou**est !
Rad**i**s d**ou**x !
Lég**u**mes d'Ang**ou**lême !
V**i**n d**ou**x d**u** Val de Loire !
G**oû**tez mon gr**u**yère !
B**u**vez ce B**ou**rgogne !
V**ou**s avez v**u** mes ch**ou**x !

Villa Marie-Claire — Le dîner de Greg

N° 24

N° 17

1. **Greg :** Et voilà : poulet à la catalane !
Ludo : Magnifique !
2. **Greg :** Tu n'aimes pas mon plat !

Le poulet à la catalane est une ancienne recette de la région de Perpignan. Le poulet est préparé avec une sauce à base d'ail et de citron.

Utiliser les pronoms

1. Regardez ou écoutez la séquence 24. Remettez dans l'ordre les moments de la scène.

a. Ludo goûte le plat de Greg. Il trouve à ce plat un goût bizarre.
b. Greg sert ses trois amis.
c. Greg apporte un plat : le poulet à la catalane.
d. Greg n'est pas content. Il croit que ses amis n'aiment pas le plat.
e. Li Na, Mélanie et Ludo plaisantaient.
f. Tout le monde cherche quel est le goût du plat.

2. Complétez avec un pronom ces extraits de la séquence. Retrouvez la construction de la phrase sans le pronom.
Exemple : *a. Si, je* ***l'****aime... → Si, j'aime* ***ton plat****...*

a. Greg : Tu n'aimes pas mon plat !
Ludo : Si, je ... aime...
b. Li Na : C'est un goût de citron.
Greg : Oui, il y ... a un peu.
Ludo : Mais il y a autre chose.
Li Na : De l'ail.
Greg : Oui, il y en a.
c. Ludo : Ton poulet, on ... trouve très bon.
Mélanie : Vraiment ! Je ... félicite. Il est parfait ! J'... reprends.

Réfléchissons... Les pronoms compléments directs

Pronoms des 1re et 2e personnes
- **Complétez.**

- Greg, tu **nous** sers ? – Oui, je ... sers.
- Vous **me** félicitez ? – Oui, nous ... félicitons.

Pronoms de la 3e personne
- **Classez les pronoms de l'exercice 2 dans le tableau.**

Le nom représenté est précédé...	Pronom utilisé
...d'un article défini (*le, la, l', les*), d'un adjectif possessif ou démonstratif	...
....d'un article indéfini (*un, une, des*), partitif (*du, de la*) ou d'un mot de quantité	...

Construction quand le nom est précédé de *un / une* ou d'un mot de quantité
- Tu connais un bon restaurant ?
- Oui, j'en connais un.
- Tu manges beaucoup de pain ?
- Non, je n'en mange pas beaucoup.

Réagir au cours d'un repas

3. Voici des phrases prononcées pendant une soirée chez des amis. Remettez-les dans l'ordre chronologique.

Quand les invités arrivent : 5 – ...

1. Nous allons passer à table.
2. Donnez-moi votre manteau.
3. On va prendre le café au salon.
4. Merci encore. On a passé une très bonne soirée !
5. Vous avez trouvé l'immeuble facilement ?
6. Vous préférez un apéritif avec ou sans alcool ?
7. Asseyez-vous dans ce fauteuil.
8. Oh merci. Ces fleurs sont très jolies. Cela me fait très plaisir !
9. Vous reprenez un peu de rôti ?
10. Asseyez-vous à côté de Jeanne.
11. La prochaine fois, c'est chez nous !
12. Voici de la salade de fruits. Servez-vous.

4. Répondez en utilisant un pronom.

a. – Vous prenez une coupe de champagne ?
 – Oui, merci, j'...

b. – Vous voulez des chips ?
 – Non merci, je...

c. – Vous aimez ce plat ? C'est une spécialité de la région.
 – Oui, je...

d. – Comment vous trouvez ce vin ?
 – Je...

e. – Vous avez pris de la salade ?
 – Oui, j'...

f. – Vous avez pris une part de gâteau ?
 – Oui, j'...

Apprécier – féliciter

5. Associez les mots ou expressions des deux colonnes.

a. Merci !	**1.** Je l'aime beaucoup !
b. Bravo !	**2.** Je vous félicite !
c. Magnifique !	**3.** C'est impressionnant !
d. Excellent !	**4.** Ça me plaît.
e. Extraordinaire !	**5.** Je vous remercie.
f. Parfait pour moi !	**6.** C'est très beau !

6. Par deux ou trois, jouez une des scènes suivantes. Utilisez les expressions de l'exercice 5.

- Vous êtes invités chez de nouveaux amis. Vous n'êtes jamais allés chez eux.
- Vos amis vous accueillent.
- Vous admirez l'appartement et sa décoration.
- Vos amis vous proposent un apéritif original. Vous appréciez. Vous les félicitez.

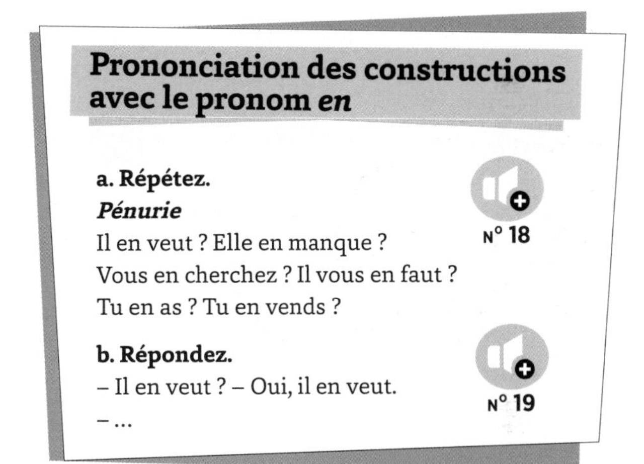

Prononciation des constructions avec le pronom *en*

a. Répétez.
Pénurie
Il en veut ? Elle en manque ?
Vous en cherchez ? Il vous en faut ?
Tu en as ? Tu en vends ?
N° 18

b. Répondez.
– Il en veut ? – Oui, il en veut.
– ...
N° 19

Point infos

REPAS ENTRE AMIS
REPAS DE FAMILLE

Quand on invite sa famille ou des amis pour une occasion exceptionnelle (un anniversaire, Noël...), on prépare un repas avec une entrée, un plat principal (de la viande ou du poisson) accompagné de légumes, un plateau de fromages et un dessert sucré.

Dans les autres occasions, on peut faire un repas complet ou proposer :
- un plat unique (couscous, pot au feu, paëlla...) et un dessert ;
- un apéritif dînatoire : on reste au salon et on mange des toasts, de la charcuterie, des tartes salées ou sucrées.

On regarde beaucoup les émissions de téléréalité sur la cuisine et on cherche à faire des repas originaux avec une belle présentation.

Unité 1 - Leçon 4 - S'amuser

www.entreamis.com

Forum

Créer une discussion | Mes discussions favorites | Chercher dans le forum

C'est quoi pour vous une bonne soirée entre amis ?

Ted1319 — 05 juin 2016 à 11 h 35

C'est une soirée décontractée, entre potes. On y discute de tout. On y refait le monde. Des pizzas, de la bière, de la musique en fond. C'est ça, ma soirée idéale !

♥ J'aime — Alerter — Répondre

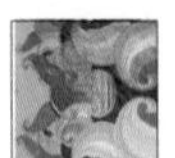

Lou63 — 05 juin 2016 à 12 h 58

Les soirées de Ted ne m'amusent pas. On y parle toujours de politique. Et moi, la politique, je ne m'y intéresse pas. J'aime quand on fait des jeux, quand on chante sur des musiques connues, quand on danse. Adieu mes problèmes, je n'y pense plus !

♥ J'aime — Alerter — Répondre

Cédric12310 — 05 juin 2016 à 14 h 01

Je préfère les soirées où on délire un peu... On regarde un film d'horreur, on se maquille, on se déguise et on sort en ville. Ou alors on fait des blagues au téléphone.

♥ J'aime — Alerter — Répondre

Romain — 05 juin 2016 à 16 h 16

Moi, je suis pour les soirées poker ou tarot. Avec les copains, nous nous connaissons bien. On s'invite chez l'un ou chez l'autre et on joue aux cartes jusqu'à trois heures du matin.

♥ J'aime — Alerter — Répondre

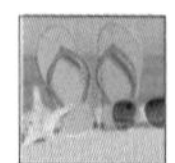

Léaaa — 05 juin 2016 à 21 h 32

Je recherche les soirées où je peux me faire de nouveaux amis : des étrangers par exemple. On se raconte notre vie, nos voyages. Puis, on se retrouve sur Facebook.

♥ J'aime — Alerter — Répondre

Raconter une soirée

1. Lisez le forum. Dans chaque intervention, trouvez les mots qui correspondent aux définitions.

- **Ted : a.** échanger des idées
- **Lou : b.** au revoir (quelquefois définitif)
- **Cédric : c.** dire ou faire des choses un peu folles – **d.** rendre son visage plus beau – **e.** mettre des vêtements originaux – **f.** plaisanterie, histoire amusante
- **Romain : g.** jeux de cartes

2. Caractérisez les intervenants du forum avec les mots suivants.

aime les contacts – créatif (créative) – curieux – décontracté – dynamique – intellectuel – joueur – joyeux – original – simple

3. Lisez l'encadré « Réfléchissons ». Remplacez les groupes soulignés par un pronom complément indirect (*lui, leur, y*).

– Tu vas à la soirée de Laura ?
– Oui, je vais <u>à la soirée de Laura</u>. Elle est sympa, Laura.
– Qu'est-ce qu'on apporte <u>à Laura</u> ? Un CD de rap ?
– Elle ne s'intéresse pas <u>au rap</u>.
– Alors, quel cadeau on fait <u>à Laura</u> ?
– Je vais réfléchir <u>à ce cadeau</u>. Peut-être ses amis ont une idée. Je vais téléphoner <u>à ses amis</u>.

Réfléchissons... Le pronom *y*

- **Dans les interventions de Ted et de Lou, relevez les phrases avec *y*. Réécrivez ces phrases sans le pronom. Que représente ce pronom ?**

Exemple : *On **y** discute.* → ***Dans ces soirées**, on discute.*

- **Dans quelle phrase le pronom *y* représente :**
  – un lieu ?
  – une chose ou une idée ?

4. Trois participants au forum racontent leur soirée. Continuez.
Ted : Hier soir, on s'est retrouvés entre potes. On a discuté...
Lou : Hier soir, je suis allée à une soirée sympa. J'ai...
Cédric : Hier soir, nous avons organisé une soirée délire...
Romain : Hier soir, j'ai...
Léa : Hier soir, je suis allée...

5. Écrivez. Répondez à la question du forum.

6. Racontez à votre partenaire une bonne soirée passée avec des amis.

Jouer

7. Complétez avec un des verbes suivants : ***gagner – jouer (à, au, à la, aux) – perdre – tirer au sort.***

Rubrique *Jouer*, p. 33

Football
a. Avant de commencer le match, on ... le côté où chaque équipe va jouer.
b. Farid ... football depuis son enfance. Il ... aussi ... jeux vidéo.
c. L'équipe de Lyon a marqué un but. L'équipe de Bordeaux a marqué 4 buts.
Lyon ... le match. Bordeaux ... .

8. Lisez la règle du jeu du portrait.
a. Par groupe de trois, préparez des questions fermées.
Exemple : *C'est un homme ? Il / Elle est vivant(e) ?*
b. Faites le jeu en classe.

Le jeu du portrait

Une personne du groupe sort. Les autres choisissent un personnage connu.
La personne qui est sortie rentre. Elle doit trouver le nom du personnage en posant des questions fermées (on peut y répondre seulement par « oui » ou par « non »).

Apprenons à conjuguer...

La forme pronominale
• Observez les verbes en gras.
a. Pour faire une quiche, elle **se sert** d'un plat à tarte.
b. Julie **se maquille** tous les matins.
c. Lucie et Paul vont divorcer. Ils ne **se parlent** plus.

• Quel verbe a :
– un sens réfléchi ?
– un sens réciproque ?
– un sens particulier ?

• Complétez la conjugaison au présent.
Je m'amuse, tu...

• Complétez la conjugaison au passé composé.
! N.B. : Au passé composé, les verbes pronominaux se conjuguent avec *être* : Je me suis ennuyé(e), tu t'es...

Accord du participe passé, p. 150

Inviter

N° 20

9. Écoutez ces quatre messages téléphoniques. Complétez le tableau.

	Message 1	...
Qui invite ?	...	...
Qui est invité ?	...	...
Pour quelle occasion ?	...	...
Où ?	...	...
À quelle date ?	...	...
Indications particulières	...	...

Prononciation des constructions avec le pronom *y*

a. Répétez.

N° 21

Précaution
Tu y as réfléchi ?
Tu y as pensé ?
Elle s'y est préparée ?
Elle s'y est intéressée ?
Vous y êtes allés ?
Vous y êtes restés ?

b. Répondez.

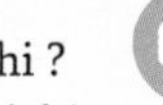

N° 22

– Tu y as réfléchi ?
– Oui, j'y ai réfléchi.
– ...

Dans cette leçon, vous allez préparer en petit groupe une soirée originale pour des amis.
Vous présenterez ensuite votre projet de soirée à la classe.

1 Choisissez l'occasion, la date et le lieu.

1. Choisissez l'occasion.
- ❑ un moment de votre vie : un anniversaire, la naissance d'un enfant, un mariage...
- ❑ une réussite
- ❑ un nouvel emploi
- ❑ un moment de l'année : le printemps, le départ en vacances
- ❑ une autre occasion : le succès de votre équipe de football...

2. Choisissez la date et l'heure.

3. Choisissez le lieu.
- ❑ chez vous
- ❑ chez des amis
- ❑ dans un restaurant ou un hôtel
- ❑ à la campagne (au bord d'une rivière, au bord de la mer, dans une forêt)
- ❑ dans un parc
- ❑ sur un bateau
- ❑ dans un lieu original (un château, un garage, une grotte, etc.)

2 Préparez le repas.

4. Lisez l'article ci-dessous. Voici des questions posées à l'auteur de l'article. Quelles sont ses réponses ?

a. Un repas crêpes, c'est beaucoup de travail ?
b. Quand vos invités arrivent, vos crêpes sont faites ?
c. Les crêpes sont toujours sucrées ?
d. Combien de temps il faut pour faire une crêpe ?
e. Vous dites que le repas crêpes est un repas original. Pourquoi ?

5. Composez votre buffet ou votre repas.  Vocabulaire, p. 33

BONNES IDÉES

LE REPAS CRÊPES
par Marianne

Pour vos soirées... une idée de repas originale !

■ ***Facile et rapide à préparer !***
Tout est prêt en une heure. Il faut un quart d'heure pour préparer la pâte à crêpe. Pendant que la pâte repose, mettre sur des plateaux de fines tranches de charcuterie (jambon, saucisson), de viandes, de saumon fumé, de fromage, de tomates et des feuilles de salade verte... Pour les crêpes dessert, proposer aussi du sucre en poudre, de la confiture, du Nutella et de la chantilly.
Chacun participe et fait sauter ses crêpes. Chacun les garnit avec ce qu'il veut.

■ ***La recette***
• **Ingrédients** (pour une trentaine de crêpes)
1 litre de lait – 500 g de farine – 4 œufs – 125 g de beurre – un peu de sel

• **Préparation**
1. Mélanger la farine, le lait et le sel dans un saladier et battre avec une fourchette.
2. Ajouter 4 œufs. Bien mélanger.
3. Ajouter le beurre fondu et battre avec une fourchette.
4. Laisser reposer une heure.
5. Faire chauffer un peu de beurre dans une poêle. Verser un peu de pâte. Faire cuire une minute de chaque côté.

3 Préparez l'animation.

6. Choisissez vos animations.
❑ jeux ❑ cartes ❑ danses
❑ jeux de rôle ❑ chansons ou karaoké
❑ autres types d'animation
❑ pas d'animation

4 Faites les invitations.

7. Lisez les invitations ci-dessous.

a. Répondez.
1. Qui invite ?
2. Pour quelle occasion on invite ?
3. Où ?
4. Quelle invitation est :
- classique ?
- décontractée ?
- originale ?

b. Approuvez ou corrigez les phrases suivantes.
1. Yves Raymond fait de la peinture.
2. Laure-Anne invite tout le monde à son anniversaire.
3. Nathalie et Guillaume invitent leurs amis à une cérémonie religieuse.
4. Après la cérémonie, ils les invitent à un repas.

c. Recherchez les expressions qui signifient :
1. être content **2.** inviter **3.** plaire

d. Commentez le diagramme de la fin de l'invitation de Nathalie et Guillaume. Imaginez votre diagramme.

5

8. Écrivez l'invitation pour votre soirée.

Présentez votre soirée à la classe.

Pour vos soirées **karaoké**, voici des chansons connues de tous les Français et de beaucoup d'étrangers. On trouve leur version karaoké sur YouTube :

« La vie en rose » / « Milord » (Édith Piaf)
« Comme d'habitude » (Claude François)
« Emmenez-moi » (Charles Aznavour)
« Les Champs Élysées » (Joe Dassin)

Chercher des personnes, des lieux ou d'autres choses — Accueil — Retrouver des amis

MAI 8 **Soirée !**

Privé – Organisé par Laure-Anne

samedi 8 mai à 21 : 00

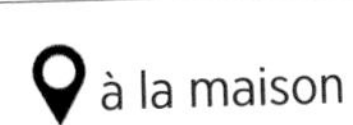

à la maison

4 participants — 3 peut-être — 16 invités

Je fais une soirée pour mon anniversaire. Ça vous dit ?
Vous pouvez venir à partir de 21 heures.
J'habite 8 rue des Chênes.
Pour venir : bus 34 – en voiture : il y a un parking dans ma rue, 100 mètres après ma maison.

C'est décidé, nous sommes partis pour additionner nos joies, soustraire nos peines, multiplier notre bonheur et ne pas se diviser.

Nathalie + Guillaume

ont la joie de vous annoncer leur mariage

Samedi 26 Mai 2012 à 15h

qui sera célébré à la Mairie d'Annoeullin.

A l'issue de la cérémonie, ils auront le plaisir de vous recevoir pour un vin d'honneur au 1er étage de la salle des fêtes d'Annoeullin.

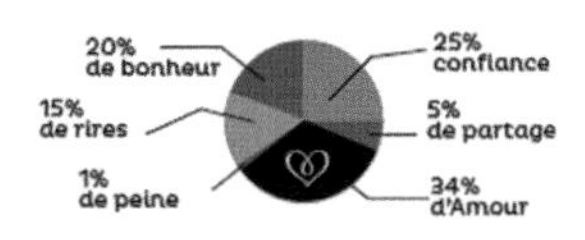

Réponse souhaitée avant le 31 mars 2012

L'association Artothèque a le plaisir de vous convier au vernissage de l'exposition

YVES RAYMOND
Aquarelles

à la Maison du Conseil départemental
24 rue de la Paix

UTILISER LES PRONOMS COMPLÉMENTS

1. Le complément est direct (il n'est pas lié au verbe par une préposition).
Le pronom se place avant le verbe.

Le mot remplacé est une personne ou une chose.	**On parle d'une personne ou d'une chose précise.**	me	te	le / la	nous	vous	les
	La personne ou la chose est précédée de : *un / une / des - du / de la* ou d'un mot de quantité (*un peu de - beaucoup de* - etc.)			en			en

• Phrase affirmative
- Tu connais Maria ? - Je **la** connais.
- Marie a des amis à Paris ? - Elle **en** a. Elle **en** a beaucoup.

• Phrase négative
- Et toi, tu connais Maria ? - Je ne **la** connais pas.
- Tu as des amis espagnols à Paris ? - Je n'**en** ai pas.

• Phrase impérative
- Invite-**la** ! Ne **la** laisse pas seule !
- Elle aime les fleurs. Offres-**en** à Maria !

• Au passé composé
- Tu **l'**as invitée ? - Non, je ne **l'**ai pas invitée.
- Tu as vu ses amis ? Tu **en** as rencontrés ?

2. Le complément est introduit par la préposition *à*.
Le pronom se place avant le verbe.

Le mot remplacé est une personne.	me	te	lui	nous	vous	leur
	! N.B. : Avec quelques verbes comme *penser, s'intéresser à*... on utilise les pronoms *moi, toi, lui / elle*, etc. après le verbe.					
Le mot remplacé est une chose ou une idée.			y			y

• Phrase affirmative
- Tu écris à François ? - Je **lui** écris. - Je pense **à lui**.
- Il **te** répond ? - Oui, il **me** répond.
- Tu penses à **me** donner son adresse ? - J'**y** pense.

• Phrase négative
- Et toi, tu écris à François ? - Non, je ne **lui** écris pas.

• Phrase impérative
- Écris-**lui** ! - Ne **lui** téléphone pas !

• Au passé composé
- Tu **lui** as fait un cadeau ? - Je ne **lui** ai pas fait de cadeau.

3. Le complément est introduit par une préposition autre que *à* et *de* (*avec, sans, pour, à côté de*, etc.).
Ces pronoms se construisent avec la préposition avant ou après le verbe.

Le mot remplacé est une personne.	moi	toi	lui / elle	nous	vous	eux / elles
Le mot remplacé est une chose ou une idée.	Pas de pronom spécifique. On répète le nom ou on utilise les pronoms démonstratifs (voir p. 102)					

- Tu déjeunes avec Léa ? - Oui, je déjeune **avec elle**. Puis, **avec elle**, je vais au cinéma.
- Tu sors avec ce vieux jean ? - Je sors avec **ce jean** (avec celui-là).

APPRÉCIER - FÉLICITER

• C'est bien... C'est plutôt bien - très bien - excellent - formidable - parfait - extraordinaire - magnifique !
• J'aime ce plat... - j'apprécie... - j'aime bien... - j'aime beaucoup... - j'adore...
Je n'aime pas beaucoup... - je n'aime pas du tout... - je déteste... - j'ai horreur de...
• Ce tableau me plaît... Il ne te plaît pas ? Il plaît à Julien.
• Bravo ! - Je vous félicite !

PARTICIPER À UNE SOIRÉE ET À UNE RÉCEPTION

- une réception (recevoir des amis) – un déjeuner – un dîner – une soirée
- un cocktail – un apéritif – un buffet
- une animation (animer une soirée) – danser – chanter – faire un jeu – s'amuser
- inviter des amis (une invitation) : Je vous invite à une soirée. – J'ai le plaisir (la joie) de vous inviter à...
- accepter l'invitation : Je vous remercie de votre invitation. – J'accepte avec plaisir.
- refuser une invitation : Je suis désolé. – Je vous prie de m'excuser. – Je ne peux pas. – Je ne suis pas libre. – Je dois aller...

PARLER DE LA NOURRITURE

1. Les aliments

- **la viande :** le bœuf – le veau – l'agneau – le porc – le poulet – le canard – la charcuterie (le jambon, le saucisson, le pâté)
- **le poisson :** le saumon – le thon – la truite – le cabillaud – la morue (cabillaud séché et salé) – la sole
- **les laitages** (le lait, le beurre, la crème fraîche, les yaourts) **et les œufs**
- **les légumes :** une aubergine – un champignon – un chou – un concombre – les haricots verts – un oignon – une olive – les petits pois – une pomme de terre – un radis – une salade verte – une tomate
- **les fruits :** un ananas – une banane – une cerise – un citron – une fraise – une orange – un pamplemousse – une pêche – une poire – une pomme – une prune
- **les desserts :** un gâteau – une tarte – une glace (à la vanille, au chocolat, au citron) – une mousse au chocolat
- **Pour cuisiner :** assaisonner (le sel, le poivre, l'huile, le vinaigre, la mayonnaise, la moutarde, le persil, le thym, le laurier) – la farine – les épices – l'ail
- **les boissons :** une boisson sans alcool / alcoolisée – l'eau – l'eau minérale (plate ou gazeuse) – les sodas (la limonade, le coca) – la bière – le vin (rouge, blanc, rosé) – le champagne

2. La cuisine

- **les ustensiles :** une poêle – une casserole – un moule – un saladier – un four
- **les opérations :** faire chauffer – faire cuire – faire griller (rôtir, dorer, frire) – verser – ajouter – mélanger – étaler – battre – casser (les œufs)

3. Sur la table

une assiette – une cuillère (à soupe, à café) – une fourchette – un couteau – un verre – une serviette – une carafe

JOUER

- jouer – un jeu – un jeu de cartes

jouer à (au, à la, aux) : jouer aux cartes, au ballon, au tennis, à la balle, aux dés

Attention : jouer (du, de la, des) + instrument de musique : Il joue du piano.

- gagner une partie, un match / perdre : Elle a gagné la partie. Il a perdu.
- tirer au sort – choisir : « C'est à toi de jouer. C'est à ton tour... C'est au tour de Pierre. »
- plaisanter – faire une blague à quelqu'un
- raconter une blague, une histoire amusante

1. DEMANDER DES NOUVELLES DE QUELQU'UN

Trouvez la réponse.

Deux anciens amis se rencontrent.

a. – Comment ça va ?
b. – Depuis quand on ne s'est pas vus ?
c. – Tu n'as pas changé.
d. – Tu habites toujours dans le Sud ?
e. – Tu es toujours avec Laura ?

1. – Oui, toujours à Montpellier.
2. – C'était pour le mariage de Julien.
3. – Ben si. Regarde mes cheveux.
4. – Pas trop mal.
5. – Non, nous avons divorcé l'an dernier.

2. UTILISER LES PRONOMS PERSONNELS

Remplacez les groupes soulignés par un pronom.

Bavardage

– Je suis allée voir l'exposition Yves Raymond.
– Tu connais Yves Raymond ?
– J'ai vu Yves Raymond deux ou trois fois. J'aime bien ses aquarelles. Je trouve ses aquarelles très belles.
– Tu as acheté une aquarelle ?
– Il y avait une aquarelle qui me plaisait, mais c'est Théo qui a acheté cette aquarelle.
– Il était avec sa copine ?
– Non, je n'ai pas vu sa copine.
– Tu as demandé de ses nouvelles à Théo ?
– Non, je n'ai pas pensé à lui demander de ses nouvelles.

3. CONNAÎTRE LE NOM DES ALIMENTS

Trouvez le mot intrus.

a. une tarte – une glace – une omelette – un gâteau – un tiramisu
b. une crêpe – une tomate – des haricots – une pomme de terre – un concombre
c. du bœuf – du veau – du poisson – de l'agneau – du porc
d. des raisins – des pois – des melons – des poires – des pêches
e. du sucre – de la farine – du beurre – des œufs – du vinaigre

4. COMPRENDRE ET EXPLIQUER UNE RECETTE DE CUISINE

Complétez avec un verbe.

Recette du poulet à la catalane (par Greg)

a. ... le poulet en morceaux.
b. ... les morceaux de poulet dans une poêle avec un peu d'huile.
c. ... de l'ail, du citron, du sel et du poivre.
d. ... le tout avec des morceaux de tomate.
e. ... à feu doux pendant trente minutes.
f. ... avec des pommes de terre.

5. COMPRENDRE LA FORME PRONOMINALE DES VERBES

Choisissez la forme du verbe qui convient et mettez-la au passé.

C'est la vie !

a. Louis *(rencontrer / se rencontrer)* Inès en 2000.
b. Louis et Inès *(marier / se marier)* en 2001.
c. Malheureusement, ils *(séparer / se séparer)* en 2002.
d. Mais, Inès *(retrouver / se retrouver)* Louis en 2012.
e. Ils *(raconter / se raconter)* leur vie.

6. RÉAGIR AU COURS D'UNE SOIRÉE

Voici des phrases prononcées au cours d'une soirée. Remettez-les dans l'ordre.

a. Eh bien, bon appétit !
b. C'est vraiment excellent ! Tu es un chef.
c. Excusez-nous, on ne trouvait pas de place de parking.
d. Attendez, vous oubliez votre manteau !
e. À votre santé et à votre prochain voyage !
f. On vous remercie pour ce repas délicieux et pour cette belle soirée.
g. Non merci. Je ne prends pas de fromage.

7. RACONTER UNE SOIRÉE

N° 23

Écoutez. Mélissa raconte sa soirée. Répondez.

a. Qui a invité Mélissa ?
b. À quelle occasion ?
c. C'était où ?
d. Qui étaient là ?
e. Qu'est-ce qu'ils ont mangé ?
f. Qu'est-ce qu'ils ont fait d'amusant ?

UNITÉ 2

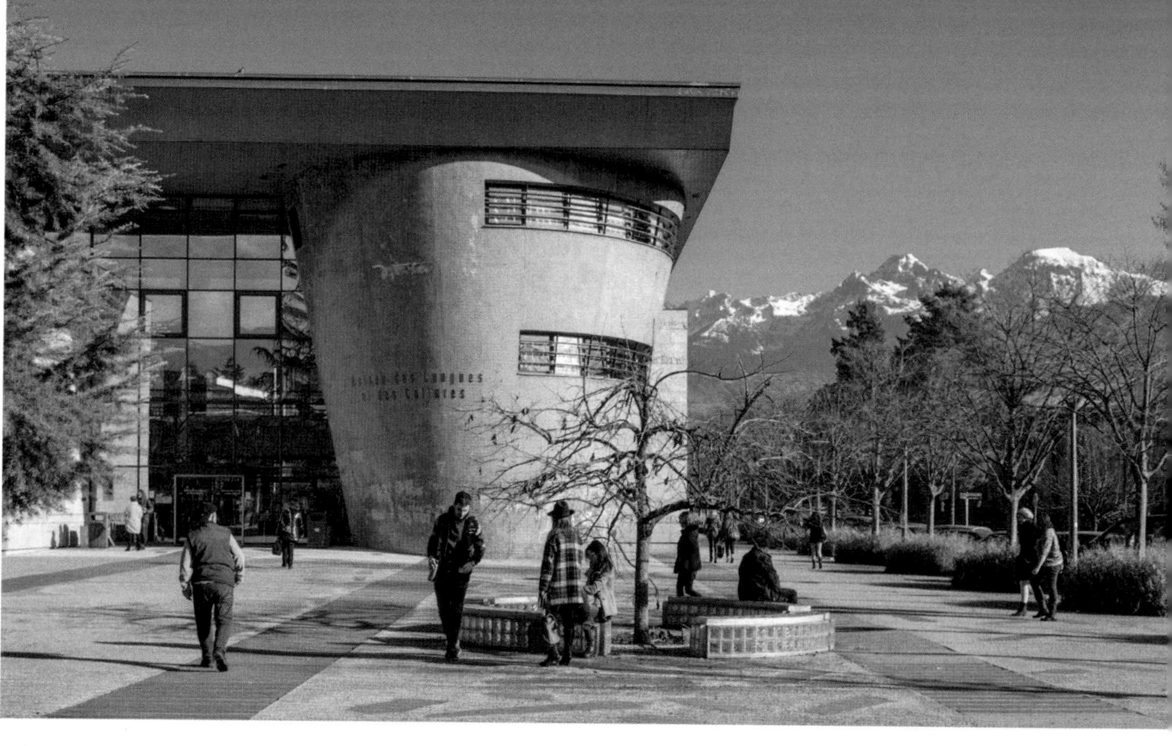

FAIRE DES ÉTUDES

1 PARLER DE SON AVENIR
- Parler du futur
- Exprimer un espoir
- Faire un projet

2 APPRENDRE
- Donner son opinion sur les façons d'apprendre
- Caractériser une action
- Donner des conseils pour mieux apprendre

3 RACONTER SON APPRENTISSAGE
- Raconter les étapes d'un apprentissage
- Parler de ses succès et de ses échecs
- Encourager

4 CONNAÎTRE L'ORGANISATION DES ÉTUDES
- Raconter un souvenir de scolarité
- Exprimer une restriction
- Comprendre l'organisation des études en France
- Présenter le système éducatif de son pays

PROJET

AMÉLIORER L'ÉCOLE
- Présenter une année scolaire et un emploi du temps
- Faire des propositions pour améliorer l'école

VOTRE AVENIR DANS LES LIGNES DE VOTRE MAIN

La ligne de vie

La longueur. Les personnes qui ont une ligne de vie longue ne vivront pas plus longtemps que les autres mais elles auront beaucoup d'énergie et aimeront les activités physiques.

Si cette ligne est courte, si elle se divise en deux vous vivrez un grand changement à un moment de votre vie. Vous partirez habiter dans une autre région ou à l'étranger. Si elle est coupée, vous vous ferez une rencontre importante, vous vous séparerez d'une personne chère ou vous aurez une nouvelle activité professionnelle.

La profondeur. La personne qui a une ligne de vie profonde aimera la nature et les activités manuelles. Si les lignes sont peu profondes, elle sera plutôt une intellectuelle.

La liaison avec la ligne de tête. Si le départ de la ligne de vie est séparé de la ligne de tête, vous serez indépendant(e). Vous aimerez prendre des risques.

Si les deux lignes suivent un trajet commun, vous serez dépendant(e) de vos émotions. Vous aurez besoin d'être encouragé(e) et vous préfèrerez le travail d'équipe.

La ligne de tête

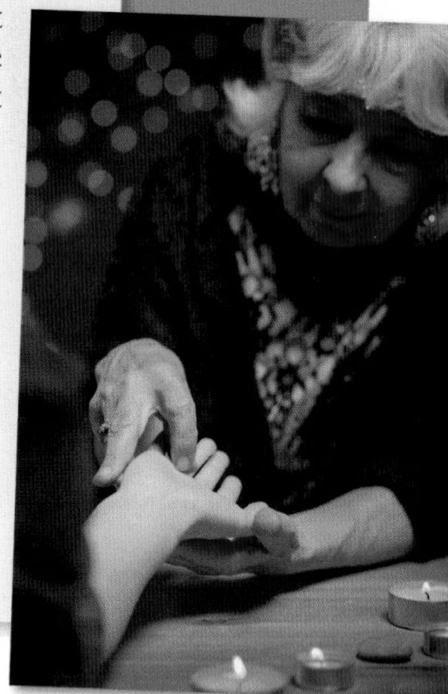

Parler du futur

1. Lisez le texte.

a. Complétez cette présentation du texte.

Le texte explique comment...

Dans les lignes de la main, on peut lire...

Pour cela, il faut observer...

b. Notez les informations comme dans l'exemple.

Exemple : *ligne de vie longue → énergie – goût pour les activités physiques*

- ligne de vie courte : ...
- ...

2. Relevez les verbes et complétez le tableau.

Verbes du texte	Infinitif	Personne
vivront auront ...	vivre avoir ...	ils / elles ils / elles ...

3. Lisez l'encadré « Apprenons à conjuguer ». Mettez les verbes au futur.

Une Québécoise ambitieuse

a. À l'université, je *(faire)* des études de sciences politiques.
b. Je *(se marier)* avec un homme beau et intelligent.
c. Il *(être)* riche et il *(venir)* d'une famille célèbre.
d. Nous *(habiter)* à Mont-Royal et nous *(avoir)* une grande famille.
e. Je *(se présenter)* aux élections générales et les gens *(voter)* pour moi.

Apprenons à conjuguer...

LE FUTUR

• **Après avoir observé les verbes du texte (exercice 2), complétez la conjugaison du futur.**

Demain...	
j'aimerai tu aimeras il / elle ... nous ... vous ... ils / elles ...	je vivrai tu vivras il / elle ... nous ... vous ... ils / elles ...

! Remarques :

Les terminaisons du futur sont les mêmes pour tous les verbes.

Pour les verbes en *-er* et beaucoup d'autres verbes, on forme le futur à partir de la forme écrite de l'infinitif.

Exemple : *parler → je parlerai – finir → je finirai*

! Cas particuliers :

ÊTRE	AVOIR	ALLER	VOIR
je serai tu seras il / elle sera...	j'aurai, ...	j'irai, ...	je verrai, ...

FAIRE	VENIR	SAVOIR
je ferai, ...	je viendrai, ...	je saurai, ...

Villa Marie-Claire — L'avenir de Li Na

N° 25

N° 24

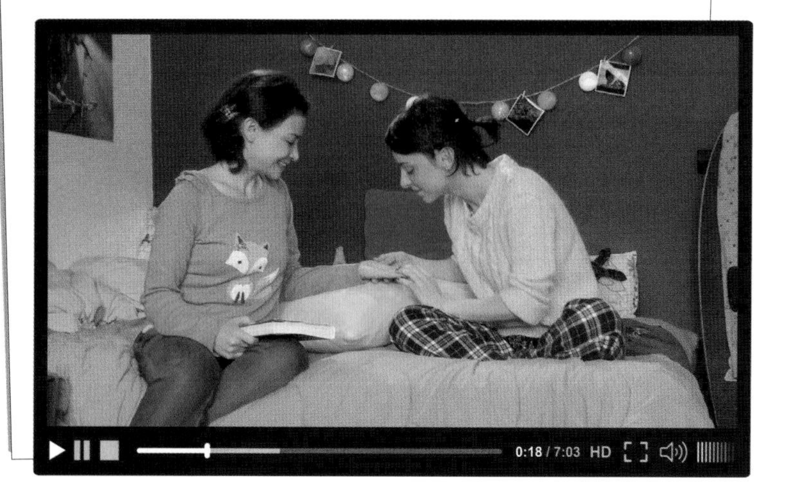

4. Regardez ou écoutez la séquence 25. Complétez ce résumé.

a. Li Na est chez Mélanie. Elle voit...
b. Mélanie a appris comment...
c. Pour cela, elle a fait...
d. Li Na travaille chez Florial mais elle a envie...
e. Mélanie regarde... Elle lui dit...

5. Que dit Mélanie à Li Na à propos de :

a. ses voyages ?
b. ses rencontres ?
c. son travail ?

6. Jeu de rôle. Lisez les lignes de la main de votre partenaire.

Le [ə] dans les terminaisons du futur

N° 25

• Remarquez l'accent et le « e » non prononcé. Répétez.

Après la séparation

Je la chercherai	Je l'inviterai
Je la trouverai	Elle passera
Je l'appellerai	Je m'excuserai
Elle m'écoutera	Elle me pardonnera

Exprimer un espoir

7. Ils expriment un espoir. Continuez.

a. À un ami malade : « J'espère que tu... »
(aller mieux - sortir bientôt - pouvoir reprendre tes activités...)
b. Avant une randonnée avec des amis : « J'espère que nous... »
(avoir beau temps - être en forme - voir de beaux paysages)
c. À des amis qui partent en vacances : « J'espère que vous... »
d. À la veille d'un examen : « Espérons qu'elle... »

Réfléchissons... Situer dans le futur

1er mai *(Aujourd'hui)*	15 mai — départ en Corse	22 mai — retour

• Notez l'emploi du temps de Noémie sur le schéma.

Noémie habite Marseille. Nous sommes le 1er mai. Voici son emploi du temps.

a. Elle partira en vacances **dans** 15 jours.
b. Elle travaillera **jusqu'à** son départ en vacances.
c. Elle rentrera **le** 10 mai de Paris.
d. Elle ira à Paris **la semaine prochaine**.
e. Elle restera en Corse **jusqu'au** 22 mai.
f. Elle fera une conférence **après-demain**.

Faire un projet

8. Lisez le calendrier de l'année universitaire à Lausanne.

UNIL. Université de Lausanne

14 septembre : rentrée universitaire
Du 18 décembre au 15 janvier : vacances de Noël
15 janvier - 6 février : examens (première partie)
22 février : reprise des cours
13 juin - 9 juillet : examens (deuxième partie)

Nous sommes le 1er septembre.

a. Répondez.

1. Dans combien de temps les étudiants rentreront à la fac ?
2. Dans combien de temps les examens commenceront ?
3. Les vacances de Noël commencent quand ?
4. Elles durent jusqu'à quand ?

b. Posez les questions correspondant aux réponses suivantes :

1. Après Noël, les étudiants reprendront les cours le 22 février.
2. Ils auront des cours jusqu'au 13 juin.
3. Ils passeront la deuxième partie des examens dans 9 mois.

NOUVELLES FAÇONS D'APPRENDRE

La classe inversée

Travailler le cours chez soi avant sa présentation par le professeur et consacrer le temps de classe à poser des questions ou à approfondir certaines notions : c'est le principe de la pédagogie inversée maintenant pratiquée dans les universités et les grandes écoles… Les enseignants mettent des documents à disposition des étudiants sur les ENT (espaces numériques de travail) : des textes classiques, des images, mais aussi, bien sûr, des vidéos.
Résultat : les étudiants apprennent souvent mieux le cours que s'ils avaient écouté de manière passive. À condition de ne pas arriver les mains dans les poches… Comme le souligne Océane, en 2e année de licence internationale d'économie : « La classe inversée nous oblige à travailler davantage. »

D'après « En école ou à la fac : le top 10 des nouvelles manières d'apprendre », *L'Étudiant*, Sophie Blitman, 10/02/2015.

Les MOOC

Les MOOC (*massive open online course* ou « cours en ligne ouvert et massif ») font désormais partie du paysage éducatif… A-t-on toujours besoin d'amphis de 500 places ? Aux États-Unis, on parle beaucoup de « Starbucks university » (du nom de la chaîne de cafés américaine) : c'est l'idée que, dans les petites villes, les gens se retrouvent dans des cafés pour suivre ensemble le même cours et échanger... Peut-être que demain les universités vont évoluer vers des lieux plus petits et plus nombreux où les gens pourront se rencontrer et dialoguer.

D'après « Les moocs peuvent-ils s'imposer à l'université ? », *Télérama*, Emmanuelle Skyvington, 02/09/2014.

Le cours collaboratif

Le dialogue avec le professeur et entre les étudiants est permanent. Dans certaines universités comme Strasbourg, les étudiants peuvent signaler au professeur qu'ils n'ont pas compris en cliquant sur un boîtier numérique. En voyant que quelques étudiants sont perdus, le professeur peut reprendre l'explication plus lentement.
En écoutant une étudiante de Nantes faire un exposé, un étudiant de Lille peut lui poser des questions en direct. À Lille, les étudiants peuvent partager leurs notes de cours en direct en utilisant Twitter et le hashtag commun à l'université.

D'après « En école ou à la fac : le top 10 des nouvelles manières d'apprendre », *L'Étudiant*, Sophie Blitman, 10/02/2015.

Donner son opinion sur les façons d'apprendre

1. Travaillez en petit groupe. Chaque groupe choisit une des trois parties du document.

Lisez le texte. Trouvez les mots correspondant à ces définitions.

a. La classe inversée :
1. qui est à l'envers
2. passer du temps
3. mieux étudier
4. la science de l'éducation
5. arriver sans préparation
6. plus

b. Les MOOC :
1. à partir de maintenant
2. grande salle de cours
3. changer

c. Le cours collaboratif :
1. continu
2. dire
3. recommencer

2. a. Chaque groupe prépare un petit exposé en répondant aux questions suivantes.
1. Quelle est cette nouvelle façon d'apprendre ?
2. Pourquoi est-elle différente ?
3. Avez-vous expérimenté cette façon d'apprendre ?
4. D'après vous, cette façon d'apprendre est-elle bonne ? Pourquoi ?

b. Présentez votre texte. Discutez.

Caractériser une action

3. Réécrivez la phrase en remplaçant les mots soulignés par un adverbe en *-ment*.
a. Sarah est arrivée à l'université de La Réunion. C'est récent.
b. Elle a trouvé un logement. Cela a été difficile.
c. À la fac, elle a rencontré des étudiants sympas. Cela a été rapide.
d. Elle a organisé son travail avec intelligence.
e. Elle a réussi son premier contrôle. Cela a été facile pour elle.
f. Elle a fêté sa réussite avec joie.

La terminaison des adverbes en *-ment* [əmɑ̃] et [amɑ̃]

• Confirmez comme dans l'exemple.
L'université idéale
On s'inscrit en septembre. C'est facile.
→ On s'inscrit facilement.
On travaille mais c'est différent.
→ On travaille différemment.
On choisit ses cours. On est libre.
→ ...

N° 26

4. Travaillez par deux. Utilisez la forme « *en* + participe présent ».

a. Continuez.
Je peux faire deux choses en même temps. Je regarde la télé en faisant ma gymnastique. Je fais mon jogging...
Je prends ma douche...
Je travaille...

b. Imaginez comment elle a réussi.

Zahia Ziouani est née dans une famille modeste. Son père est un immigré d'Algérie. Aujourd'hui, c'est une chef d'orchestre célèbre.

Réfléchissons... Caractériser une action

La forme « *en* + participe présent »
• Relisez le texte *Le cours collaboratif*. Répondez en utilisant la forme « *en* + participe présent ».
a. Comment les étudiants de Strasbourg peuvent signaler au professeur qu'ils n'ont pas compris ?
b. Quand l'étudiant de Lille peut-il poser des questions ?
c. Comment les étudiants de Lille peuvent-ils partager leur cours ?
• Que caractérise la forme « *en* + participe présent » ?
! Remarque : le participe présent se forme généralement à partir de la forme *nous* du présent.
Exemple : *cliquer → nous cliquons → cliqu**ant***
*écouter → nous écoutons → écout**ant***
! Exceptions : avoir → ayant - savoir → sachant

Les adverbes en *-ment*
• Observez la transformation. Que caractérisent les mots en gras ?
– Il travaille mais il est lent. → Il travaille **lentement**.
– Le professeur a conseillé Sébastien. Il a été aimable.
→ Le professeur a conseillé **aimablement** Sébastien.
• Continuez l'explication.
Les adverbes caractérisent...
On peut former un adverbe à partir...
Exemple : *rapide* → ...

! Remarques :
Beaucoup d'adverbes formés à partir des adjectifs en *-ent* ou en *-ant* se terminent par *-emment* et *-amment*.
Exemple : *différent → différemment - courant → couramment*
Il existe des adverbes et des formes adverbiales qui ne sont pas formés à partir d'un adjectif :
*Il travaille **vite, bien, avec plaisir**.*

Outils, p. 46-47

Donner des conseils pour mieux apprendre

5. Organisez un échange en classe sur le sujet : comment mieux apprendre le français ?

a. À tour de rôle, chaque étudiant présente un de ses problèmes.
Je ne me rappelle pas les mots... J'ai un problème avec le passé composé... J'ai peur de faire des erreurs...

b. Les autres étudiants, puis le professeur, donnent des conseils.
Pour apprendre le vocabulaire, je note les mots sur un carnet avec une phrase...
Moi, j'apprends les mots en cachant la traduction...

Unité 2 - Leçon 3 - Raconter son apprentissage

Villa Marie-Claire — Apprentissage

N° 26

N° 27

1. Greg : Vous n'avez jamais repris ?
Madame Dumas : Le piano, non. Mais j'ai essayé la flûte. Échec total. Je n'ai pas réussi à faire un son.

2. Greg : Ça alors ! Vous faites de la guitare, madame Dumas ?

« Dernière danse » (Indila)

Refrain
Je remue le ciel, le jour, la nuit
Je danse avec le vent, la pluie
Un peu d'amour, un brin de miel
Et je danse, danse, danse, danse
Danse, danse, danse
Et dans le bruit, je cours et j'ai peur
Est-ce mon tour ?
Revient la douleur…
Dans tout Paris, je m'abandonne
Et je m'envole, vole, vole, vole, vole, vole, vole

Raconter les étapes d'un apprentissage

1. Regardez ou écoutez la séquence 26. Faites correspondre les photos et les parties du dialogue.

2. Choisissez la bonne réponse.

a. Greg est étonné parce que...
1. madame Dumas joue très bien de la guitare.
2. madame Dumas apprend à jouer de la guitare.

b. Madame Dumas...
1. n'a jamais fait de musique.
2. a déjà fait de la musique.

c. Madame Dumas...
1. a appris le piano pendant cinq ans.
2. a essayé d'apprendre le violon.

d. Madame Dumas...
1. n'est pas arrivée à jouer de la flûte.
2. a fait quelques années de flûte.

e. Avec sa guitare, madame Dumas veut...
1. jouer des airs de musique classique.
2. accompagner des chansons.

3. On pose des questions à madame Dumas. Répondez pour elle.

a. Depuis combien de temps faites-vous de la guitare ?
b. Pendant combien de temps vous avez fait du piano ?
c. Vous avez fait de la flûte pendant longtemps ?
d. Pourquoi vous avez arrêté le piano ? ... et la flûte ?

4. Lisez le refrain de la chanson d'Indila.
a. Pour chaque phrase, dites si la chanteuse est :
– heureuse ;
– triste.
b. Imaginez l'histoire qui a inspiré cette chanson.
c. Écoutez la chanson d'Indila sur YouTube.

5. Complétez avec les verbes de l'encadré.
Les débuts de la chanteuse Indila

a. Indila ... sa carrière de chanteuse très jeune en faisant des duos avec des rappeurs célèbres.
b. Mais sa carrière ... vraiment avec sa chanson « Dernière danse » en 2014. Elle a un prix aux Victoires de la Musique 2015.
c. Après ce succès, elle ... quelques mois pour se reposer.
d. Puis, elle ... ses concerts et fait une tournée à l'étranger.
e. Indila a du talent, on n'... pas ... d'entendre parler d'elle.

Pour s'exprimer

- commencer (à) – le commencement – débuter – le début
- s'arrêter (de) – un arrêt
- recommencer (à) – reprendre – une reprise
- finir (de) – une fin

Apprenons à conjuguer...

Les verbes en -*yer*
- **Observez la conjugaison de *essayer*. Notez :**
- **les formes orales qui sont pareilles ;**
- **les formes écrites qui sont pareilles.**

- **Complétez la conjugaison des autres verbes.**

ESSAYER
j'essaie tu essaies il / elle essaie nous essayons vous essayez ils / elles essaient

ENVOYER
j'envoie, tu...
S'ENNUYER
je m'ennuie, tu...
PAYER
je paie, tu...

! Remarque : les verbes en *-ayer* comme *payer* peuvent aussi se conjuguer : je paye (prononcez [pɛj]), tu payes, il / elle paye...

6. Remettez dans l'ordre les étapes des études de Tristan.
Que faire dans la vie ?

a. Tristan a passé deux ans à l'IEP mais il a trouvé que son avenir n'était pas dans l'administration ou la politique.
b. Après le bac, Tristan a commencé des études d'histoire à l'université.
c. Alors, il est parti en Australie. Il travaille aujourd'hui dans un restaurant.
d. Il a arrêté l'histoire et a préparé le concours de l'IEP (institut d'études politiques).
e. Après, il s'est inscrit dans une école de commerce mais au bout de trois mois il a décidé de ne pas continuer.
f. Il n'a pas validé sa première année d'histoire mais a réussi au concours de l'IEP.
g. Mais l'histoire ne l'intéressait pas, il a eu de mauvaises notes aux partiels de décembre.

Parler de ses succès et de ses échecs

7. Que peut-on dire dans les situations suivantes ? Associez les phrases des deux colonnes.

a. Elle a eu la note de 7/20 (7 sur 20) à l'examen.
b. Ses parents étaient ouvriers. Elle est devenue directrice de l'usine.
c. Après plusieurs essais, la sportive a sauté 2 m 09.
d. Elle est très bonne en maths. Va-t-elle passer le concours de professeur ?
e. Au bac, elle a eu 19/20.

1. Elle y est arrivée.
2. C'est un échec.
3. Elle doit essayer.
4. C'est une réussite sociale.
5. C'est un succès.

Encourager

8. Jeu de rôle. À deux, jouez une des scènes suivantes :
a. Un ami commence à apprendre le piano. Vous l'encouragez.
b. Un moniteur de sport encourage son élève.

- Allez courage ! Tu vas réussir !
- J'ai peur ! Je ne suis pas sûr de moi.
- Vous avez commencé le ski quand ?

De battre mon cœur s'est arrêté, film de Jacques Audiard.

Une scène célèbre du film culte *Les Bronzés font du ski* de Patrice Leconte.

www.amisdecole.fr

Amis d'école Forum

LA QUESTION

Quel est votre meilleur ou votre pire souvenir d'école ?

Publié par **Nathalie Delpont** 12/04/2016

Répondre

LES RÉPONSES

Je n'ai qu'un bon souvenir. C'est quand j'ai vu mon nom sur la liste des résultats du bac. Fini le lycée où tu as 18 ans et où on te prend pour un enfant de 10 ans ! Je n'avais qu'une mention assez bien mais je me suis sentie une adulte libre. J'ai décidé de partir et de continuer mes études à l'ULB, l'Université libre de Bruxelles.

Réponse de **Valérie Despouys** 12/04/2016 à 16 h 20

Je me rappelle, en 5e, toute la classe est partie en voyage scolaire faire du ski. On est restés seulement quatre jours mais c'était la première fois que je quittais ma famille. C'était la première fois que j'étais aussi heureuse.

Réponse de **Stéphanie Lefébure** 12/04/2016 à 16 h 42

Un jour, la maîtresse m'a appelé « Petite tête d'orange ». Ce n'était peut-être pas méchant. Mais toute la classe a ri et pendant longtemps les autres ne m'appelaient que « Tête d'orange ». J'avais honte.

Réponse de **Laurent Faure** 12/04/2016 à 17 h 38

C'était à l'école élémentaire. Chaque année, l'école organisait un concours de poésie. J'étais très timide mais la maîtresse m'a choisi pour représenter la classe. J'ai dit un poème de Rimbaud. Sur la scène, j'étais très à l'aise. J'ai eu le premier prix et j'ai été très applaudi. J'étais content de moi.

Réponse de **Serge Da Costa** 12/04/2016 à 17 h 57

En seconde, pour un devoir d'histoire, beaucoup d'élèves avaient fait des copier-coller de Wikipédia. Le professeur l'a remarqué. Il m'a demandé
si j'avais copié. J'ai dit oui. Il a demandé aux autres. Ils ont dit non. Il n'a puni que moi. J'ai été collée. J'étais très en colère.

Réponse de **Ségo Vuillemin** 12/04/2016 à 18 h 24

Raconter un souvenir de scolarité

1. Lisez le forum. Pour chaque souvenir, complétez le tableau.

	Valérie	Stéphanie	Laurent	Serge	Ségo
De quel souvenir scolaire parlent les participants au forum ?	...	...	...	...	...
C'est dans quel type d'école ?	...	...	...	...	...
Est-ce un bon ou un mauvais souvenir ?	...	...	...	...	...
Pourquoi ?	...	...	...	...	...
Quel sentiment exprime le participant ?	...	...	...	...	...

2. Approuvez ou corrigez les phrases suivantes.
a. Valérie a trouvé que le lycée n'était pas adapté à son âge.
b. Quand elle était enfant, Stéphanie partait souvent en vacances chez ses copains de classe.
c. Le professeur a donné un surnom à Laurent.
d. Serge était à l'aise en classe et avec les autres.
e. Ségo a dû passer un samedi matin ou un mercredi après-midi au lycée.

3. Écrivez. Répondez à la question du forum.

4. Lisez votre souvenir à la classe. Répondez aux questions des étudiants.

Réfléchissons... La restriction

- **Répondez en utilisant les phrases du forum.**

a. Valérie a beaucoup de souvenirs d'école ?
b. Elle a eu une très bonne note au bac ?
c. Stéphanie est restée longtemps en voyage scolaire ?
d. Les copains de Laurent l'appelaient Laurent ?
e. Le professeur de Ségo a puni beaucoup d'élèves ?

- **Continuez ces phrases en utilisant *ne... que* ou *seulement*.**

a. Marie n'a pas beaucoup mangé à midi. Elle...
b. Paul n'a pas beaucoup de diplômes. Il...

Exprimer une restriction

5. Lisez l'encadré « Réfléchissons ». Répondez en utilisant *ne... que* et *seulement*.
Questions à un étudiant
a. – Tu travailles beaucoup demain ? – ... *(deux heures de cours)*
b. – Tu as eu une bonne note au contrôle de maths ? – ... *(8/20)*
c. – Tu apprends plusieurs langues étrangères ? – ... *(l'italien)*
d. – Le billet de concert coûte cher ? – ... *(10 €)*

Comprendre l'organisation des études en France

6. Travaillez en petit groupe. Lisez le Point infos. Notez les différences avec l'organisation des études dans votre pays.

N° 28

7. Écoutez. On interroge Philippe, un étudiant à Sciences Po Grenoble. Relevez les informations sur :
a. la préparation du concours ;
b. les cours ;
c. les restaurants ;
d. la bibliothèque ;
e. les examens.

Notes : CROUS : Centre régional des œuvres universitaires et scolaires
ECTS : *European Credits Transfer System*

8. Choisissez en petit groupe un pays francophone et faites une recherche sur les différentes étapes de la scolarité. Notez-les. Présentez-les à la classe.

Présenter le système éducatif de son pays

9. En petit groupe, réécrivez le Point infos en l'adaptant à votre pays.

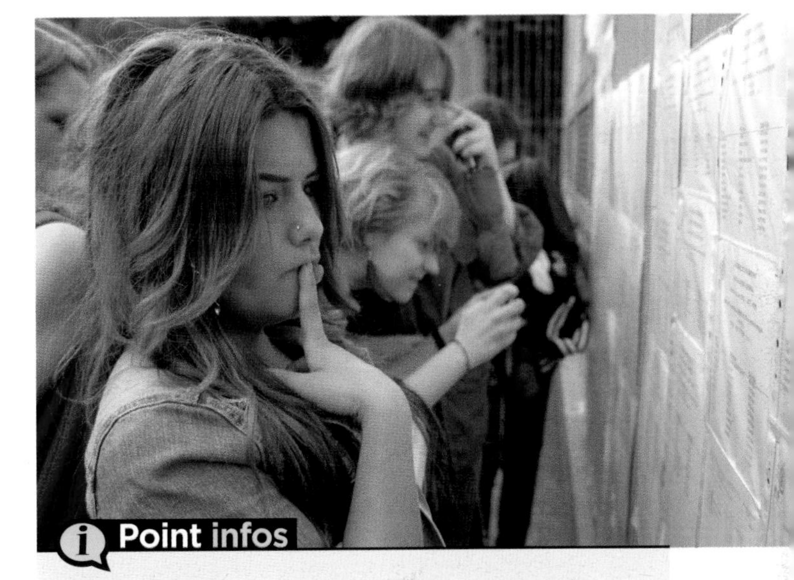

Point infos

LES ÉTAPES DE LA SCOLARITÉ EN FRANCE

- Avant 3 ans, les enfants qui ont des parents qui travaillent vont à la **crèche**. Puis, de 3 à 6 ans, tous les enfants vont à l'**école maternelle**.
- De 6 à 11 ans, ils suivent la scolarité de l'**école élémentaire**. Ils y apprennent à lire, à écrire et à compter.
- À 11 ans, ils entrent au **collège** pour étudier des connaissances générales. Ils y restent pendant 4 ans (classes de 6e, 5e, 4e, 3e).
- Puis, ils font trois années au **lycée** (classes de seconde, première et terminale). Ils commencent à se spécialiser et passent le baccalauréat (le bac) : 80 % de réussite.
- Après le bac, 60 % des étudiants vont à **l'université**. On dit aussi « la faculté » ou « la fac ».

Les autres entrent dans des **écoles supérieures** publiques ou privées qui proposent des formations professionnelles. Il existe aussi des « **Grandes Écoles** ». Pour y entrer, il faut passer un concours difficile.

Dans les autres pays francophones, les étapes sont un peu différentes. En Suisse, le baccalauréat s'appelle examen de maturité. En Belgique et au Québec, il désigne le diplôme de fin d'études du premier cycle universitaire (3 ans), soit le niveau licence en France.

Dans cette leçon, vous travaillerez par deux ou trois et vous ferez des propositions pour une école idéale dans votre pays.

1 Choisissez votre type d'école.

1. Groupez-vous par deux ou trois selon le type d'école qui vous intéresse.
N.B. : le mot « école » est utilisé pour des types d'écoles particuliers (école élémentaire, école nationale d'administration) mais aussi de manière générale.

- ❑ école maternelle
- ❑ école élémentaire
- ❑ collège
- ❑ lycée
- ❑ université
- ❑ école professionnelle
- ❑ école supérieure (commerce, administration, etc.)
- ❑ école de langues
- ❑ autre : ...

2 Trouvez les bons rythmes.

2. Lisez ci-dessous l'opinion des syndicats de professeurs.
a. Sont-ils satisfaits ?
b. Comprenez-vous pourquoi, en lisant le calendrier scolaire et l'emploi du temps ?
c. Comparez avec les rythmes scolaires dans votre pays.

3. Écrivez vos propositions pour :
– un calendrier de vacances ;
– une semaine et une journée de travail à l'école.

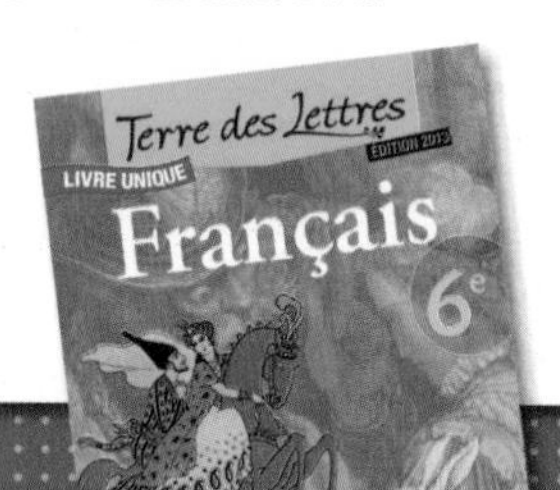

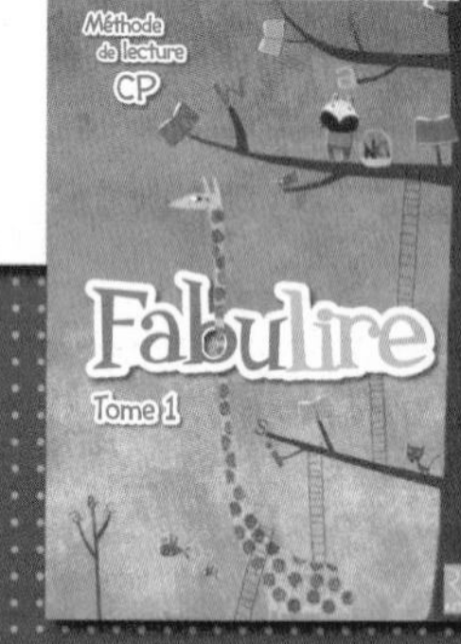

www.lexpress.fr

L'EXPRESS > ACTUALITÉ ÉCONOMIE FINANCES PERSO ENTREPRISE EMPLOI STYLES

À LA UNE POLITIQUE MONDE SOCIÉTÉ SPORT CULTURE SCIENCES MÉDIAS ÉDUCATION HIGH-TECH INSOLITE

ÉDUCATION

A voir : Orthographe révisée • Admission Post bac • Brevet 2015 • Appels menaçants dans des lycées •

Rythmes scolaires: 74% des enseignants jugent leur impact négatif

Plus de la moitié des enseignants interrogés déclarent être insatisfaits et ils sont encore plus nombreux à juger que ces rythmes desservent les élèves, selon une enquête réalisée auprès des adhérents du SNUipp et la FSU[1].

www.lexpress.fr –10/02/2015

1. syndicats de professeurs

Calendrier scolaire année 2016-2017

Rentrée : 1er septembre
Vacances de la Toussaint : du 19 octobre au 3 novembre
Vacances de Noël : du 17 décembre au 3 janvier
Vacances d'hiver :
zone A[1] : du 18 février au 6 mars
zone B : du 11 au 27 février
zone C : du 4 au 20 février
Vacances de printemps :
zone A : du 15 avril au 2 mai
zone B : du 8 au 24 avril
zone C : du 1er au 18 avril
Vacances d'été : fin des cours le 8 juillet

Site du ministère de l'Éducation nationale (http://www.education.gouv.fr)

1. Pour les vacances d'hiver et de printemps, les régions sont regroupées en trois zones différentes.

3 Donnez votre avis sur les cours et les méthodes.

4. Lisez le Point infos. Parle-t-on de ces sujets dans votre pays ? Faites la liste des sujets de discussion sur l'enseignement dans votre pays.

5. Faites des propositions pour améliorer l'enseignement dans votre pays :
– la façon d'enseigner ;
– les relations entre étudiants et professeur ;
– les livres, les documents en ligne ;
– les bibliothèques.

4 Donnez votre avis sur les contrôles.

6. Lisez l'article « Redoublement, notes : pour ou contre ? ». Répondez.
a. Que pensent les experts à propos du redoublement ?
b. Quel est votre avis ?
c. Pourquoi critique-t-on les notes en France ?
d. Quel est votre avis ?

7. Faites des propositions sur la façon d'évaluer :
– un travail précis ;
– le travail d'une année ou d'une partie de l'année ;
– une formation complète.

5 Présentez vos réflexions à la classe. Discutez.

Point infos

ENSEIGNEMENT : LES GRANDS SUJETS DE DISCUSSION

• Comment apprend-on mieux à lire ? En commençant par associer les lettres (méthode traditionnelle) ou en apprenant à reconnaître des mots entiers (méthode globale) ?
• À l'école élémentaire, doit-on donner du travail à faire à la maison ?
• Qu'est-ce qui est le plus efficace : écouter le cours d'un professeur ou travailler en petit groupe et poser des questions ?
• Doit-on continuer à enseigner les langues anciennes comme le latin et le grec ?
• Doit-on apprendre plusieurs langues à l'école ?

Emploi du temps d'un élève en terminale (section scientifique)

	lundi	mardi	mercredi	jeudi	vendredi
8h - 9h	EPS	maths	anglais	philosophie	physique
9h - 10h					
10h - 11h	physique/ SVT[1]	philosophie	maths	maths	maths
11h - 12h	allemand			anglais	
12h - 13h					
13h - 14h				travaux pratiques SVT	SVT / anglais
14h - 15h	maths	allemand			SVT
15h - 16h	anglais	physique		travaux pratiques physique	
16h - 17h	SVT				
17h - 18h					

1. SVT : sciences de la vie et de la terre

REDOUBLEMENT, NOTES : POUR OU CONTRE ?

La France est championne du redoublement[1] et beaucoup d'experts pensent que faire redoubler les élèves n'est pas efficace.
Mais tout le monde n'est pas d'accord sur ce sujet.

Les élèves français sont encore notés de zéro à vingt. Beaucoup d'experts pensent que ce système démotive les élèves. Faut-il le supprimer et le remplacer par un système plus simple ?
Dans certains pays, on utilise un système de lettres (de A à F). En Suisse, on note de 0 (absence non justifiée) à 6 (excellent travail).

1. quand un élève doit recommencer une année scolaire

PARLER DU FUTUR

• **On peut parler du futur en utilisant :**
– **le présent** (pour rendre l'action future vivante), *ex. :* Demain, elle passe le bac.
– **le futur proche (*aller* + infinitif)** quand l'action paraît proche, *ex. :* Elle va se lever tôt.
– **le futur**, *ex. :* Elle aura les résultats dans un mois.

• **Formation du futur**
– Avec les verbes en *-er* et beaucoup d'autres verbes :
infinitif + *-ai, -as, -a, -ons, -ez, -ont*

Travailler
je travaillerai tu travailleras il / elle travaillera nous travaillerons vous travaillerez ils / elles travailleront

Étudier
j'étudierai tu étudieras il / elle étudiera nous étudierons vous étudierez ils / elles étudieront
N.B. : quand la terminaison est précédée d'une voyelle, le « e » est muet : [ʒetydirɛ]

Continuer
je continuerai tu continueras il / elle continuera nous continuerons vous continuerez ils / elles continueront

– Pour les autres verbes, il faut connaître la première personne. Les terminaisons sont les mêmes.

Être	Avoir	Faire	Aller	Venir	Voir
je serai	j'aurai	je ferai	j'irai	je viendrai	je verrai
tu seras	tu auras	tu feras	tu iras	tu viendras	tu verras
il / elle sera	il / elle aura	il / elle fera	il / elle ira	il / elle viendra	il / elle verra
nous serons	nous aurons	nous ferons	nous irons	nous viendrons	nous verrons
vous serez	vous aurez	vous ferez	vous irez	vous viendrez	vous verrez
ils / elles seront	ils / elles auront	ils / elles feront	ils / elles iront	ils / elles viendront	ils / elles verront

– Avec les verbes du type *se lever*
je me lèverai, tu te lèveras, il / elle se lèvera, etc.

• **Pour préciser un moment du futur**
Elle partira...
... bientôt – tout à l'heure – dans une heure
... demain – après-demain – la semaine prochaine – le mois prochain – le 1er juillet
... dans quinze jours
Elle travaillera jusqu'au 31 juillet.

CARACTÉRISER UNE ACTION

On peut caractériser une action avec :
• **un adverbe**
– Quelques adverbes fréquents : bien – mal – vite – fort – souvent – très – etc.
– Les adverbes en *-ment*
Ils sont souvent formés à partir d'un adjectif au féminin, *ex. :* lent → lentement ; heureux → heureusement
Quand l'adjectif masculin se termine par une voyelle, on ajoute *-ment, ex.* : vrai → vraiment
Beaucoup d'adverbes formés à partir des adjectifs en *-ent* ou en *-ant* se terminent par *-emment* et *-amment*, *ex. :* intelligent → intelligemment ; élégant → élégamment
– La place de l'adverbe
Généralement, l'adverbe se place **après le verbe**, *ex. :* Elle parle bien, rapidement, correctement.
Il est sorti rapidement. Il est sorti tôt.
Aux temps composés, certains adverbes courts peuvent se placer après l'auxiliaire, *ex. :* Il est vite sorti.

• la forme « *en* + participe présent »
Le participe présent se forme généralement à partir de la forme *nous* du présent, *ex. :* nous parlons → parlant – nous allons → allant
La forme « *en* + participe présent » caractérise une action ou donne une information sur cette action,
ex. : Il lit **en écoutant** son mp3.
Elle a compris le problème **en demandant** une explication au professeur.

FAIRE UNE RESTRICTION

• ne... que
Elle ne connaît pas de langue étrangère. Elle **ne** parle **que** français.
Il ne peut pas conduire une voiture. Il **n'**a **que** 17 ans.

• seulement
À la soirée de Paul, je n'ai pas bu d'alcool. J'ai bu **seulement** du soda (je n'ai bu que du soda).

DÉCRIRE LES ÉTAPES D'UNE ACTION

• commencer (à) – se mettre à – débuter
Il a commencé des études de biologie. – Il a commencé à étudier le chinois. – Il s'est mis au chinois. – Les cours débutent le 15 septembre.

• continuer (à) – s'arrêter (de) – recommencer – reprendre
Pendant ses études de médecine, elle continue à faire du piano. – C'est les vacances. Elle s'arrête de travailler.
Les cours reprennent (recommencent) le 4 janvier.

• finir (de)
Elle finit son devoir et elle va au cinéma. – Elle finit de travailler vers 18 h.

ENSEIGNER – APPRENDRE

• apprendre (à + verbe) (un apprentissage) – étudier (l'étude)
L'étudiant apprend (étudie) les verbes irréguliers. Il apprend à prononcer.
• apprendre (à) – enseigner
Le professeur apprend aux étudiants à prononcer les sons difficiles.

PARLER DE SES ÉTUDES

• Les établissements
- une école – un collège – un lycée
- une grande école – un institut – un centre de formation – un centre d'apprentissage
- une université – un département – une UFR (unité de formation et de recherche) – une faculté

• Les actions
- aller à l'université – suivre un cours (Elle suit le cours du professeur Martin.) – prendre des notes – faire un devoir, un exposé

• Les examens
- un diplôme : le baccalauréat – la licence – le master – le doctorat – un certificat (le certificat d'études musicales)
- un concours (quand le nombre de places est limité)
- se présenter à un concours – passer un examen (Il passe le bac demain.)

• Réussites et échecs
- réussir (une réussite – un succès) / échouer (un échec) – essayer (Il va essayer de passer le concours d'inspecteur.)
- redoubler

1. FAIRE UN PROJET D'AVENIR

Mettez les verbes au futur.

Rêves d'étudiants

a. L'année prochaine, j'*(avoir)* ma licence.
b. Toi, tu *(passer)* le concours de HEC[1].
c. Tu *(faire)* ton stage en Thaïlande et je *(venir)* te voir.
d. Nous *(visiter)* le pays et nous (aller) au Cambodge chez Célia et Loïc.
e. Ils nous *(accompagner)* à Angkor et Célia nous *(expliquer)* les magnifiques fresques.

1. École des hautes études commerciales de Paris

2. COMPRENDRE UN CALENDRIER ET UN EMPLOI DU TEMPS

N° 29 **Écoutez. Célia fait des études de lettres à l'université. C'est dimanche. Elle parle de son emploi du temps. Notez les informations sur l'agenda.**

	lundi	mardi	mercredi	jeudi
8h	cours sur le roman			
9h				
10h				
11h				
12h				
13h				
14h				
15h				
16h				
17h				
18h				
19h				

3. PRÉSENTER L'ORGANISATION DES ÉTUDES

Tristan raconte sa scolarité. Complétez ses phrases.

a. À 6 ans, je suis entré à... Je n'ai pas redoublé. J'y suis resté ... ans. Là, j'ai appris à...
b. De 11 à 15 ans, j'ai étudié au... Là, j'ai découvert...
c. Puis, je suis allé au... À la fin de la classe de terminale, j'ai ... et j'ai réussi avec mention « Très bien ».
d. J'avais envie de faire des ... de lettres. Alors, je suis entré à... Après mon master, j'ai préparé le ... de professeur de lettres.

4. PARLER DE SES ÉTUDES

Trouvez la suite de chaque phrase.

a. Il a fini son année d'études générales. ...
b. Il connaît un peu la langue russe. Juste du vocabulaire et un peu de grammaire. ...
c. Il a passé trois fois le concours de professeur sans succès. ...
d. Il n'est pas très bon en maths. Mais il veut réussir. ...
e. Il a eu de très mauvaises notes pendant son année de seconde au lycée. ...
f. Il a passé six mois à Londres pour mieux parler anglais. ...

1. Il va redoubler.
2. Il y consacre trois heures par jour.
3. Il va se spécialiser.
4. Maintenant, il se débrouille bien.
5. Il a besoin de pratiquer.
6. Il va abandonner.

5. CARACTÉRISER DES ACTIONS

Décrivez leur comportement. Utilisez les formes :
– *en* + participe présent ;
– les adverbes.

a. *L'étudiante travailleuse :*
Elle travaille sérieusement. Elle écoute... Elle apprend...
b. *L'étudiant timide :*
Il parle aux autres... Il participe ... aux travaux de groupe. Il répond au professeur...
c. *L'étudiante décontractée :*
Elle va aux cours... Elle suit les cours... Elle parle aux autres...

6. ENCOURAGER, CONSEILLER

Que dites vous à cet étudiant ? Utilisez les phrases de la deuxième colonne.

a. Un mois avant l'examen
b. Le matin de l'examen
c. En attendant les résultats
d. Après l'échec
e. Après le succès, l'année suivante

1. « Ce n'est pas grave. N'abandonne pas. Redouble ton année. »
2. « Je suis sûre que ça va marcher. »
3. « Courage ! Ne t'arrête pas de travailler ! »
4. « Bravo ! Tout le monde applaudit. »
5. « J'espère que tu vas l'avoir ! »

UNITÉ 3

TRAVAILLER

1 CHERCHER DU TRAVAIL
- Répondre à une offre d'emploi
- Choisir un emploi

2 TRAVAILLER AU QUOTIDIEN
- Demander
- S'excuser
- Exprimer sa satisfaction ou son insatisfaction

3 OBSERVER UN RÈGLEMENT
- Donner un ordre
- Interdire
- Donner un conseil
- Exprimer un souhait

4 PARLER D'UNE ENTREPRISE
- Décrire l'activité d'une entreprise
- Nommer les professions

PROJET

TROUVER DU TRAVAIL
- Faire un curriculum vitae
- Faire une demande d'emploi
- Préparer un entretien d'embauche

Villa Marie-Claire — Greg cherche du travail

N° 27 N° 30

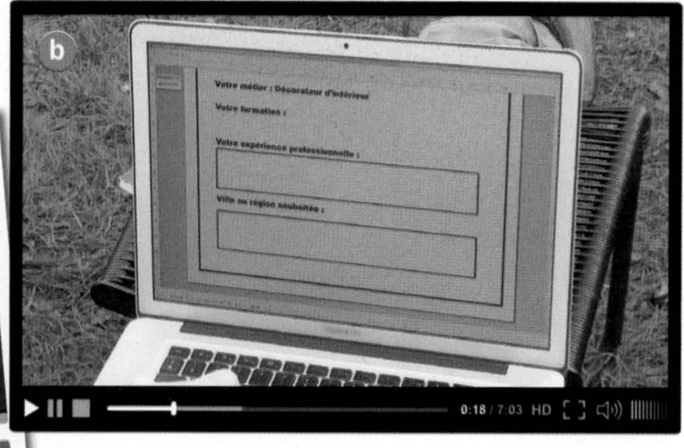

Job Office // Agence d'intérim
cherche

DÉCORATEUR D'INTÉRIEUR
Pour l'entreprise Florial

L'entreprise
L'entreprise Florial qui crée des parfums et des cosmétiques est connue dans le monde entier.
Elle est située à Paris dans le quartier de la Défense où de nombreuses grandes entreprises se sont installées.

Les missions
Vous travaillerez avec le chef des services techniques qui vous conseillera.
Vous serez en charge de l'espace accueil que vous rénoverez.
Vous vous occuperez du show-room que vous entretiendrez.
Vous mettrez en valeur les produits que nous créons.

Répondre à une offre d'emploi

1. Regardez ou écoutez la séquence 27. Approuvez ou corrigez les phrases suivantes.

a. Greg est en pleine forme.
b. Greg a des problèmes sentimentaux.
c. Greg a des problèmes d'argent.
d. Il a exposé ses tableaux dans une galerie.
e. Il a vendu beaucoup de tableaux.
f. Il cherche du travail.
g. Une agence d'intérim propose un emploi de peintre.
h. La proposition intéresse Greg.

2. Complétez.
L'agence d'intérim demande les informations suivantes :
– le nom,
– ...

3. Pourquoi Greg hésite-t-il à écrire :
a. décorateur d'intérieur
b. Paris et région parisienne

Caractériser avec les pronoms relatifs

4. Dans la séquence 27, quelle information Greg donne-t-il :
a. sur son exposition ? → *une expo qui ne marche pas*
b. sur les visiteurs de l'exposition ? → ...
c. sur le travail proposé par l'agence ? → ...

Réfléchissons... Les pronoms relatifs *qui, que, où*

• **Lisez l'annonce de l'agence Job Office. Observez cette transformation.**
L'entreprise Florial **qui** crée des parfums et des cosmétiques est connue dans le monde entier.
→ L'entreprise Florial est connue dans le monde entier.
Cette entreprise crée des parfums et des cosmétiques.
• **Transformez les autres phrases de l'annonce sans utiliser *qui, que, où*.**
Dans chaque phrase quel mot est remplacé par *qui, que, où* ?
Quelle est la fonction grammaticale de :

a. où ?	**1.** sujet du verbe
b. que ?	**2.** complément d'objet
c. qui ?	**3.** complément de lieu

5. Faites le travail de l'encadré « Réfléchissons ». Regroupez les deux phrases en utilisant *qui, que, où*.

Entreprises françaises

a. Renault est une entreprise française. Cette entreprise produit des voitures.
b. L'entreprise Yves Saint Laurent crée des parfums. Le groupe Kering a acheté Yves Saint Laurent en 1999.
c. Le TGV a beaucoup de succès. L'entreprise Alstom a construit le TGV en 1976.
d. Le quartier de la Défense est à l'ouest de Paris. Beaucoup de grandes entreprises se sont installées dans le quartier de la Défense.
e. L'entreprise Michelin fabrique des pneus. Les frères Michelin ont créé cette entreprise en 1889.

Distinguer [k] et [g]

N° 31

• **Répétez.**
Qui peut vous **gui**der dans la vie ?
Un **gar**çon **c**alme et **g**alant ?
Un **g**ondolier **qui** vous **c**onsole ?
Un **g**arde du **c**orps **c**anadien ?
Un **gui**tariste **qui** chante **C**abrel ?
Ou un **g**ourmand **qui** **c**ourt les restaurants ?

Choisir un emploi

7. Travaillez par deux. Vous êtes tous les deux en France et vous avez besoin de travailler pendant quelques mois.

Lisez ces annonces. Quel petit boulot allez-vous choisir ? Pourquoi ? Présentez votre choix à la classe.

Utiliser les pronoms indéfinis

6. Complétez les réponses ou les questions en utilisant les expressions de l'encadré.

Pour s'exprimer

Pour parler de personnes, de choses ou d'idées indéfinies
• quelque chose / ne... rien
• quelqu'un / ne... personne
• quelque part / ne... nulle part
• quelquefois / ne... jamais

Un étrange locataire s'est installé dans l'immeuble.

a. M. Martin : Il fait quelque chose dans la vie ?
Mme Martinez : Non, il...
b. M. Martin : Il connaît des gens dans le quartier ?
Mme Martinez : Non, il...
c. M. Martin : Il sort quelquefois ?
Mme Martinez : Non, il...
d. M. Martin : Vous... ?
Mme Martinez : Non, je n'entends rien.
e. M. Martin : Dans la journée, il...
Mme Martinez : Non, dans la journée, il ne va nulle part.

Pour s'exprimer

• Je choisis... Je préfère... J'ai envie de... J'aime m'occuper de...
• Je suis compétent pour... Je sais... Je connais... Je peux... Je peux être efficace...
• C'est un travail intéressant – pratique – sportif – agréable – facile / difficile – varié – utile – amusant

Directeur de société cherche
étudiant(e) ou jeune professeur
pour cours de conversation en anglais ou en espagnol.
À partir de 18 h
Khaled Moucheni
06.12.38.53.17

CHERCHE
jeune fille ou jeune homme
pour s'occuper de deux enfants (8 et 10 ans)
du lundi au vendredi de 16 h 30 à 20 h
Laure Bourgoin : 06.33.90.54.27

Laure Bourgoin : 06.33.90.54.27
Laure Bourgoin : 06.33.90.54.27
Laure Bourgoin : 06.33.90.54.27
Laure Bourgoin : 06.33.90.54.27
Laure Bourgoin : 06.33.90.54.27
Laure Bourgoin : 06.33.90.54.27
Laure Bourgoin : 06.33.90.54.27
Laure Bourgoin : 06.33.90.54.27

Travailler au quotidien

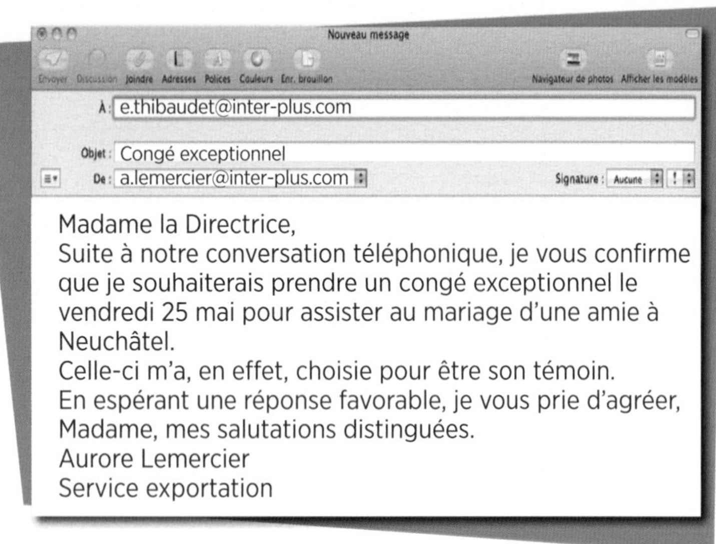

Nouveau message

À : e.thibaudet@inter-plus.com

Objet : Congé exceptionnel

De : a.lemercier@inter-plus.com

Madame la Directrice,
Suite à notre conversation téléphonique, je vous confirme que je souhaiterais prendre un congé exceptionnel le vendredi 25 mai pour assister au mariage d'une amie à Neuchâtel.
Celle-ci m'a, en effet, choisie pour être son témoin.
En espérant une réponse favorable, je vous prie d'agréer, Madame, mes salutations distinguées.
Aurore Lemercier
Service exportation

12:56

Fabrice 0612373859

Bonjour Fabrice
J'ai un rendez-vous chez le radiologue mercredi matin pour mon problème de genou. Une autre date était impossible ce mois-ci.
Pourrais-tu me remplacer ?
Un grand merci d'avance !
Cordialement,
Nadège

Écrire un SMS

Demander

1. Lisez les deux messages ci-dessus.
Pour chaque message, répondez :
a. À qui écrit-on ?
b. Pourquoi écrit-on ?
c. Le message est-il familier ou formel ?
d. Quelle explication donne-t-on ?
e. Quelles formules utilise-t-on pour :
- demander ?
- remercier ?
- saluer à la fin ?

2. Écrivez. Vous travaillez à Paris au service « Information » de la gare du Nord. Vous préfèreriez travailler à la gare de Marseille.
Imaginez pourquoi. Écrivez un courriel de demande au DRH (directeur des ressources humaines) de la SNCF (Société nationale des chemins de fer français).

S'excuser

3. Lisez le message ci-dessous. Repérez les phrases où Vincent Richard :
a. s'excuse.
b. explique la situation.
c. exprime des regrets.
d. salue.

Nouveau message

À : j-l.lopez@orapo.fr

Objet : Absence — Pièce jointe : constat d'accident.pdf

De : v.richard@orapo.fr

Monsieur le Directeur,
Suite à mon appel téléphonique à votre secrétariat, je vous prie de bien vouloir excuser mon absence de ce matin, 8 janvier.
En venant travailler, j'ai eu un accident de voiture. Le conducteur de la voiture adverse a été légèrement blessé. Les formalités m'ont pris toute la matinée.
Croyez que je suis désolé pour le problème que cette absence a causé au service.
En vous remerciant de votre compréhension, je vous prie d'agréer l'expression de mes salutations distinguées.
Vincent Richard

4. Écrivez. Vous travaillez à l'office du tourisme de Carcassonne.
On vous a demandé de traduire dans votre langue un document touristique. Vous n'avez pas fait le travail.
Imaginez pourquoi. Écrivez un courriel d'excuse.

N° 32 **5. Écoutez. Trois employés téléphonent à leurs supérieurs. Complétez le tableau.**

	1.	...
Cause de l'appel, demande ou excuse	...	...
Explication	...	...
Sentiments exprimés	...	...
Réaction du supérieur	...	...

Pour s'exprimer

Faire une demande

• Je voudrais... – J'aimerais... – Je souhaiterais... – Je serais heureux de... – Pourriez-vous...

N.B. : Pour être poli, on conjugue les verbes au conditionnel, que nous étudierons au niveau B1. La forme *je* du conditionnel ressemble au futur. Les terminaisons sont celles de l'imparfait.

• Je vous prie de m'envoyer... – de m'excuser...

Exprimer sa satisfaction ou son insatisfaction

6. Travaillez par deux. Faites passer le test à votre partenaire. Comptez ses points. Lisez-lui les conseils et discutez-en.

ÊTES-VOUS HEUREUX DANS VOTRE TRAVAIL OU DANS VOS ÉTUDES ?

Cochez.

	oui	plutôt d'accord	pas du tout
1. Je suis fier de faire ce travail.	❑	❑	❑
2. J'aime mon entreprise ou mon école.	❑	❑	❑
3. Quand je me lève, j'ai envie d'aller travailler.	❑	❑	❑
4. Mon domaine professionnel ou d'études m'intéresse.	❑	❑	❑
5. Dans ce domaine, j'ai de l'avenir.	❑	❑	❑
6. Je suis satisfait de mes horaires.	❑	❑	❑
7. Quand je travaille, le temps passe vite.	❑	❑	❑
8. Je trouve que mon travail est ou sera utile aux autres.	❑	❑	❑
9. J'aime parler de mon travail ou de mes études.	❑	❑	❑

	oui	plutôt d'accord	pas du tout
10. J'ai de bonnes relations avec mes collègues ou les autres étudiants.	❑	❑	❑
11. J'ai de bonnes relations avec mes chefs ou mes professeurs.	❑	❑	❑
12. Quand je travaille, je suis plein d'énergie.	❑	❑	❑
13. Il y a une bonne ambiance dans l'entreprise ou à l'université.	❑	❑	❑
14. Quand je travaille, je suis très concentré.	❑	❑	❑
15. J'aime mon lieu de travail.	❑	❑	❑
16. Je gagne (gagnerai) bien ma vie.	❑	❑	❑
17. Je suis satisfait de la place que j'ai (j'aurai) dans la société.	❑	❑	❑
18. Ma vie me plaît.	❑	❑	❑

Faites vos comptes !

✦ **Vous avez plus de 10 « oui » :** Tout va bien. Vous avez trouvé votre voie. Cherchez à améliorer les points où vous n'avez pas répondu « oui ».

✦ **Vous avez plus de 10 « pas du tout » :** Il faut changer de métier ou d'orientation. Il y a peut-être un métier ou des études que vous avez rêvé de faire. Vous avez pensé que c'était trop difficile ou vous avez échoué ! Essayez autre chose !

✦ **Dans les autres cas :** Vous avez choisi la bonne voie mais vous n'êtes pas pleinement satisfait. Vous avez besoin d'un stimulant : un autre secteur de l'entreprise, une autre ville, un départ à l'étranger.

D'après un test de *Rester positif au travail*, Vanessa Genin, Studyrama, 2010.

Unité 3 - Leçon 3 - Observer un règlement

Villa Marie-Claire — Une employée pénible

N° 28

N° 33

1. **L'employée :** J'aimerais que vous fassiez moins de bruit.
2. **Greg :** J'aimerais que vous soyez gentille avec moi.
3. **L'employée :** Il faut que vous gariez votre voiture ailleurs.
4. **L'employée :** Il ne faut pas que vous vous mettiez ici.

Donner un ordre

1. Regardez ou écoutez la séquence 28.
a. Associez les phrases et les photos.
b. Trouvez l'infinitif des verbes de ces phrases.

2. Pour chaque photo, répondez aux questions suivantes.
a. Où est Greg ?
b. Que fait-il ? / Qu'a-t-il fait ?
c. Pourquoi y a-t-il un problème ?
d. Que faut-il faire ?
Exemple : *Photo 1 : Greg est dans le parking. Il a garé...*
Mais c'est... Il faut qu'il...

3. Faites le travail des encadrés « Réfléchissons » et « Apprenons à conjuguer ».
Travaillez par deux. Vous travaillez chez Florial. Présentez le règlement de l'entreprise à votre partenaire. Votre partenaire approuve.
Exemple : *– Il faut que tu respectes les horaires.*
– D'accord, il faut que je respecte...

Distinguer [f] et [v]

N° 34

• Répétez.
Anti-stress
Il **f**aut **v**oyager... **F**aire du **v**élo...
Aller **v**oir la **f**oire du Trône...
Visiter **Ph**iladel**ph**ie...
Et tous les jours **f**êter la **v**ie !

florial

RÈGLEMENT DE L'ENTREPRISE

Respecter les horaires de travail.
Ne pas fumer.
Être habillé correctement.
Ne pas faire de pause de plus de 15 minutes.
Ne pas utiliser son ordinateur pour son usage personnel.
Ne pas utiliser son téléphone portable pendant les réunions.

Réfléchissons... Le sens du subjonctif

• **Observez les verbes en gras. Complétez le tableau.**

a. Greg **fait** du bruit avec sa perceuse.
b. L'employée voudrait qu'il **fasse** moins de bruit.
c. Il faut qu'il **fasse** moins de bruit.
d. Je voudrais que Greg **se mette** ailleurs.
e. Il **se met** dans le couloir.
f. L'employée n'**est** pas gentille avec Greg.
g. Greg voudrait qu'elle **soit** gentille.

	Présent de l'indicatif	Présent du subjonctif
On présente une réalité.	*a.* – ...	...
On exprime une obligation.	...	...
On exprime une demande ou un souhait.	...	...

• **Quand utilise-t-on le subjonctif ?**

! Remarque : Quand les deux verbes de la phrase ont le même sujet, le second est à l'infinitif.
Exemple : *Lui,* ***je*** *voudrais qu'****il parte****.*
Moi aussi, ***je*** *voudrais* ***partir****.*

Apprenons à conjuguer...

LE PRÉSENT DU SUBJONCTIF

• **Observez.**

Présent de l'indicatif	Présent du subjonctif
Ils travaillent. Ils finissent.	Il faut que je travaille. Il faut que je finisse.

• **Comment forme-t-on le subjonctif ?**
• **Observez et complétez.**

PARTIR	TRAVAILLER
Il faut... que je part**e**.	Il faut... que je travaille.
... que tu part**es**.	... que tu...
... qu'il / elle part**e**.	...
... que nous part**ions**.	...
... que vous part**iez**.	...
... qu'ils / elles part**ent**.	...

! Remarque : Le subjonctif de certains verbes est irrégulier.
avoir → ... que j'aie - être → ... que je sois - aller → ... que j'aille - faire → ... que je fasse - savoir → ... que je sache

Outils, p. 60 et Conjugaisons, p. 151.

Distinguer l'indicatif et le subjonctif

• **Confirmez comme dans l'exemple.**
– Nous allons à la réunion ?
– Oui, il faut que vous alliez à la réunion.
– Vous arrivez à 9 h ?
– ...

N° 35

Interdire

4. Voici des panneaux qu'on peut trouver dans une entreprise. Présentez-les à un collègue stagiaire.
Exemple : *Ici, il faut... Il ne faut pas... C'est interdit...*

Donner un conseil

5. Écrivez. Répondez au courriel de cette amie française. Utilisez : ***Il faut que / Il ne faut pas que... – Tu dois / Tu ne dois pas... – Je te conseille de...***

Je voudrais venir étudier ou travailler dans ton pays.
J'aimerais bien me préparer pour m'adapter facilement.
Qu'est-ce que tu me conseilles ?

Exprimer un souhait

6. Jouez une des scènes.
a. Le monologue de l'écrivain qui rêve.
Exemple : *« J'aimerais finir... Je voudrais qu'un éditeur... »*

b. Les deux étudiants d'une grande école rêvent de leur avenir.

c. Les parents rêvent à l'avenir de leur enfant.

Unité 3 - Leçon 4 - Parler d'une entreprise

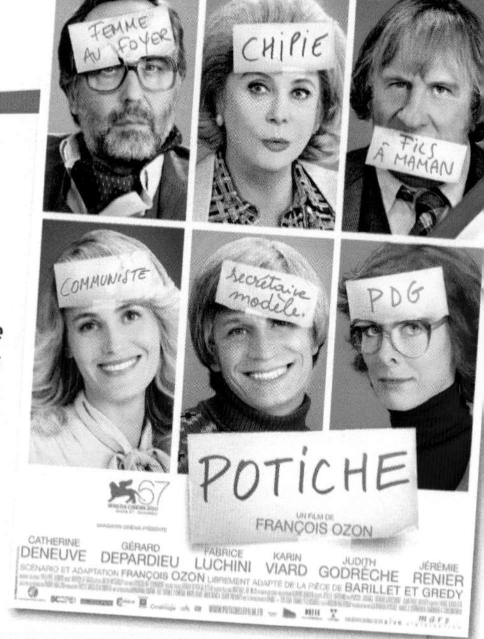

POTICHE

Extrait du film de François Ozon, 2010
(avec Catherine Deneuve, Gérard Depardieu, Fabrice Luchini)

Robert Pujol est un riche chef d'entreprise qui dirige d'une main de fer son usine de parapluies. Il est désagréable avec ses employés comme avec sa femme et ses enfants. Il considère sa femme Suzanne comme une potiche, c'est-à-dire comme une chose simplement décorative. Mais, un jour, les employés se mettent en grève. Robert Pujol fait une crise cardiaque et doit se reposer pour une longue durée. Suzanne Pujol décide alors de prendre la direction de l'entreprise et se révèle une excellente gestionnaire. Les employés acceptent de reprendre le travail. Elle engage alors son fils comme designer et sa fille Joëlle, mariée à Jean-Charles, au service gestion. Mais, la mère et la fille n'ont pas les mêmes idées.

Joëlle Pujol : J'ai entre les mains un rapport confidentiel sur la gestion de l'entreprise qui est formidable.

Mme Pujol : Alors, ça va mieux avec Jean-Charles ? Tu vois, je t'avais dit que ça s'arrangerait.

Catherine Deneuve (Mme Pujol) et Judith Godrèche (Joëlle) dans *Potiche.*

Joëlle : Oui… Écoute, ce rapport nous donne des pistes et des idées formidables sur l'avenir et le développement de l'usine… Entre autres : une réduction du personnel et un plan de délocalisation en Tunisie qui permettraient d'augmenter notre chiffre d'affaires de 35 %. Tu te rends compte !

Mme Pujol : Oh, très bien, je lirai ça ce soir dans mon lit. […] Tu remercieras Jean-Charles pour son rapport mais n'oublie pas de lui dire que ma priorité est de rétablir un climat social harmonieux au sein de l'entreprise. Et pour l'instant, ça va beaucoup mieux.

Joëlle : Pour l'instant. Mais il faut penser aussi à l'avenir et se moderniser.

Mme Pujol : Oui, mais la modernité, ça ne passe pas par les licenciements et quitter la région.

Décrire l'activité d'une entreprise

1. Lisez l'extrait du film *Potiche*. Les phrases suivantes sont-elles vraies ou fausses ? Justifiez votre réponse.

a. Les employés de l'usine Pujol aiment leur directeur.
b. Monsieur Pujol n'est pas en bonne santé.
c. Monsieur Pujol pense que sa femme est incapable de s'occuper de l'entreprise.
d. Madame Pujol n'a pas de projet pour l'entreprise.
e. Sa fille Joëlle a un projet qui va satisfaire les employés.
f. Le projet de Joëlle n'est pas bon pour l'usine située en France.

2. Complétez les phrases par un verbe de l'encadré.

a. L'entreprise Dupont n'a plus beaucoup de contrats. Son chiffre d'affaires…
b. Pour être compétitive, elle … trois de ses usines au Maroc.
c. En France, elle a trop de personnel. Elle va…
d. Les syndicats ne sont pas contents. Ils demandent aux employés de…
e. Mais l'entreprise signe un gros contrat avec le Brésil. Son chiffre d'affaires va…
f. Maintenant, elle manque de personnel. Elle doit…

augmenter / diminuer – réduire – engager du personnel / licencier – délocaliser – faire grève

3. En petit groupe, choisissez une fin pour le film. Imaginez la suite.

a. Robert Pujol va mourir...
b. Robert Pujol revient diriger l'entreprise...
c. Pendant que Robert Pujol est malade, madame Pujol signe un gros contrat de vente de parapluies avec l'Angleterre...
d. Madame Pujol laisse sa fille diriger l'entreprise...

4. Lisez le Point infos. Associez les produits suivants à une entreprise citée.

a. de l'argent
b. de l'essence
c. des loisirs gratuits sur Internet
d. des lunettes
e. l'électricité
f. un médicament
g. un parfum
h. une affiche
i. une autoroute
j. une brique de lait

5. La classe se partage les différents domaines d'activité (pétrole, pharmacie, etc.). Pour chaque secteur, recherchez le nom d'une entreprise de votre pays ou d'une entreprise mondialement connue. *Exemple : Pétrole : BP, Shell.*

Point infos

LES ENTREPRISES FRANCOPHONES ET LA MONDIALISATION

La **France** est la sixième puissance économique mondiale. Dans tous les grands domaines d'activité elle compte des entreprises leaders en Europe et dans le monde : pétrole (Total), pharmacie (Sanofi), énergie (Engie et EDF), télécommunications (Orange), médias et divertissement (Vivendi), assurance (Axa), banque (BNP Paribas, Société générale), agroalimentaire (Danone), distribution (Carrefour), cosmétiques (L'Oréal), travaux publics (Vinci, Bouygues), optique (Essilor), aéronautique (Airbus et Airbus group), pneumatique (Michelin), publicité et communication (Publicis).

La France prépare ses champions de demain, en particulier dans le domaine de l'économie numérique : Dailymotion (lecture vidéo), Deezer (écoute musicale), Viadeo (réseau social professionnel), Ubisoft (jeux vidéo), Dassault Systèmes (logiciels de conception 3D).

Les autres pays francophones ont aussi leurs champions :
- en **Suisse**, on trouve : Nestlé (agroalimentaire), Roche (pharmacie), Richemont (luxe), Crédit Suisse et UBS (services bancaires) ;
- au **Québec** : Bombardier (transports), Québécor (médias), Jean Coutu (distribution), Bell Canada (téléphonie) et le Cirque du Soleil (divertissements) ;
- la **Belgique** est présente dans les domaines de la chimie (Solvay), l'optique (Barco), la distribution (Delhaize), la téléphonie (Belgacom) et les biotechnologies (Eurogentec).

Nommer les professions

6. Lisez le document *Les secteurs où on embauchera*. Classez les métiers suivants dans un secteur.

a. animateur culturel
b. architecte
c. avocat
d. chef cuisinier
e. directeur d'hôtel
f. médecin
g. ouvrier mécanicien
h. professeur
i. vendeur de supermarché
j. comptable

7. Dans votre pays, savez-vous quels sont les secteurs où on embauche ? Parlez-en à la classe.

Les secteurs où on embauchera d'ici à 2022

Secteur	
Services aux particuliers	1 179 000
Santé, action sociale, culturelle et sportive	852 000
Gestion, administration des entreprises	823 000
Commerce, marketing	827 000
Bâtiment, travaux publics	554 000
Transport et tourisme	540 000
Fonction publique et professions juridiques	529 000
Hôtellerie, restauration, alimentation	375 000
Enseignement, formation	367 000
Automobile	264 000
Chercheurs, ingénieurs et cadres de l'industrie	260 000
Banques et assurances	248 000

D'après *L'Obs*, 30/04/2015.

Vous faites un long séjour dans un pays francophone pour apprendre le français. Vous aimeriez trouver un travail payé ou bénévole. Vous allez envoyer votre curriculum vitae (CV) et vos motivations à une entreprise ou à une association. Vous allez aussi préparer votre rendez-vous avec la personne qui peut vous embaucher.

1 Choisissez votre secteur d'activité.

1. a. Souhaitez-vous un travail :
❑ payé ? ❑ bénévole ?

b. Quel type de travail pouvez-vous faire ? Dans quelle entreprise ou quelle association ?
Vous pouvez aussi répondre à une des offres d'emploi proposées p. 51.

2 Faites votre CV.

2. Lisez le curriculum vitae de la page 59. Répondez.
a. Quelle est la formation d'Alessandra ?
b. Quelle est sa situation de famille ?
c. Elle a quel âge ?
d. Quelles études elle a faites ?
e. Elle a déjà travaillé ?
f. Elle connaît bien l'anglais ?
g. D'après vous, quel travail peut-elle faire ?

3. Observez la présentation du CV. Rédigez votre CV.

3 Écrivez votre lettre de motivation.

4. Lisez la lettre de motivation d'Antony. Approuvez ou corrigez les phrases suivantes.
a. Antony cherche un travail payé.
b. Il est intéressé par l'écologie.
c. Il a envie de travailler à l'étranger.
d. Il aime les animaux. Il veut en faire sa profession.
e. Il aime bien travailler avec les autres.

5. Associez les titres suivants aux paragraphes de la lettre.
a. compétences pour le poste
b. activité actuelle
c. formule de politesse
d. intérêt pour l'entreprise ou l'association
e. demande

6. Écrivez votre lettre de motivation en suivant le plan de la lettre d'Antony.

4 Préparez votre entretien.

N° 36

7. Écoutez l'entretien d'Alessandra Tizzoni avec le directeur d'une école de langues en France. Quelles informations donne-t-elle en plus de son CV sur :
a. sa connaissance du français ?
b. ses études ?
c. son expérience professionnelle ?
d. ses compétences et ses qualifications ?

8. Jouez un entretien d'embauche avec votre partenaire.

Point infos
TROUVER UN TRAVAIL DANS UN PAYS FRANCOPHONE

• On trouve généralement des offres d'emploi sur internet (site de l'entreprise ou de l'association, site d'agences). On trouve aussi des propositions de petits boulots sur des tableaux d'affichage à l'université. Les connaissances et les réseaux personnels jouent aussi un rôle important. On trouvera sur internet des sites d'offres d'emploi spécialisés dans les pays francophones.

• La façon de faire sa demande dépend de l'entreprise. Certaines grandes entreprises demandent de répondre à des questions sur internet. Pour d'autres, il faut envoyer CV et lettre de motivation joints à un courriel. Certaines demandent encore une lettre de motivation manuscrite.

Alessandra TIZZONI
Viale Vittorio Veneto, 13
Siena (Italie)
Tél. : +393402576933
Courriel : alessandra_t@gmail.com

26 ans
célibataire

• Formation

- Études supérieures (3+2) auprès de l'Université pour étrangers de Sienne
- Licence en Langue et culture italiennes pour l'enseignement aux étrangers et aux élèves de l'école italienne
- Maîtrise en Sciences du langage et Communication interculturelle

• Langues

Français : bilingue – Anglais : courant – Espagnol : courant

• Expérience professionnelle

- Stage de six mois à l'école d'italien *Scuola Leonardo da Vinci* de Sienne
- Enseignement de l'italien aux migrants (CDD d'un an) auprès de l'Association *Centro Astalli per l'Assistenza agli Immigrati*

• Divers

Maîtrise de logiciels : Word, Excel, InDesign et Photoshop sur Mac et PC
Sports pratiqués : ski, tennis

Madame, Monsieur,

Je suis actuellement en deuxième année de l'école vétérinaire d'Alfort et je dois faire un stage de trois mois dans une entreprise s'occupant d'animaux.

J'ai suivi votre initiative de sauvegarde des tortues en France. Puis, la création de votre centre à Madagascar pour protéger ces espèces menacées par les trafics.

J'ai eu aussi l'occasion de travailler sur la tortue d'Hermann pour un exposé que j'ai fait à l'école vétérinaire.

Je souhaiterais vivement travailler au village des tortues de Madagascar comme bénévole.

Je ne connais pas Madagascar mais, adolescent, j'ai passé deux ans aux Comores où mes parents étaient en poste. Je pense avoir un bon esprit d'équipe et m'adapter facilement aux conditions de vie de votre centre.

Dans l'espoir d'une réponse favorable, je vous prie d'agréer Madame, Monsieur, mes sincères salutations.

Antony Nadeau

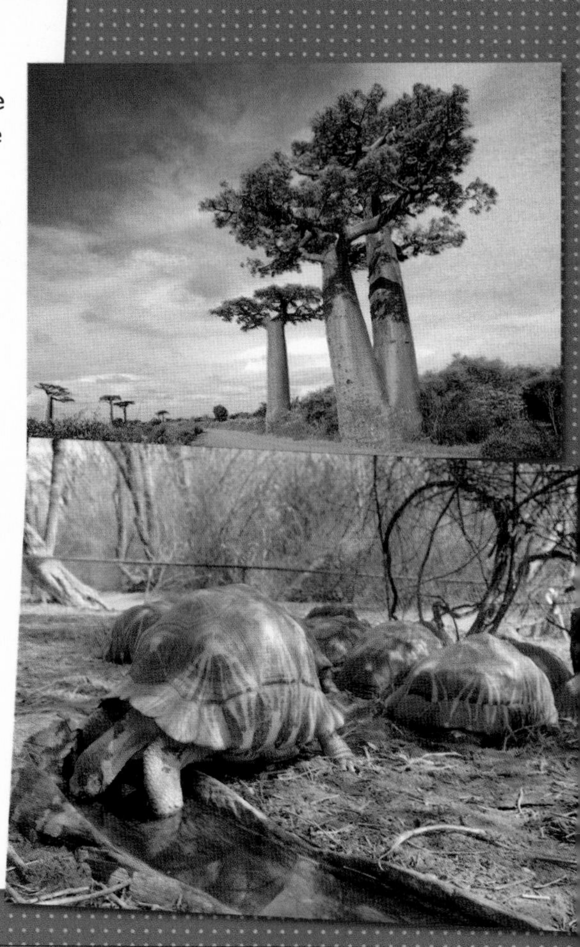

CARACTÉRISER PAR UNE PROPOSITION RELATIVE

• **Le pronom relatif** est utilisé pour relier deux idées et éviter une répétition.
Ex. : Elle est engagée dans **une entreprise**. **Cette entreprise** a des usines à l'étranger.
→ Elle est engagée dans une entreprise **qui** a des usines à l'étranger.
« qui a des usines à l'étranger » est une proposition relative.

- ***qui*** remplace le sujet du verbe de la proposition, *ex. :* Nous avons un nouveau directeur **qui** vient de chez Total.
- ***que*** remplace le complément d'objet, *ex. :* J'aime beaucoup le travail **que** je fais.
- ***où*** remplace un complément de lieu ou de temps, *ex. :* Le quartier **où** je travaille est très agréable. – 2010, c'est l'année **où** je suis entré chez Florial.

• **On emploie la proposition relative :**
- pour présenter quelqu'un ou quelque chose, *ex. :* Voici Li Na Wang. C'est une jeune femme **qui** travaille au marketing.
- pour donner une définition, *ex. :* Un parapluie est un objet **qu'**on utilise quand il pleut.
- pour caractériser, *ex. :* Ludovic Dubrouck est un informaticien **qui** est très compétent.

EXPRIMER UN ORDRE OU UNE NÉCESSITÉ PAR LE SUBJONCTIF

• **On doit utiliser le subjonctif après les verbes qui expriment :**
- **une volonté, un ordre :** je veux (voudrais) que… – j'aimerais que… – je souhaiterais que…
ex. : Je voudrais que tu viennes me voir.
- **une obligation :** il faut que…
ex. : Désolée. Il faut que j'aille chercher mes enfants à l'école.
- **certains sentiments :** j'ai peur que… je suis fier que…
ex. : J'ai peur qu'il ne réussisse pas.

! Attention : *espérer* est suivi de l'indicatif, *ex. :* J'espère qu'elle viendra.

• **Généralement, le subjonctif se forme à partir de la personne *ils / elles* du présent de l'indicatif.**
ex. : Ils **regard**ent. → Il faut que je **regard**e ce rapport. – Elles **vienn**ent. → Je voudrais que tu **vienn**es chez moi.
Les terminaisons sont les mêmes pour tous les verbes : **-e, -es, -e, -ions, -iez, -ent.**
Il y a quelques exceptions (voir tableau ci-dessous et conjugaison, p. 152-153).

Cas général	Cas particuliers fréquents			
Venir	**Avoir**	**Être**	**Faire**	**Savoir**
… que je vienn**e**	… que j'aie	… que je sois	… que je fass**e**	… que je sach**e**
… que tu vienn**es**	… que tu aies	… que tu sois	… que tu fass**es**	… que tu sach**es**
… qu'il / elle vienn**e**	… qu'il / elle ait	… qu'il / elle soit	… qu'il / elle fass**e**	… qu'il / elle sach**e**
… que nous ven**ions**	… que nous ayons	… que nous soyons	… que nous fass**ions**	… que nous sach**ions**
… que vous ven**iez**	… que vous ayez	… que vous soyez	… que vous fass**iez**	… que vous sach**iez**
… qu'ils / elles vienn**ent**	… qu'ils / elles aient	… qu'ils / elles soient	… qu'ils / elles fass**ent**	… qu'ils / elles sach**ent**

S'EXPRIMER DE MANIÈRE POLIE

• Demander quelque chose à quelqu'un
- Je voudrais que tu sois à l'heure. - Je souhaiterais (J'aimerais) que tu respectes l'horaire.
- Pourrais-tu être au bureau à 9 h ?

• S'excuser
- Excusez-moi. - Je vous prie de m'excuser.

• Remercier (dans une lettre)
- Je vous remercie de votre compréhension (de votre gentillesse).
- Je vous en remercie par avance (après une demande).

• Saluer
- **à la fin d'un courriel professionnel :** Bien cordialement
- **à la fin d'une lettre administrative :** Je vous prie d'agréer, Madame (Monsieur), l'expression de mes salutations distinguées.

NOMMER LES PROFESSIONS

• Pour interroger : Quelle est votre profession, votre métier ? - Vous travaillez dans quel secteur ? - Vous faites quoi dans la vie ?

• Quand on ne connaît pas le nom du métier, on utilise les formules suivantes :
- Elle travaille dans la finance - dans l'enseignement - dans l'industrie...
- Il est employé dans une bibliothèque - dans une banque - chez Carrefour - chez Renault.

• Les noms de métiers sont souvent formés avec des suffixes :
-eur / -euse (d'après le verbe) **:** coiffer → un coiffeur / une coiffeuse - danseur - chanteur - conducteur - réparateur
-iste / -iste : un / une dentiste - fleuriste - garagiste
-ier / -ière : un pâtissier / une pâtissière - jardinier - bijoutier
-er / -ère : un boulanger / une boulangère

PARLER DE L'ENTREPRISE

• Le personnel
- le PDG (président-directeur général) - un chef d'entreprise - un DRH (directeur des ressources humaines)
- un chef (un responsable) de département - un employé - un ouvrier
- un représentant du personnel - un syndicat - faire grève

• Le travail
- chercher du travail - une offre d'emploi - un CV (curriculum vitae) - une lettre de motivation - un entretien d'embauche
- engager quelqu'un - recruter - employer - un contrat de travail
- un employé compétent / incompétent - efficace - qui a le sens du travail d'équipe
- licencier du personnel - indemniser (une indemnisation) - quitter une entreprise - être au chômage

• La vie de l'entreprise
- créer une entreprise
- diriger une entreprise - gérer le personnel (la gestion) - faire un stage - assister à une réunion - faire un rapport
- une entreprise qui marche bien / en difficulté

• L'économie
- un secteur d'activité (l'énergie, la banque, l'automobile, etc.)
- augmenter / diminuer - réduire (le chômage augmente quand l'activité diminue)
- délocaliser une entreprise / relocaliser

1. CARACTÉRISER AVEC UNE PROPOSITION RELATIVE

Reliez les phrases en utilisant *qui, que, où*.
La Nouvelle Calédonie

a. La Nouvelle Calédonie est une île. Cette île est située dans l'océan Pacifique. Elle compte 270 000 habitants.
b. Cette île est une région autonome francophone. Les Français ont découvert cette île au XVIIIe siècle.
c. Le nickel est une richesse du pays. Le nickel fait vivre 12 % de la population.
d. Les fonds marins sont magnifiques. Les touristes viennent les admirer.
e. C'est une très belle île. On y rencontre des populations de différentes origines.

2. DONNER UN ORDRE – EXPRIMER LA NÉCESSITÉ

Mettez les verbes à la forme qui convient.
Le directeur d'une maison d'édition prépare le Salon du livre.

a. Jean, il faut que tu *(appeller)* Anne Lefort. Je voudrais qu'elle *(venir)* présenter son roman.
b. Sylvie, Il faut que vous *(réserver)* un hôtel pour Anne Lefort.
c. Ophélie, j'aimerais que nous *(faire)* le powerpoint ensemble.
d. Mais avant, je voudrais *(finir)* ma conférence.
e. Patrick, il faut que tu *(aller)* commander le cocktail.
f. Je voudrais que tout *(être)* prêt pour lundi.

3. PARLER D'UNE ENTREPRISE

Remettez dans l'ordre ces titres de presse. Racontez l'histoire de l'entreprise de broderie.

a. Licenciement chez Leonardo
b. L'entreprise Leonardo délocalise en Inde.
c. Création d'une maison de broderie par le styliste Leonardo
d. Importants marchés pour la broderie dans le secteur de la haute couture
e. L'entreprise Leonardo, qui ne compte aujourd'hui que 25 personnes, s'est spécialisée dans les produits haut de gamme.
f. Les entreprises du textile en difficulté à cause du coût du travail et de la concurrence

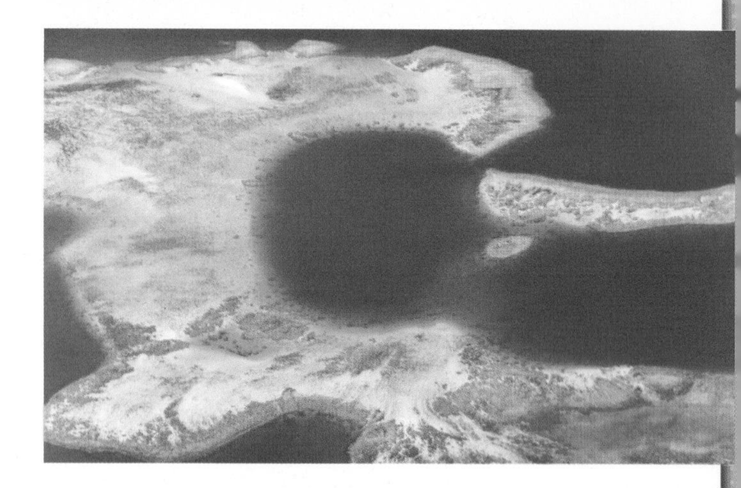

4. DEMANDER – S'EXCUSER

Vous êtes au bureau. Que dites-vous, qu'écrivez-vous dans les situations suivantes ? Faites une phrase par situation.

a. La climatisation est trop forte. Vous avez froid.
Au collègue qui partage votre bureau : « On pourrait... »
b. La machine à café ne marche pas.
Au réparateur : « ... »
c. La directrice de l'école vous a téléphoné. Votre fille est malade.
À votre chef de service : « ... »
d. Vous avez oublié le rendez-vous avec un client.
Au client : « ... »
e. Vous avez garé votre voiture sur la place du directeur.
Au gardien du parking : « ... »

5. PRÉSENTER SON CURRICULUM VITAE

N° 37 **Écoutez. Jeanne participe à un entretien d'embauche pour l'offre ci-dessous.**

BANQUE

DU SUD

Offre d'emploi
Relation client –
CDD 3 mois (juin à août)

Notez les informations qu'elle donne sur :

a. son âge
b. sa situation de famille
c. les études qu'elle a faites
d. son niveau d'études
e. son expérience professionnelle
f. ses compétences dans les langues étrangères
g. sa personnalité

UNITÉ 4

S'INFORMER SUR L'ACTUALITÉ

1 ANNONCER UN ÉVÈNEMENT
- Feuilleter un journal ou consulter un site d'information
- Mettre en valeur une information
- Annoncer une nouvelle

2 COMPRENDRE UN FAIT DIVERS
- Comprendre et raconter un fait divers
- Parler d'un délit ou d'une catastrophe
- Écrire le récit d'un fait divers

3 DONNER SON OPINION SUR UNE INFORMATION
- Faire une découverte
- Dire si un fait est vrai ou faux
- Préciser le moment d'une action

4 COMPRENDRE DES INFORMATIONS POLITIQUES
- Comprendre l'organisation administrative de la France
- Comprendre l'organisation politique de la France

PROJET

DONNER DES NOUVELLES DE L'ACTUALITÉ
- Présenter et commenter un évènement de l'actualité
- Présenter un sujet de débat

Unité 4 - Leçon 1 - Annoncer un évènement

http://www.lemonde.fr/

Le Monde.fr

ÉDITION GLOBALE Mise à jour à 12h12

INTERNATIONAL | POLITIQUE | SOCIÉTÉ | ÉCO | CULTURE | IDÉES | PLANÈTE | SPORT | SCIENCES | PIXELS | CAMPUS | M LE MAG | ÉDITION ABONNÉS

Coupe du monde de rugby

L'équipe de France a été battue par les All Blacks de Nouvelle-Zélande.

Abribus

Le marché des abribus de Londres a été gagné par l'entreprise JCDecaux. 15 000 abribus seront bientôt installés dans la capitale britannique.

Projet d'aéroport de Notre-Dame-des-Landes

Une route a été bloquée par les manifestants.

Festival de Cannes

Le film *Dheepan* a été élu Palme d'Or du Festival. « J'ai été enthousiasmé par ce film » a déclaré un membre du jury.

Régions
La nouvelle carte des régions a été votée par l'assemblée. En 2021, la France sera organisée en 13 régions.

Futur
Un village international sera construit sur la Lune.

Cuba
Les relations diplomatiques entre Cuba et les USA sont rétablies.

Féria de Bayonne
Deux spectateurs ont été blessés par un taureau.

Feuilleter un journal ou consulter un site d'information

1. Lisez le site d'information. Associez chaque information à un type de nouvelles.

Exemple : *Coupe du monde de rugby → Sports*

Mettre en valeur une information

2. Faites le travail de l'encadré « Réfléchissons ». Transformez les autres nouvelles du site.

Exemple : *15 000 abribus seront bientôt installés. → JCDecaux installera bientôt...*

3. Transformez les phrases suivantes. Mettez en valeur les mots en gras.

Réactions à l'annonce de la construction d'un village sur la Lune

a. Cette nouvelle **m'**a étonné(e). → *J'ai été ...*
b. J'ai des amis ingénieurs. Cette information **nous** a surpris.
c. L'idée de vivre sur la Lune **nous** a enthousiasmés.
d. Elle ne **vous** a pas surpris(e) ?

Réfléchissons... La construction passive

• Observez la transformation et continuez.

a. *Les All Blacks battent la France.*
→ *La France* ***est battue par*** *les All Blacks.*
JCDecaux gagne le marché des abribus de Londres.
→ Le marché des abribus...
b. *Les All Blacks ont battu la France.*
→ *La France* ***a été battue par*** *les All Blacks.*
JCDecaux a gagné le marché des abribus.
→ ...
c. *L'Australie battra les All Blacks.*
→ *Les All Blacks* ***seront battus*** *par l'Australie.*
JCDecaux gagnera d'autres marchés.
→ ...

• Comment construit-on le passif ?
Le complément devient... On utilise le verbe *être* au temps...
La construction passive sert à mettre en valeur...

Villa Marie-Claire — Bonne ou mauvaise nouvelle ?

N° 29

N° 38

1. C'est une catastrophe !
2. Mais… C'est juste un projet ?
3. Le siège de Florial est transféré à Dublin.
4. Oh, moi je suis ravi… comme Li Na.
5. Vous pouvez rester en France Ludovic.
6. Mais non, au contraire, c'est génial ! C'est une nouvelle vie qui va commencer.

Annoncer une nouvelle

4. Regardez ou écoutez la séquence 29. Associez les phrases et les photos.

5. Approuvez ou corrigez les phrases suivantes.

a. Jean-Louis a assisté à une réunion.
b. La direction de Florial a pris une décision.
c. L'entreprise va être délocalisée.
d. Tout le monde est satisfait de cette décision.
e. Li Na et Ludo ont les mêmes idées.

6. Par trois, jouez les scènes. Chacun annonce une nouvelle à ses deux partenaires. Ils réagissent bien ou mal.

Avant de commencer, préparez votre nouvelle.
- *La classe a gagné un voyage en France pour la semaine prochaine.*
- *Votre école de langues va être délocalisée à 10 km.*
- …

7. Accordez les participes passés.

Dans la presse

a. Le Président a *(présenté)* les propositions de la France à l'ONU. Le Conseil de sécurité les a *(voté)*.
b. La police cherche les tableaux qui ont été *(volé)* au musée.
c. Les grévistes ont *(demandé)* une augmentation de salaire. Elle a été *(accepté)* par la direction.
d. L'équipe du PSG a été *(battu)* par Marseille.
e. Les actrices du film sont *(arrivé)* au festival de Cannes.

Réfléchissons… L'accord du participe passé

• Observez et trouvez la règle.

– Verbe construit avec *être*

Paul est parti. – Laura est parti**e**.
Les garçons sont parti**s**. – Les filles sont parti**es**.
Ludo a été surpris. – Li Na a été surpris**e**.

– Verbe construit avec *avoir*

Marie a **vu** une exposition. – Cette exposition, Julien l'a **vue** aussi.
Elle a **découvert** de belles photos. – Julien les a **découvertes** aussi.

Les participes passés masculins ou féminins

a. Répondez comme dans l'exemple.

N° 39

Découverte

– Vous avez ouvert la lettre ?
– Je l'ai ouver**te**.
– Vous avez appris la nouvelle ?
– Je l'ai…
– …

b. Répondez en accordant le participe passé à votre cas.

N° 40

Offre d'emploi

– Pierre s'est inscrit. Et vous ?
– Je me suis inscrit / inscrite.
– Pierre a été surpris. Et vous ?
– J'ai été…
– …

Comprendre un fait divers

a INONDATIONS DANS LE GARD

b Pau : un incendie sans victime crée un embouteillage monstre

c TENTATIVE DE MEURTRE DANS UN BAR DE WESTMOUNT

d *Séisme dans le Sud-Est*

e Cambriolage au château de Fontainebleau

1

La terre a tremblé lundi à 21 h 27 pendant une quinzaine de secondes dans le sud-est de la France, faisant tomber quelques cheminées, sans faire de blessés.

Le Parisien | 07 Avril 2014, 21 h 57

2

Le château de Fontainebleau (Seine-et-Marne), situé à soixante kilomètres de Paris, a été cambriolé, dimanche 1er mars, peu avant six heures du matin. Une quinzaine d'œuvres orientales, provenant de Thaïlande et de Chine, ont été dérobées.

Le Monde.fr | 01.03.2015

3

De violents orages se sont abattus ce week-end dans 11 départements du Sud-Est provoquant d'énormes dégâts. À Molières-sur-Cèze, dans le Gard, les bénévoles se sont dévoués pour proposer une aide aux habitants.

Le 20 h, 14/09/15 à 20 h 30

4

Un homme a été blessé par au moins un projectile d'arme à feu en début de nuit, vendredi, à l'intérieur d'un bar de Westmount, sur l'île de Montréal. La victime a été transportée dans un hôpital de Montréal. L'homme a été blessé au ventre mais sa vie n'est pas en danger.

La Presse Canadienne, 28/08/2015

5

Un incendie spectaculaire s'est déclenché ce mardi soir à 18 h 15, avenue du général de Gaulle, à Pau, la voie qui mène à Auchan et à Tarbes. Le feu a pris dans une maison squattée avenue du général Leclerc. Il n'a pas fait de blessé.

Sud-Ouest, 04/11/2014

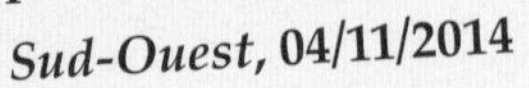

Comprendre et raconter un fait divers

1. Travaillez en petits groupes et partagez-vous les cinq titres de presse.
À partir du titre choisi, imaginez le contenu de l'article.

2. Trouvez et lisez le début d'article qui correspond à votre titre. Notez :

a. le type d'évènement
b. le lieu
c. la date
d. la cause de l'évènement
e. ses conséquences

3. Recherchez le sens des mots inconnus.

4. Présentez votre information à la classe.

Pour s'exprimer

Présenter un évènement

• Pour demander

– **se passer – arriver :** Qu'est-ce qui s'est passé ? Qu'est-ce qui est arrivé ? Qu'est-ce qui vous est arrivé ?

• Pour raconter

– **avoir lieu :** Des inondations ont eu lieu dans le sud.

– **se produire :** Une explosion s'est produite, hier à 22 h, dans une rue de Nice.

– **se dérouler :** Une manifestation s'est déroulée hier après-midi, place de la Nation.

Parler d'un délit ou d'une catastrophe

5. Pour chaque type de fait divers suivant, complétez le tableau.
a. un meurtre – **b.** un vol – **c.** un cambriolage – **d.** un attentat – **e.** un enlèvement (un kidnapping) – **f.** une inondation – **g.** un incendie – **h.** un tremblement de terre – **i.** une tempête – **j.** un tsunami

Type de fait divers	L'action	L'auteur / La cause	Les conséquences
a. un meurtre	tuer	un meurtrier – un tueur	un mort
b. un vol	...	...	...
...	...	...	...

6. À partir des titres de presse suivants, écrivez une phrase d'information. Vous pouvez ajouter des circonstances.
Exemple : *a. Un attentat a eu lieu hier, à 9 h 10 dans le métro de Paris à la station Louvre. Une bombe a explosé. L'explosion n'a fait heureusement que deux blessés légers.*
a. Attentat à la bombe, hier, dans le métro. Deux blessés légers.
b. Inondations dans la baie de Somme. Pas de victimes, mais d'importants dégâts.
c. Vol de cinq tableaux au musée d'Art moderne. La police sur une piste.
d. Meurtre passionnel dans un appartement de Nantes. Un homme arrêté.
e. Tempête sur l'île de la Guadeloupe. Des villages détruits. 1 000 personnes déplacées.

Écrire le récit d'un fait divers

N° 41

7. Observez la photo et écoutez le récit d'un témoin. Répondez.
a. Où s'est passé l'évènement ?
b. L'évènement s'est passé quel jour ? À quel moment ?
c. Qu'est-ce que les gens ont vu ?
d. Qu'est-ce qu'ils ont fait ?
e. Qu'a fait la police ?
f. Quelle était la cause de cet évènement ?

8. Écrivez. Racontez cet évènement en quelques lignes.

Point infos

LES MÉDIAS FRANCOPHONES

• **Il existe de nombreux médias francophones.** L'Agence France-Presse (AFP) diffuse de l'information dans le monde entier. TV5Monde, chaîne de télévision culturelle francophone, est l'un des cinq plus grands réseaux mondiaux présents dans 200 pays. France 24, Africa 24, Euronews diffusent également l'information francophone. Pour la radio, RFI (Radio France Internationale) reste le média radio francophone par excellence. Il faut y ajouter Africa n° 1, Medi 1 (franco-arabe).

• **Les francophones de l'hémisphère Nord** ont de multiples moyens de s'informer :
– des chaînes généralistes et d'information : BFMTV, I-Télé, LCI, RDI Québec, RTBF, RTS romande, France Télévisions, TF1, Arte, Canal+... ;
– des quotidiens gratuits (*20 minutes*) ;
– des journaux nationaux et régionaux : en France, *Le Monde, Le Figaro, Le Parisien / Aujourd'hui en France* ; en Suisse, *Le Temps* ; au Québec, *Le Devoir* ; en Belgique, *Le Soir.*

• **Dans les pays francophones du Sud**, il existe aussi une presse nationale : *El Moudjahid, El Watan* (Algérie) ; *Fraternité Matin* (Côte d'Ivoire), *Le Soleil* (Sénégal) ; *Le Matin* (Maroc). *L'Orient-Le Jour* (Liban) est le grand quotidien francophone du Moyen Orient.
Tous les médias possèdent aujourd'hui des sites internet, de plus en plus consultés.

 # Donner son opinion sur une information

Villa Marie-Claire — Disparition

N° 30

N° 42

1. Elle était encore là hier soir, j'en suis sûr.
2. Mais non… Le décorateur de l'entrée vient de la prendre.
3. – Qu'est-ce qui se passe ?
– La photo de Catherine Deneuve. Elle n'est plus là !

Faire une découverte

1. Travaillez par trois ou quatre. Observez les photos ou regardez la vidéo sans le son. Lisez les phrases. Imaginez l'histoire en complétant ce résumé de la scène.
Photo a. : Jean-Louis remarque que…
Photo b. : Jean-Louis, Li Na et Éric se demandent quand… et qui… Ils pensent que…
Photo c. : Finalement, l'employée leur dit que…

2. Regardez ou écoutez la séquence 30. Corrigez le résumé de l'exercice 1.

3. Notez les remarques des personnages et leurs commentaires.

Remarques	Commentaires
- La photo était encore là hier soir.	
- Quelqu'un l'a prise.	
- …	*- J'en suis sûr.*
- …	

4. Jouez la scène à trois ou quatre.
a. Imaginez un lieu et un objet qui a disparu.
b. Jouez la scène en imitant la séquence 30. Utilisez le vocabulaire ci-contre.

Les sons [p] et [b]

a. Marquez le son que vous entendez au début des mots.

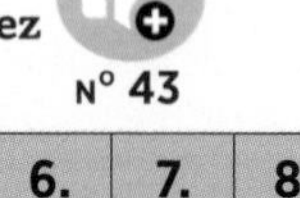
N° 43

	1.	2.	3.	4.	5.	6.	7.	8.
[p]								
[b]	✗							

b. Répétez.
N° 44

Mal habillé
Tu as vu son cha**p**eau ? Il est **b**eau ?
Im**p**ossi**b**le !
Il est de Cordo**b**a ? C'est **p**as sûr.
Il n'est **p**as de là-**b**as ? **P**as **p**ossi**b**le.
Et ses ha**b**its, c'est **p**ire.

Pour s'exprimer

Vrai ou faux ?
• Cette histoire est vraie. / Elle est fausse.
Il dit la vérité. / Il ment (mentir).
une vérité / un mensonge
• La photo a **peut-être** été volée.
Elle a **probablement** été volée.
C'est **possible**. / C'est **impossible**.

Dire si un fait est vrai ou faux

5. En petit groupe, donnez votre avis sur ces informations. Connaissez-vous d'autres informations de ce type ?

Prédictions

★ **Immortalité** | Le professeur David Sinclair de l'école médicale de Harvard affirme qu'avec les progrès de la génétique l'homme pourra s'arrêter de vieillir et pourra rajeunir.
Sciences et Avenir, février 2015

★ **Résultats** | Pour le championnat d'Europe de football de 2008 et le Mondial de 2010, un poulpe a donné à l'avance le résultat des matchs.

20 minutes, 13/09/2014

★ **Fin du monde** | D'après les calculs du mathématicien Isaac Newton la fin du monde aura lieu en 2060.
Source : Wikipédia

Apprenons à conjuguer...

Les verbes en *-uire* au présent
• **Complétez.**

CONSTRUIRE	
je construis	nous construisons
tu ...	vous ...
il / elle ...	ils / elles ...

Sur le même type vous connaissez aussi :
produire - réduire - cuire.

Les verbes dérivés
Ils ont souvent le même type de conjugaison.
- prendre → comprendre - apprendre - reprendre
- lire → relire - élire
- tenir → retenir - entretenir

Préciser le moment d'une action

Réfléchissons... Le moment d'une action

• **Observez ces phrases et classez-les dans le tableau.**
a. Le décorateur **vient de** prendre la photo.
b. Il **est en train de** décorer l'entrée.
c. Je **vais** le voir.
d. Il a **déjà** accroché la photo.
e. Il **n'**est **plus** dans l'entrée.
f. Il **n'**est **pas encore** parti.
g. Il est **encore** dans le parking.

L'action est passée.	L'action se passe maintenant.	L'action se passera bientôt.
a. - ...	...	...

• **Complétez ces phrases.**
Une famille au petit déjeuner
a. Paul **est en train de** prendre son petit déjeuner.
b. Il **vient de**...
c. Il **n'**a pas **encore**...
d. Géraldine, sa compagne **n'**est **plus**...
e. Elle est **déjà**...
f. Ses enfants sont **encore**...
g. Dans quelques minutes, Paul **va**...

6. Faites les exercices de l'encadré « Réfléchissons ». Racontez ce qu'ils viennent de faire, ce qu'ils sont en train de faire, etc. Utilisez les expressions du tableau.
a. Hélène est en train de chercher sa place dans le TGV pour Nice. Elle vient de... Elle va...
b. Rudy vient de prendre une douche... Il est en train de...
c. Emma cherche du travail. Elle n'a pas encore... Elle n'est plus...

7. Avec votre partenaire, vous visitez un musée et vous regardez ce tableau. Vous parlez des personnages.
« Qu'est-ce que le personnage debout, à gauche, est en train de faire ? Que va-t-il faire ? Et la jeune femme assise à gauche ? ... »

Le Déjeuner des canotiers, Auguste Renoir, 1880, Washington, The Phillips Collection.

RÉGIONALES 2015 : POURQUOI FUSIONNER DES RÉGIONS ?

La réforme du 16 janvier 2015 va changer le visage de notre pays. La France métropolitaine[1] passe de 22 à 13 régions. Pourquoi cette réforme ?

D'abord pour faire des économies et diminuer les dépenses publiques. Le problème est que le nombre d'élus régionaux reste le même. Par exemple, la Basse-Normandie et la Haute-Normandie avaient chacune 51 élus. Les deux régions fusionnent pour ne donner qu'une seule Normandie qui sera dirigée par... 102 élus !

Ces nouvelles collectivités territoriales possèdent pour certaines une superficie comparable aux grandes régions espagnoles, italiennes ou aux Länder allemands. La nouvelle région Aquitaine est plus grande qu'un pays comme l'Autriche.

Autre motivation du législateur : les territoires ayant les populations les plus âgées fusionnent avec d'autres où le vieillissement est moins marqué : le Limousin et le Poitou-Charentes avec l'Aquitaine ou bien l'Auvergne avec Rhône-Alpes.

Les nouvelles régions auront des compétences qui appartenaient avant aux départements : les grandes orientations économiques, la lutte contre la pollution, le logement, les transports, etc.

Mais cette réforme reçoit aussi des critiques. Certaines villes seront très éloignées de la capitale régionale et donc des centres de décision.

D'après Alexandre Borde, *Le Point.fr*, 21/09/2015

1. On distingue la France métropolitaine (ou « métropole » ou « hexagone ») et la France d'outre-mer (les territoires français situés ailleurs dans le monde).

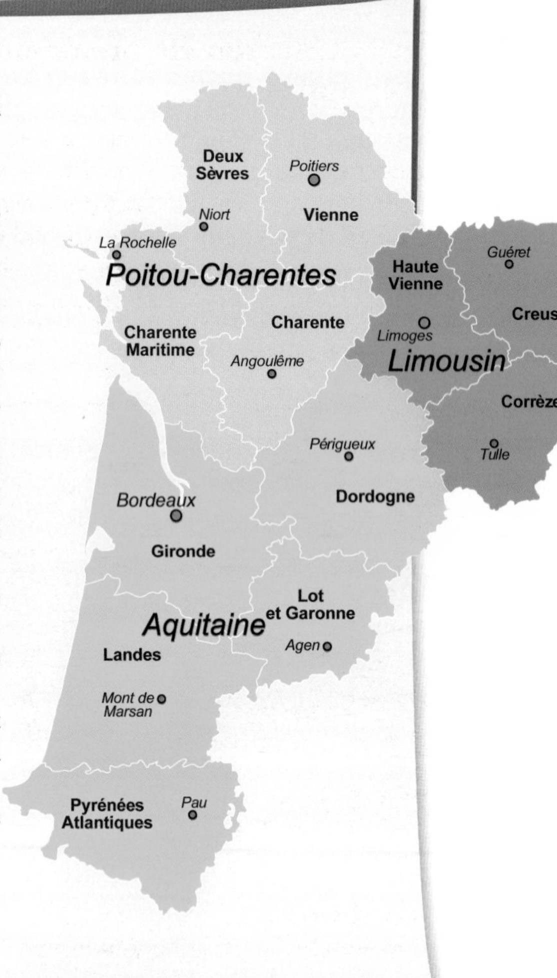

Comprendre l'organisation administrative de la France

1. Lisez le titre et le sous-titre de l'article. Quelle modification annoncent-ils ?

Avant, la France était composée de...
Aujourd'hui, ...

2. Observez la carte de la nouvelle région Aquitaine. Repérez :

a. les anciennes régions
b. les départements
c. la capitale de la région
d. les communes principales

3. Lisez l'article.

a. Associez les mots nouveaux à leurs définitions.

1. appartenir
2. faire des économies
3. fusionner
4. le législateur
5. posséder
6. un élu
7. une lutte
8. une collectivité territoriale (un territoire)

a. diminuer ses dépenses
b. avoir
c. être possédé par...
d. nommé par une élection
e. personne qui fait les lois
f. région
g. regrouper
h. un combat

b. Recherchez :

- quatre raisons de fusionner les régions ;
- deux critiques de cette fusion.

4. Que font les assemblées et les personnes suivantes ? Utilisez : *administrer – diriger – s'occuper de...*

a. le conseil régional
b. le conseil départemental
c. le conseil municipal
d. le président de région
e. le président du conseil départemental
f. le maire

Emmanuel Macron élu président de la République

Paris, le 8 mai 2017 - Après l'élimination inattendue, au premier tour, du principal candidat de la droite républicaine François Fillon et des deux candidats de gauche, Benoît Hamon et Jean-Luc Mélenchon, c'est Emmanuel Macron qui a remporté hier le deuxième tour de l'élection présidentielle avec 66,1 % des voix en battant Marine Le Pen, candidate du Front national (33,9 %)

Ministre de l'économie du président François Hollande, Emmanuel Macron avait fondé en avril 2016 le mouvement « En Marche ! », se disant « à la fois de droite et de gauche ». Il avait démissionné de son poste en août 2016 pour être candidat.

Âgé de 39 ans, Emmanuel Macron est le plus jeune président de la Vᵉ République.

Emmanuel Macron est élu président de la République pour 5 ans. Il succède à François Hollande.

Les députés lors d'une séance à l'Assemblée nationale. Il y a, en France, une autre assemblée, le Sénat, qui a un rôle moins important.

Comprendre l'organisation politique de la France

5. Lisez l'article ci-dessus.

a. De quelle élection parle-t-il ? Élection...

1. législative
2. présidentielle
3. municipale
4. régionale

À quoi servent les autres élections ?

b. Répondez.

1. Quand a eu lieu cette élection ?
2. Quels étaient les principaux candidats ?
3. Qui a gagné l'élection ?
4. A-t-il gagné au premier tour ?
5. Est-il nouveau en politique ?
6. Quelles sont les particularités de cette élection ?

6. Remettez dans l'ordre les étapes d'une élection présidentielle.

a. Les électeurs vont voter pour le premier tour.
b. Après le deuxième tour, le président est élu. Il remercie ses électeurs.
c. Après le premier tour de l'élection, certains candidats abandonnent.
d. Les candidats annoncent leur candidature.
e. Le président nomme un premier ministre. Avec lui, il forme un gouvernement.
f. Les candidats font leur campagne électorale.
g. Dans certains partis, des élections primaires désignent le candidat du parti.

7. Décrivez, à l'aide d'un schéma, l'organisation administrative et politique de votre pays.

Point infos

SUJETS DE DÉBATS

• Les personnes qui critiquent l'organisation administrative de la France disent que c'est « un mille-feuille ». En effet, il y a beaucoup de niveaux de décisions : la commune (36 680 communes), l'agglomération ou communauté de communes, le département, la région et l'État. Cela fait beaucoup d'élus : les députés, les sénateurs, les conseillers régionaux, départementaux, municipaux.
Il y a, en France, un élu pour 104 habitants. Au Royaume-Uni, un élu pour 2 600.

• La France fait partie de l'Union européenne. Le Parlement européen peut prendre des décisions pour tous les pays d'Europe. Cela ne plaît pas à tout le monde.

• L'élection présidentielle suivie de l'élection législative donnent une forte majorité au gouvernement pour 5 ans. L'opposition et certaines tendances de la majorité ont peu de pouvoir politique.

Dans cette leçon, vous allez écrire à des amis francophones pour leur donner des nouvelles du pays où vous résidez. Ce pays peut être votre pays ou un pays francophone.
Vous pouvez écrire un courriel, une page de blog ou publier les informations sur Facebook.

La conférence historique sur le climat, qui doit se tenir jusqu'au 11 décembre, s'est ouverte ce lundi près de Paris, au Bourget. Environ 150 chefs d'État ont répondu à l'appel pour lancer par leurs discours les négociations de cette COP 21. Dans son discours inaugural, François Hollande a fixé trois conditions à « un grand accord ».
1 : « Trouver les moyens de contenir le réchauffement climatique en dessous des 2 degrés Celsius ou même 1,5 degré. »
2 : « Aucun État ne doit pouvoir se soustraire à ses engagements. »
3 : « Que toutes nos sociétés, dans leur grande pluralité, diversité, se mettent en mouvement. » […]
Les différentes parties ont jusqu'au 11 décembre pour atteindre le premier accord universel permettant de réduire les émissions de gaz à effet de serre, en limitant le réchauffement à +2° C par rapport à l'ère préindustrielle.

D'après *Lexpress.fr*, 30/11/2015.

1

Racontez et commentez un évènement politique.

1. Lisez l'article ci-dessus. Donnez-lui un titre et un sous-titre.

2. Voici des notes sur les informations du début de l'article. Complétez-les.
- **30/11/2015 :** *inauguration...*
- **Lieu :** ...
- **Date :** du...
- **Participants :** ...
- **Idées développées par le président dans son discours :**
→ *limiter...*
→ ...

3. Lisez l'extrait du courriel envoyé par une Brésilienne, étudiante à Paris. Notez :
a. ce qu'elle a remarqué ;
b. ses commentaires personnels.

4. Racontez en quelques lignes un évènement politique qui s'est passé dans votre pays. Donnez vos impressions personnelles.
Vous pouvez aussi parler d'un évènement qui s'est passé dans un pays francophone en vous documentant sur les sites des journaux et des magazines : Le Monde (www.lemonde.fr) – Le Figaro (www.lefigaro.fr) – L'Express (www.lexpress.fr) – Le Soir (www.lesoir.be).

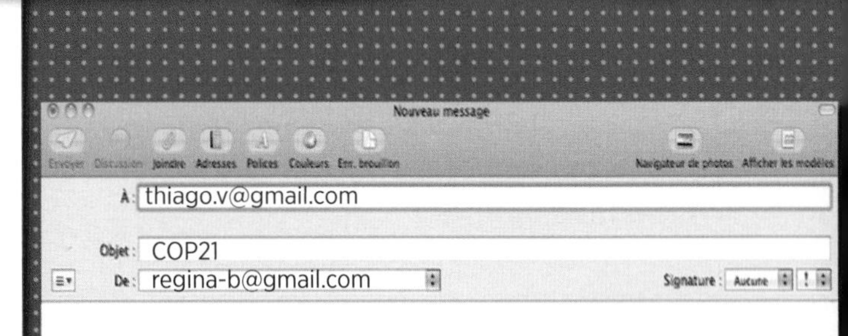

Hier, la fameuse COP 21, la grande conférence sur le climat a commencé. J'ai vu les images à la télé. C'était impressionnant. Beaucoup de chefs d'États étaient présents. Le président de la République a fait un discours d'inauguration très volontaire. Il a parlé du dérèglement du climat, des catastrophes qui nous attendent et de produire moins de gaz carbonique.
Je souhaite que cette conférence soit un succès et que tous les pays se mettent d'accord. J'espère aussi que les pays riches aideront les pays pauvres.

LES BORDS DE LA SEINE AUX PIÉTONS

La maire de Paris a lancé ce mardi le grand chantier de la piétonnisation de la voie Georges-Pompidou qui longe la rive droite de la Seine (1er et 4e).

« Pour Paris Plages 2016[1], les voies sur berge seront rendues à la population ». Et définitivement... À l'été 2016, les voitures ne circuleront plus sur la voie Georges-Pompidou. Et ce site magnifique, classé au patrimoine mondial de l'Unesco, sera rendu aux piétons. Anne Hidalgo (PS) évoque « un nouveau jardin sur la Seine, exposé plein sud ».

Le flux actuel de 2 700 véhicules à l'heure aux périodes de pointe cédera la place aux promeneurs et à des équipements légers (jeux pour enfants, terrain de pétanque[2]...).

Opposée à la politique de la municipalité, l'association « 40 millions d'automobilistes » a réactivé son site internet et invite déjà les opposants à signer sa pétition.

D'après *Le Parisien*, 05/05/2015.

1. Chaque été, au mois d'août, une partie des bords de la Seine est aménagée comme une plage. – 2. jeu de boules

2 Présentez un sujet de débat.

5. Lisez l'article ci-dessus. Recherchez les informations suivantes :

a. Qui est la maire de Paris ? Quelle est sa tendance politique ?

b. Quel est son projet pour Paris ?

c. Où se fera ce projet ?

d. Quel est l'avantage de ce projet ?

Plan de Paris, p. 160.

e. Est-ce que tout le monde est d'accord ? Pourquoi ?

6. Lisez, ci-contre, l'extrait du courriel de l'étudiante brésilienne. Observez comment elle présente :

a. le sujet du débat ;

b. les opinions opposées.

Nouveau message

À : thiago.v@gmail.com

Objet : COP21

De : regina-b@gmail.com

Le grand sujet de discussion pour les Parisiens, c'est l'interdiction des bords de la Seine aux voitures.
D'un côté, il y a les gens qui applaudissent le projet de la maire, Anne Hidalgo. Ils approuvent la transformation de la voie en promenade avec des jardins et des espaces de jeux.
D'un autre côté, il y a les Parisiens qui doivent prendre leur voiture pour aller travailler. Si on supprime la voie des bords de Seine, on va avoir beaucoup d'embouteillages. Ils sont donc opposés au projet.
Moi, je suis pour. J'adore marcher dans Paris.

3 Donnez votre avis sur un évènement culturel.

N° 45

7. Écoutez. Un journaliste interroge deux promeneurs du jardin des Tuileries à Paris.

a. Relevez les informations nécessaires pour développer la légende de la photo.
Qui a fait cette œuvre ? À quelle occasion ? Que représente-t-elle ? Y a-t-il d'autres œuvres ?

b. Relevez les mots qui montrent que les visiteurs :
- aiment ;
- n'aiment pas.

8. Présentez un évènement culturel (spectacle, exposition, livre, film, etc.) et donnez votre avis.

Yure de Kengo Kuma, au Jardin de Tuileries. Œuvre présentée à l'occasion de la FIAC, 2015 (Foire internationale d'art contemporain).

METTRE EN VALEUR PAR LA CONSTRUCTION PASSIVE

• **La construction passive permet de mettre en valeur le complément d'objet direct du verbe.**

Construction : *être* conjugué + participe passé + *par (de)*...
Au présent : L'acteur Michel Fau joue *L'Avare* de Molière. → *L'Avare* de Molière est joué par Michel Fau.
Au passé : L'an dernier, l'acteur Michel Bouquet a joué *ce rôle*. → L'an dernier, *ce rôle* a été joué par Michel Bouquet.
Au futur : Michel Fau fera *la mise en scène*. → *La mise en scène* sera faite par Michel Fau.

• **La construction passive permet de ne pas nommer l'auteur de l'action.**

Trois tableaux ont été volés au musée de Nice.
Un nouveau théâtre sera construit l'année prochaine.

• **Quand l'auteur de l'action n'est pas vraiment actif, on remplace *par* par *de*.**

La maire de la ville a inauguré le nouveau théâtre. Elle était accompagnée de son premier adjoint.

ACCORDER LES PARTICIPES PASSÉS

• **Le participe passé des verbes construits avec *être* s'accorde avec le sujet du verbe.**

Patrick est **venu**. - Chloé est **venue**. - Patrick et Jean sont **venus**. - Chloé et Mélissa sont **venues**.

• **Le participe passé des verbes construits avec *avoir* s'accorde avec le complément direct du verbe, si ce complément est placé avant le verbe.**

Deux inconnus sont entrés dans le musée et ont **volé** trois tableaux. (→ le complément direct « trois tableaux » est placé après le verbe)
Ils les ont **volés** car ils sont de Renoir. (→ le complément direct « les » est placé avant le verbe)
J'ai invité Pauline et Caroline. Je les ai **invitées** au restaurant.

PRÉCISER LE MOMENT D'UNE ACTION

9 h - Barbara arrive au bureau.	12 h - Barbara quitte le bureau.
10 h - ...	13 h - Barbara déjeune.
11 h - ...	14 h - Barbara revient au bureau.

• **Pour dire qu'une action se déroule maintenant :**
être en train de + infinitif
Il est 10 h. Barbara **est en train de** travailler.

• **Pour dire qu'une action est proche du moment présent :**
- ***aller* + infinitif**
Il est 11 h 55. Barbara **va** partir.
- ***venir de* + infinitif**
Il est 12 h 05. Barbara **vient de** partir.

• **Pour dire si une action est faite ou non :**
Il est 12 h 05. Barbara est **déjà** partie.
Il est 8 h 45. Barbara **n'**est **pas encore** arrivée au bureau.

• **Pour dire si une action continue ou non :**
Il est 13 h 45. Barbara est **toujours (encore)** au restaurant.
Il est 14 h. Barbara **n'**est **plus** au restaurant.

JUGER LA VÉRITÉ D'UN FAIT

• **la vérité / le mensonge**
- Cette nouvelle est vraie / fausse.
- Il dit la vérité. / Il ment. (mentir)
- Je le crois. / Je ne le crois pas.

• **la possibilité**
- Vous me dites qu'ils vont se séparer ! C'est possible. / C'est impossible.
- Ils vont se séparer. C'est probable. Ils vont probablement se séparer.

PARLER DE LA PRESSE

• un journal (un quotidien) – un magazine (hebdomadaire, mensuel)
• un article – un titre – un sous-titre – un chapeau
• une information – une nouvelle – un commentaire – un débat

RACONTER UN FAIT DIVERS

• Pour raconter et situer
- pour demander ou annoncer un évènement en général :
– Qu'est-ce qui se passe ? Qu'est-ce qui s'est passé ? Qu'est-ce qui est arrivé ?
– Il s'est passé (il est arrivé) quelque chose de grave.
- pour préciser :
il y a (Il y a eu un incendie dans une usine.) – avoir lieu (L'exposition Monet a eu lieu au Grand Palais.) – se produire (Une explosion s'est produite dans le hall de la gare.) – se dérouler (La conférence sur le climat se déroule à Paris.)
• Les délits
un cambriolage (cambrioler – un cambrioleur) – un vol (voler – un voleur) – un assassinat (assassiner – un assassin) – un meurtre (tuer – un meurtrier) – un enlèvement (enlever, kidnapper – un kidnappeur) – un attentat (commettre un attentat – un terroriste) - un incendie (incendier, mettre le feu à une maison – brûler)
• Les catastrophes
une inondation – un tremblement de terre – un tsunami – un feu de forêt – un incendie

COMPRENDRE UN ÉVÈNEMENT POLITIQUE

• Les divisions administratives et leurs élus
- **l'État** – les élections présidentielles – le président de la République (le chef de l'État)
les élections législatives – un député – l'Assemblée nationale – les élections sénatoriales – un sénateur – le Sénat
- **une région** – les élections régionales – les conseillers régionaux
- **un département** – les élections départementales – un conseiller départemental
- **une commune (une municipalité)** – les conseillers municipaux – un(e) maire – la mairie
• Les élections
un électeur / une électrice – un candidat – une élection (le premier, le deuxième tour) - voter pour / contre... – gagner une élection – être élu
• Gouverner
– le gouvernement – le Premier ministre – les ministres
– gouverner – diriger – voter (une loi), voter pour / contre un projet

LA CONJUGAISON DES VERBES

Construire (conduire, cuire, réduire, produire, traduire)	Battre (combattre, abattre)	Rire (sourire)	Mentir (sentir)	Applaudir (choisir, finir, garnir, réfléchir, réussir)
je construis tu construis il / elle construit nous construisons vous construisez ils / elles construisent	je bas tu bas il / elle bat nous battons vous battez ils / elles battent	je ris tu ris il / elle rit nous rions vous riez ils / elles rient	je mens tu mens il / elle ment nous mentons vous mentez ils / elles mentent	j'applaudis tu applaudis il / elle applaudit nous applaudissons vous applaudissez ils / elles applaudissent
Hier, j'ai construit...	Hier, j'ai battu...	Hier, j'ai ri...	Hier, j'ai menti...	Hier, j'ai applaudi...
Avant, je construisais...	Avant, je battais...	Avant, je riais...	Avant, je mentais...	Avant, j'applaudissais...
Demain, je construirai...	Demain, je battrai...	Demain, je rirai...	Demain, je mentirai...	Demain, j'applaudirai...

1. METTRE EN VALEUR PAR LA FORME PASSIVE

Transformez les phrases en commençant par les éléments soulignés.

Cinéphiles

a. En 2011, sept millions de spectateurs ont vu le film *Intouchables*.
b. En 2012, le film *The Artist* m'a enthousiasmée.
c. Sur la Côte d'Azur, on tourne beaucoup de films.
d. L'année prochaine, on va réaliser la saison 5 de ma série télévisée préférée.
e. Cédric Klapisch vous engagera comme figurant pour son nouveau film ?
f. Non, on prendra seulement des personnes de plus de 40 ans.

2. ACCORDER LES PARTICIPES PASSÉS

Mettez les verbes à la forme qui convient et accordez les participes passés.

Louis : Qu'est-ce que tu lis ?
Clara : *La Reine Margot* d'Alexandre Dumas. J'adore les romans de cet auteur. Je les ai tous *(lu)*.
Louis : Tu sais qu'il ne les a pas *(écrit)* tout seul.
Clara : Oui, des collaborateurs ont *(participé)*.
Louis : Tu es *(allé)* voir sa maison à Le Port-Marly ?
Clara : Oui, avec François, l'été dernier, nous sommes *(allé)* visiter les maisons d'écrivains qui sont *(situé)* autour de Paris. La maison d'Alexandre Dumas est très originale. C'est lui qui l'a *(imaginé)*. Il l'a *(appelé)* « Le Château de Monte-Cristo ». Le jour de l'inauguration 600 personnes étaient *(invité)*.

3. PRÉCISER LE MOMENT D'UNE ACTION

Observez la photo. Répondez en utilisant les verbes de l'encadré.

a. Qu'est-ce qu'il est en train de faire ?
b. Qu'est-ce qu'il vient de faire ?
c. Qu'est-ce qu'il va faire ?
d. Qu'est-ce qu'il a déjà fait ?
e. Qu'est-ce qu'il n'a pas encore fait ?
f. Qu'est-ce qu'il a toujours fait ?
g. Qu'est-ce qu'il n'a jamais fait ?

arriver premier – descendre – fumer – gagner une médaille d'argent – gagner une médaille d'or – prendre le départ – s'entraîner régulièrement

4. COMPRENDRE UN FAIT DIVERS

Associez chaque mot avec une phrase.

a. un assassinat
b. un cambriolage
c. un enlèvement
d. un attentat
e. un incendie
f. un tsunami
g. une inondation
h. un tremblement de terre

1. Une bombe a explosé.
2. La rivière est sortie de son lit.
3. Les bijoux et la télévision ont été volés.
4. Le feu a détruit un immeuble.
5. L'homme a été tué d'un coup de fusil.
6. Une vague de 10 mètres s'est abattue sur le village.
7. Plusieurs immeubles sont tombés.
8. Trois hommes ont forcé le chef d'entreprise à monter dans une voiture.

5. COMPRENDRE LA PRESSE

N° 46 **Écoutez les titres du journal télévisé. Associez chaque information avec un mot et classez-la dans une rubrique.**

	1.	2.	
International			
Politique			
Société			
Économie			
Culture			
Sport	*victoire*		

accord – automobile – divisions – fermeture – succès – victoire

6. COMPRENDRE LA VIE POLITIQUE

Complétez ces phrases.

a. La France est composée administrativement de 13...
b. Chaque région est composée de plusieurs...
c. Les communes sont administrées par...
d. Le président de la République est élu par... , pour une durée de...

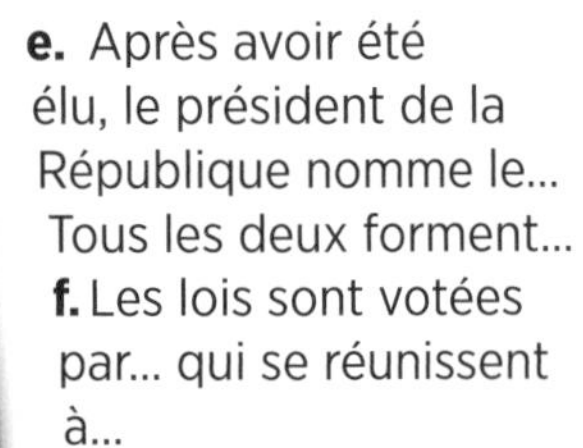

e. Après avoir été élu, le président de la République nomme le... Tous les deux forment...
f. Les lois sont votées par... qui se réunissent à...

UNITÉ 5

RESTER EN FORME

1 EXPRIMER UN MALAISE
- Expliquer un problème de santé
- Décrire des symptômes

2 CONSULTER UN MÉDECIN
- Prendre rendez-vous
- Nommer les parties du corps
- Présenter un problème de santé
- Appeler en cas d'urgence

3 RACONTER UN ACCIDENT
- Exprimer l'inquiétude – rassurer
- Décrire les circonstances d'un accident
- Exprimer la durée
- Raconter un accident

4 S'OCCUPER DE SA FORME
- Faire du sport
- Se décontracter

PROJET

ÉCHANGER DES CONSEILS DE SANTÉ ET DE BIEN-ÊTRE
- Donner des conseils de santé
- Donner des conseils pour être en forme
- Conseiller quelqu'un sur son image

LE STRESS ET LE BURN-OUT, MALADIES D'AUJOURD'HUI

Entretien avec le docteur Didier Fabre

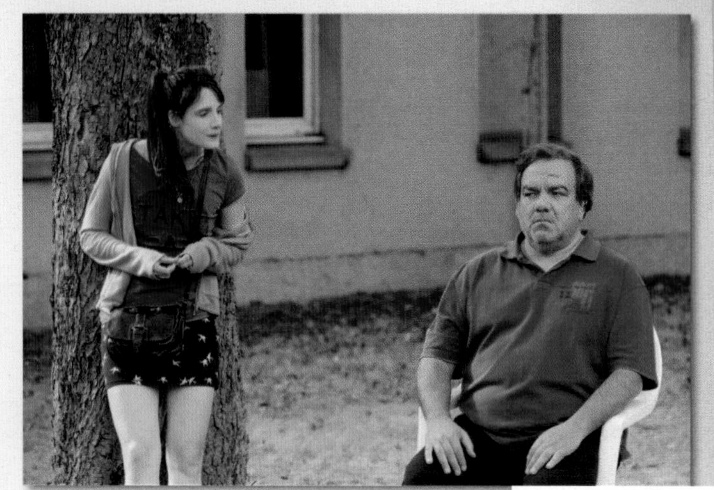

Dans le téléfilm *15 jours ailleurs*, un cadre fait un burn-out.

Beaucoup de salariés sont aujourd'hui victimes d'un burn-out. Pourquoi ?

Dr Fabre : « Burn out » est un mot anglais qui signifie « complètement brulé ». C'est-à-dire épuisé, très fatigué. C'est un épuisement professionnel souvent causé par le stress. Il provoque un manque de motivation professionnelle et entraîne une diminution des performances.

Quelle est la cause de cette maladie ?

Dr Fabre : On est stressé parce qu'on veut faire trop de choses et qu'on ne sait pas gérer son temps. Le stress et le burn-out peuvent aussi venir d'un conflit au travail ou en famille. Il peut aussi être dû à de mauvaises habitudes de vie. On n'est pas heureux au travail et on sent qu'il n'y a pas de solution. Donc, on tombe malade.

Comment peut-on guérir ?

Dr Fabre : Les techniques de relaxation, le yoga, le sport permettent de réduire le stress. On guérit aussi grâce à des médicaments et à une aide psychologique.

Expliquer un problème de santé

1. Lisez l'article ci-dessus. Complétez cette présentation.

Cet article est...
On interroge le docteur Fabre à propos de...
En effet, aujourd'hui, ce problème est...

2. En petit groupe, recherchez :

a. les causes du problème
b. ses conséquences
c. les moyens de le guérir

3. Relevez les mots qui permettent d'exprimer la cause, la conséquence et le moyen.

Faites le travail de l'encadré « Réfléchissons ».

4. En petit groupe, imaginez la suite des phrases suivantes.

a. Manon est malade ce matin. Donc... C'est pourquoi...
b. Son problème de santé a été causé par... Il vient aussi de...
c. Son absence dans l'entreprise a provoqué... Elle a créé...
d. Plusieurs collègues étaient absents ? C'était dû à...
e. Heureusement, tout s'est arrangé grâce à...

5. En petit groupe, recherchez les causes, les conséquences et les moyens de guérir :

a. la fatigue
b. le mal de tête
c. la peur de parler en public

Réfléchissons... Donner une explication

• Complétez le tableau avec les mots de l'exercice 3.

Mots qui permettent d'exprimer...	Expressions verbales	Autres mots
les causes du problème	*être causé par*	...
ses conséquences	...	...
les moyens de résoudre le problème	...	...

• Dans les phrases ci-dessous, relevez les mots qui permettent d'expliquer. Classez-les dans le tableau.

Le burn-out s'explique par le stress.
C'est pourquoi il faut rester décontracté.
Le stress peut être la conséquence d'un conflit avec ses supérieurs.
Le yoga est bon contre le stress car il relaxe.
La compétition avec les collègues peut produire des tensions.

Villa Marie-Claire | Malaise

N° 31

N° 47

Décrire des symptômes

6. Regardez ou écoutez la séquence 31. Continuez ce résumé de la scène.

a. Li Na a un problème. Elle...
b. Éric pense que c'est...
c. L'employée pense que...
d. Jean-Louis propose à Li Na... Il va...
e. Éric et l'employée expliquent à Li Na que...
f. Jean-Louis revient avec...
g. Finalement, Jean-Louis raccompagne...

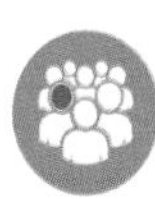

7. Travaillez par groupe de quatre.

a. Recherchez ci-dessous les phrases qui correspondent aux photos.
b. À l'aide des phrases, retrouvez l'essentiel du dialogue.
c. Jouez la scène.

1. Li Na, ça ne va pas ?
2. C'est à cause de la chaleur.
3. Donc, elle a de la fièvre.
4. Un verre d'eau ?
5. Vous avez mal à la tête ?
6. Tenez, buvez !
7. Bon, je vous raccompagne chez vous.
8. Sa fatigue ne vient pas du travail.

8. Que leur dites-vous dans les situations suivantes ?

a. Léa a très soif.
b. Louis a très mal à la tête.
c. Il fait très chaud dans la pièce.
d. Manon est épuisée.
e. La voiture de Chloé est en panne.
f. Gabriel a froid et il transpire.

1. Tu veux une aspirine ?
2. Tu as de la fièvre.
3. Je te raccompagne chez toi.
4. Je peux baisser le chauffage.
5. Tu dois te reposer.
6. Tu veux un verre d'eau ?

Distinguer [s] et [z]

a. Écoutez. Associez chaque mot ci-dessous avec le premier ou le deuxième mot que vous entendez.

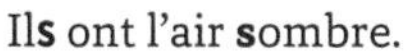
N° 48

a. dans la mer → *1*
b. sur le canapé → ...
c. à Moscou → ...
d. un instrument de musique → ...
e. à la fin du repas → ...

b. Répétez.

N° 49

C'est **Z**éline... Et se**s** étudiants
Il**s** ont l'air **s**ombre.
De**s** ennuis ? Des **s**ou**c**is ? **S**ans doute !
Ce **s**ont le**s** examens.

c. Répétez.

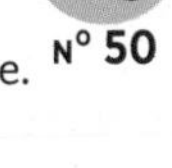
N° 50

Stress
Tu bo**ss**es, tu bo**ss**es... C'est la cau**s**e.
Fais une pau**s**e... un peu de cro**ss**.
De la dan**s**e... et du fitne**ss**... à l'ai**s**e.

Unité 5 - Leçon 2 - Consulter un médecin

Prendre rendez-vous

1. Écoutez. Deux personnes prennent rendez-vous pour un problème de santé. Pour chaque situation, répondez aux questions.

a. Chez qui prennent-ils rendez-vous ?
❑ un médecin ❑ un infirmier / une infirmière
❑ un(e) dentiste ❑ un(e) kinésithérapeute

b. C'est urgent ? ❑ oui ❑ non

c. Le praticien est très occupé ? ❑ oui ❑ non

d. Le patient est très occupé ? ❑ oui ❑ non

e. Le rendez-vous est fixé le...

Nommer les parties du corps

De Rodin à Ousmane Sow

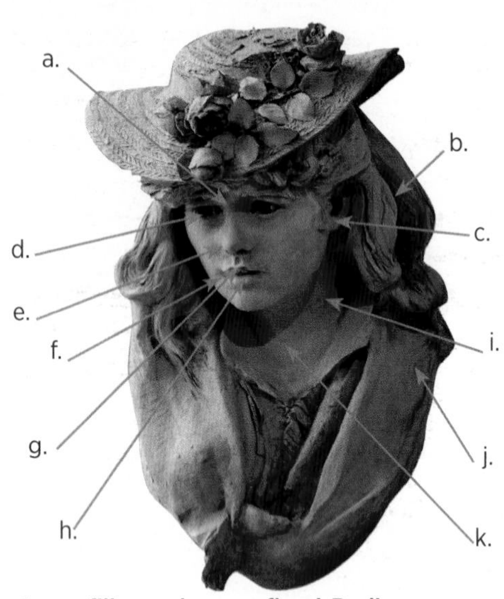

Jeune fille au chapeau fleuri, Rodin

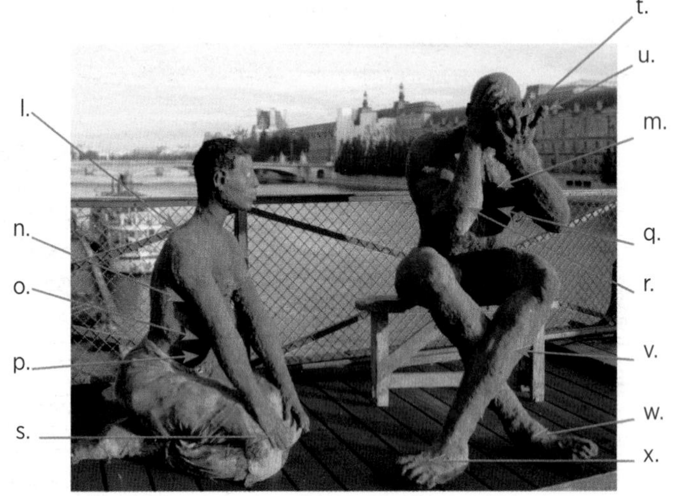

Ousmane Sow (né en 1935). *Femme et guerrier se désaltérant* (série Zoulou). Paris, Exposition sur le Pont-des-Arts, 1999.

la bouche	le dos	un œil (les yeux)
le bras	l'épaule	l'ongle
les cheveux	l'estomac	une oreille
la cheville	la gorge	le pied
le cœur	la jambe	la poitrine
le cou	la langue	les poumons
une dent	la main	la tête
le doigt	le nez	le ventre

2. a. En petit groupe, associez les parties du corps des sculptures avec les noms de la liste.

a. *la tête* – b. ...

b. Recherchez le nom d'autres parties du corps.

3. De quelle(s) partie(s) du corps parle-t-on ?

a. Il faut les couper de temps en temps.
b. Il bat très fort quand on est amoureux.
c. Nécessaires pour bien écouter.
d. Derrière les lunettes.
e. Ils sont en danger quand on fume.
f. Plein quand on a mangé.
g. Long chez Pinocchio.

4. Complétez ces expressions avec le nom d'une partie du corps.

a. Il a aidé son ami.
→ Il lui a donné un coup de...
b. Elle a quitté son travail sans réfléchir.
→ Elle l'a quitté sur un coup de...
c. Il aide beaucoup ses amis.
→ Il a le ... sur la main.
d. Elle connaît des gens importants qui peuvent l'aider.
→ Elle a le ... long.
e. Elle prend ses décisions calmement.
→ Elle a la ... froide.

Présenter un problème de santé

5. Mimez les problèmes suivants. Relevez les mots qui servent à exprimer la sensation.

a. J'ai mal à la gorge.
b. Cette dent me fait mal.
c. J'ai une douleur au bras.
d. J'ai des difficultés à tourner la tête.
e. J'ai la tête qui gratte.
f. Je tousse beaucoup.
g. J'ai des vertiges.
h. J'ai une brûlure à la main.
i. Je souffre de brûlures à l'estomac.

N° 52 **6. Écoutez. Associez chaque scène à une photo. Pour chaque scène, dites :**

a. Qui on consulte ?
b. Quel est le problème ?
c. Que fait le praticien ?
d. Que prescrit le praticien ?

Pour s'exprimer

• examiner – faire un massage – prendre la tension – soigner
• une ordonnance – une radio – une analyse de sang (d'urines) – des soins

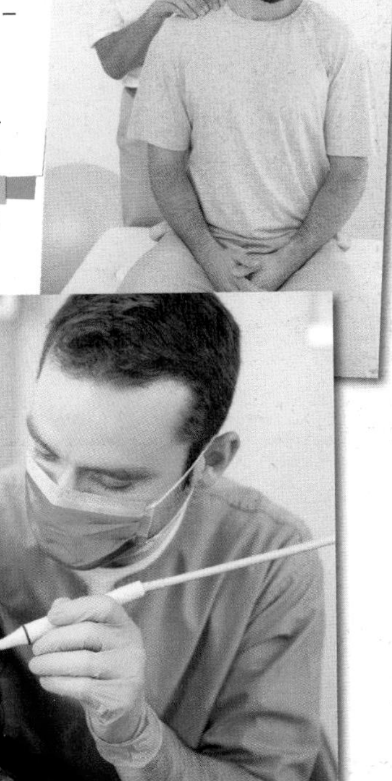
1

2

7. Lisez le Point infos. Répondez-leur.

a. Je suis argentin et je suis marié à une Française. Est-ce que j'ai droit à la sécurité sociale ?
b. Je suis espagnole. J'ai un accident en France et je vais à l'hôpital. Est-ce que je dois payer ?
c. Je suis un touriste américain. Je vais consulter un médecin en France. Je dois le payer ?
d. Je suis un étudiant tunisien inscrit à l'université de Paris III. Si je vais voir un médecin, est-ce que c'est gratuit ?

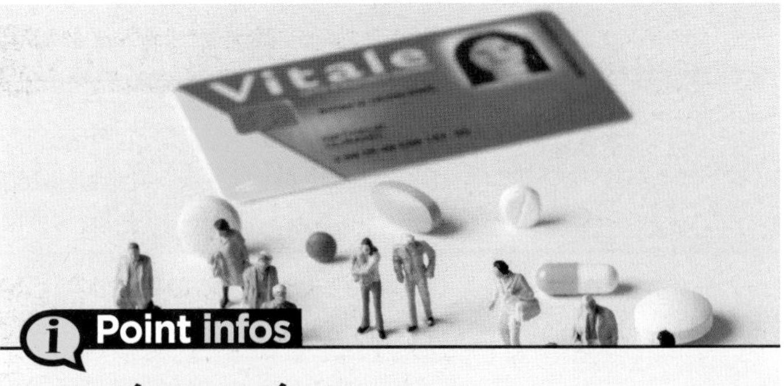

Point infos

LA SÉCURITÉ SOCIALE

• En France, la sécurité sociale est obligatoire pour tous. La sécurité sociale :
- rembourse une partie ou la totalité des consultations médicales, des médicaments, des soins, des opérations et des accouchements (assurance maladie). Pour être mieux remboursé, on peut prendre une assurance complémentaire ;
- aide les personnes en difficulté (longue maladie, handicap, enfants, logement).

• Les Français qui travaillent cotisent obligatoirement à la sécurité sociale. Leurs enfants ou conjoints qui ne travaillent pas sont « ayants droit ». Les personnes sans ressources bénéficient de la CMU (couverture médicale universelle).
• Les étrangers qui résident en France bénéficient des mêmes droits s'ils remplissent une de ces trois conditions.
• Les habitants de l'Union européenne bénéficient de la sécurité sociale de leur pays ou de la sécurité sociale française.
• Les étudiants non européens peuvent aussi bénéficier de la sécurité sociale.

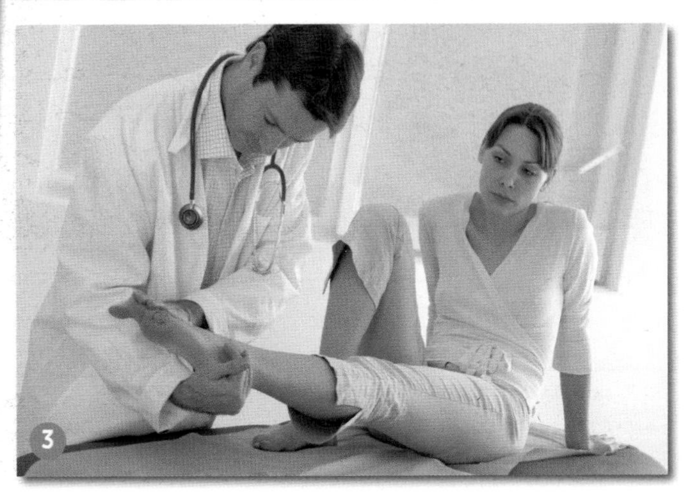
3

Appeler en cas d'urgence

N° 53 **8. Lisez le début du Point infos de la page 115. Écoutez. Ils appellent en urgence. Complétez le tableau.**

	1.	...
Qui appelle-t-on ?	*le SAMU*	...
Pourquoi ?	...	...
Quelle est la réponse ?	...	...

Unité 5 - Leçon 3 - **Raconter un accident**

Villa Marie-Claire — Accident

N° 32

N° 54

1. Mélanie : Qu'est-ce qui t'est arrivé ?
Greg : Rassurez-vous, ce n'est pas grave.
Madame Dumas : Comment vous avez fait ça ?

2. Mélanie : Mamie, tu as vu Greg aujourd'hui ?
Madame Dumas : Je ne l'ai pas vu depuis le petit déjeuner.

Exprimer l'inquiétude – rassurer

1. Regardez ou écoutez le début de la séquence 32 (jusqu'à l'arrivée de Greg).
a. Trouvez la photo et l'extrait qui correspondent.
b. Choisissez les bonnes réponses.

1. Mélanie...
a. reçoit un message de Greg.
b. essaie d'avoir Greg au téléphone.
c. laisse un message à Greg.

2. Greg et Mélanie...
a. devaient aller au cinéma ensemble.
b. se sont donné rendez-vous chez madame Dumas.
c. devaient être au cinéma avant 20 h 30.

3. Greg est...
a. en avance.
b. en retard.
c. à l'heure.

4. Mélanie...
a. attend depuis 18 h 30.
b. est inquiète.
c. est en colère.

5. Madame Dumas...
a. n'est pas étonnée.
b. rassure Mélanie.
c. explique pourquoi Greg n'est pas encore arrivé.

2. Avec votre partenaire écrivez un dialogue sur la situation suivante.
Vous avez invité des amis à dîner à 20 h. Il est 21 h. Ils ne sont pas arrivés... Vous essayez de les appeler. Vous êtes inquiet (inquiète). Votre ami(e) vous rassure.

Pour s'exprimer

- je suis inquiet (inquiète) – je m'inquiète – j'ai peur que (+ subjonctif) – je ne suis pas rassuré(e)
- je te rassure... – rassure-toi – ne t'inquiète pas – n'aie pas peur

Décrire les circonstances d'un accident

3. Regardez ou écoutez la fin de la séquence 32. Complétez ce récit de la journée de Greg.
a. Greg travaille chez Florial. Il accroche...
b. Malheureusement, la photo...
c. Le pauvre Greg... et le personnel de Florial appelle...
d. Greg est transporté...
e. À l'hôpital, il attend... et finalement...
f. Greg rentre à la Villa Marie-Claire à...

4. Travaillez par deux. Réécoutez la scène en entier. Faites la chronologie des évènements.
- **14 h :** Greg travaille chez Florial. Il est en train d'...
- **15 h :** La photo tombe...
- ...

Exprimer la durée

Réfléchissons... Exprimer la durée

• **Observez l'horaire, les questions et les réponses.**

17 h : Greg arrive à l'hôpital.
18 h 30 : Mélanie commence à attendre Greg.
19 h : On commence à soigner Greg.
20 h : Greg sort de l'hôpital.
20 h 30 : Greg arrive à la Villa Marie-Claire.

JUSQU'AU MOMENT PRÉSENT
Il est 20 h 30...
Il y a combien de temps que Mélanie attend Greg ?
Cela fait combien de temps qu'elle l'attend ?
Depuis combien de temps elle l'attend ?
→ **Il y a** 2 heures **qu'**elle l'attend.
→ **Cela fait** 2 heures **qu'**elle l'attend.
→ Elle l'attend **depuis** 2 heures.

SANS RÉFÉRENCE À UN MOMENT PRÉSENT
Pendant combien de temps Greg a attendu à l'hôpital ?
→ Il a attendu **pendant** 2 heures.

• **Répondez.**
a. Il est 20 h. Il y a combien de temps que Greg est à l'hôpital ?
b. Cela fait combien de temps qu'il a quitté Florial ?
c. Pendant combien de temps il est resté à l'hôpital ?

! Rappel : *depuis* peut aussi indiquer un moment dans le temps.
Exemple : *Il est 20 h 30. Mélanie attend Greg depuis 18 h 30.*

5. Faites le travail de l'encadré « Réfléchissons ». Puis, lisez le document suivant.

Accident en montagne

Trois touristes ont été surpris par le mauvais temps dans le massif du Corvatsch (Alpes suisses).

Partis le matin à 8 h de Saint-Moritz, les randonneurs ont été surpris à 12 h par une tempête de neige. À 14 h, l'un des randonneurs est tombé et s'est blessé. Les secours sont arrivés à 16 h. Les touristes étaient de retour à la station à 18 h.

a. Faites la chronologie des évènements.
8 h : départ – ...

b. Répondez.
1. Il est 12 h. Il y a combien de temps que les randonneurs sont partis ?
2. Quand le randonneur est tombé, cela faisait combien de temps qu'il neigeait ?
3. Combien de temps les randonneurs ont attendu les secours ?
4. À quelle heure ils sont arrivés à la station ?

c. Trouvez les questions.
1. Les randonneurs ont marché dans la tempête pendant deux heures.
2. Il est 17 h. Il y a une heure que les secours sont arrivés.

Distinguer [œ], [ø] et [ɔ]

N° 55

• **Répétez.**
Mélanie attend

Ça fait **deux heu**res	Greg travaille enc**o**re
La malh**eureu**se	De bon c**œu**r
Elle a un **peu peur**	Il est déc**o**rat**eu**r
	Et il a t**o**rt

Raconter un accident

6. Jouez la scène avec votre partenaire.
Votre partenaire a eu un accident.
Il / Elle a été blessé(e). Vous lui rendez visite.

Pour s'exprimer

• Qu'est-ce qui t'est arrivé ? – Comment ça s'est passé ?
• tomber : Je suis tombé dans l'escalier. – Une pierre m'est tombée sur la tête.
• glisser : J'ai glissé sur un rocher.
• heurter – rentrer dedans (familier) : Une voiture a heurté mon vélo. – Je suis rentré dans un arbre.

Extrait de *La BD de Soledad, la compile de l'année 2*, Soledad Bravi, éd. Rue de Sèvres, 2014.

Faire du sport

1. Lisez la BD (bande dessinée). Choisissez les phrases qui conviennent.

a. La jeune femme adore le sport.
b. Elle n'a pas vraiment envie de faire du sport.
c. Elle veut se motiver pour faire du sport.
d. Elle veut faire comme ses amies.

2. Associez chaque dessin (sauf le dernier) à une des motivations suivantes :

a. pour oublier mes soucis
b. pour pouvoir le dire aux autres
c. pour continuer à en faire
d. pour réussir quelque chose de difficile
e. pour avoir une occasion de faire des achats
f. pour ne pas vieillir
g. pour rester belle

3. Par deux, lisez le texte du dernier dessin.
a. Reformulez ce que dit la jeune femme.
« Je ne peux pas faire... parce que... »
b. Imaginez la suite avec d'autres sports.
« Je ne peux pas faire de la natation car je n'aime pas l'eau dans les oreilles... Je ne peux pas... »

4. Présentez à la classe :
a. un sport que vous aimez pratiquer ;
b. un sport que vous n'aimez pas ou que vous avez abandonné.
Dites pourquoi. Utilisez les expressions de cause et de conséquence.

Outils, p. 88

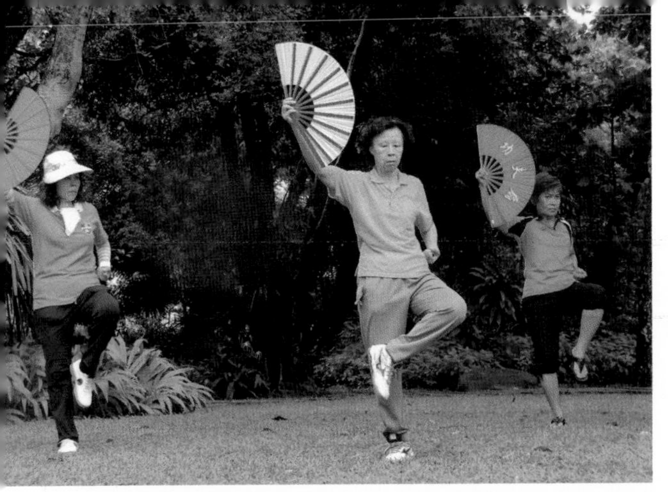

Les techniques tendances de relaxation

Dans une société qui est toujours à la recherche de la performance (au travail, à la maison, dans les loisirs), les gens sentent le besoin de faire des pauses et de se relaxer. À côté du traditionnel yoga, de nouvelles pratiques d'origine orientale sont pratiquées en France.

✱ Le qi gong

Le qi gong est une gymnastique traditionnelle chinoise qui associe les mouvements lents, les positions immobiles, les exercices de respiration et les massages. Sa pratique régulière a pour conséquence une meilleure résistance aux maladies. Une séance de qi gong dure 45 minutes.

✱ Le taï-chi

Pendant une séance de taï-chi, qui dure 80 à 108 minutes, on simule les mouvements d'un combat traditionnel chinois. La position du corps et la respiration sont très importantes. Le taï-chi est bon pour la circulation et l'équilibre. Il augmente l'énergie.

✱ La méditation en pleine conscience

Cette technique vient du bouddhisme. Deux fois par jour, pendant 20 minutes, on oriente son attention sur sa respiration et sur ses sensations physiques. On cherche à vivre le moment présent. Cela entraîne une diminution du stress et une augmentation de la concentration.

Pour vivre en meilleure santé : la cohérence cardiaque
Exercice à pratiquer pendant 5 minutes, 3 fois par jour

Faites cet exercice assis sur une chaise. Vous pouvez le faire au bureau. Fermez les yeux Mettez la main sur votre cœur. Inspirez lentement par le nez pendant 5 secondes. Puis, expirez lentement par la bouche pendant 5 secondes.
Recommencez pendant 5 minutes.

Se décontracter

5. Lisez l'introduction de l'article. Donnez votre avis et comparez avec votre pays.

6. La classe se partage les trois pratiques décrites.
a. Recherchez :
1. l'origine de la pratique
2. la durée d'une séance
3. ce qu'on fait pendant une séance
4. le but de la pratique

b. Présentez cette technique de relaxation à la classe.
c. Partagez vos expériences de pratiques de relaxation.

7. Faites pendant trente secondes l'exercice de cohérence cardiaque.

8. Donnez l'ordre contraire.
- **a.** Fermez les yeux !
- **b.** Levez le bras !
- **c.** Bloquez la respiration !
- **d.** Inspirez !
- **e.** Videz les poumons !
- **f.** Allongez-vous !

Apprenons à conjuguer...

Les verbes réguliers en *-ir*
Ils se conjuguent comme *finir*. La terminaison *nous* de ces verbes est ***-issons*** et le participe présent ***-issant***.

• Complétez.

GUÉRIR	
je guéris	nous guérissons
tu ...	vous ...
il / elle ...	ils / elles ...

Même conjugaison pour : *choisir – finir – s'évanouir – réfléchir – remplir – réunir.*

Les verbes dérivés de *mettre* (*permettre – promettre – remettre*)

• Complétez.

PERMETTRE	
je permets	nous permettons
tu ...	vous ...
il / elle ...	ils / elles ...

Sur le site Doctissimo, on échange des conseils de santé, de forme et de beauté. Vous allez répondre à certaines questions que des internautes ont postées sur ce site.
Vous pourrez aussi demander des conseils personnels aux étudiants de la classe.

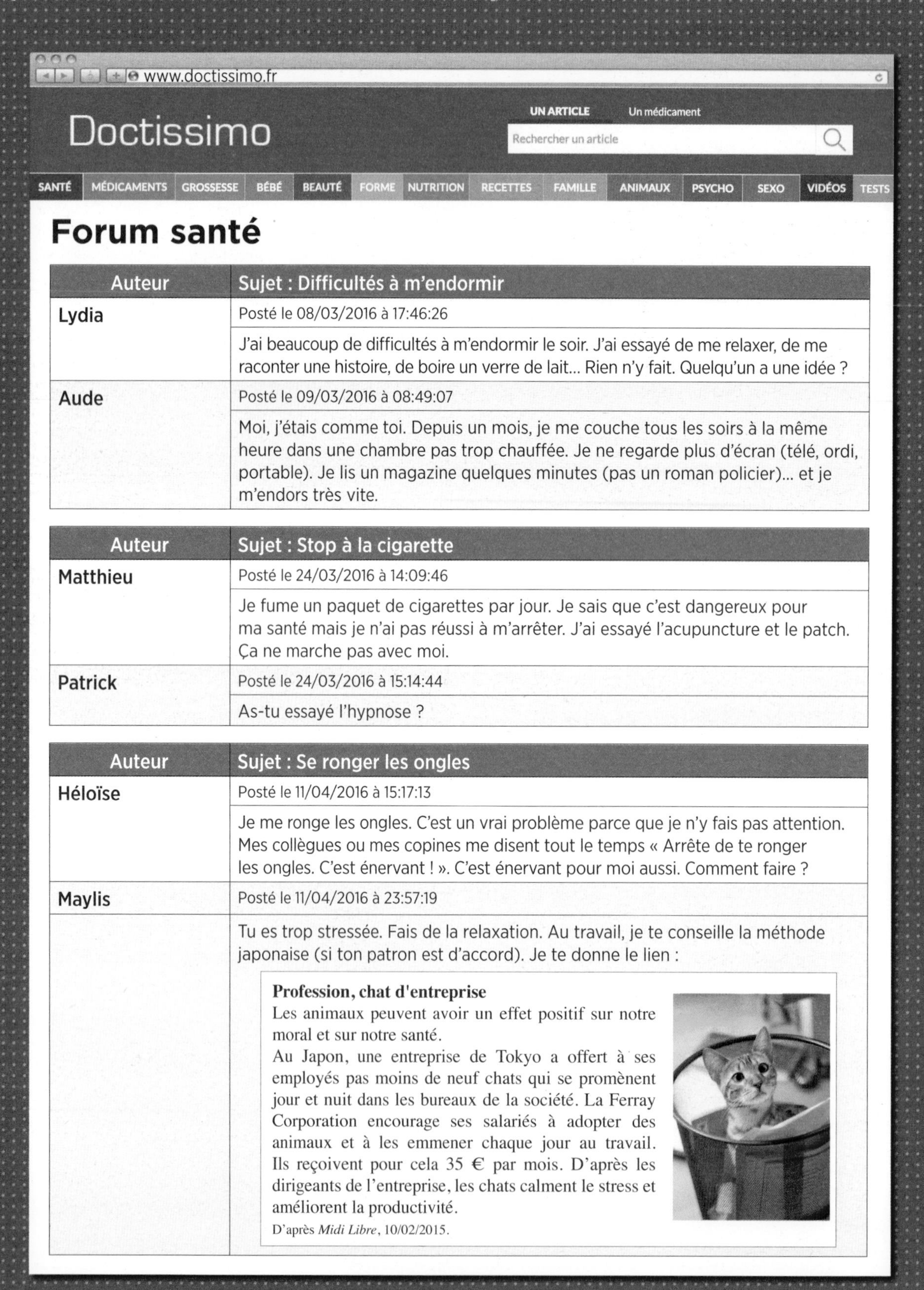

www.doctissimo.fr

Doctissimo

UN ARTICLE Un médicament

Rechercher un article

SANTÉ | MÉDICAMENTS | GROSSESSE | BÉBÉ | BEAUTÉ | FORME | NUTRITION | RECETTES | FAMILLE | ANIMAUX | PSYCHO | SEXO | VIDÉOS | TESTS

Forum santé

Auteur	Sujet : Difficultés à m'endormir
Lydia	Posté le 08/03/2016 à 17:46:26
	J'ai beaucoup de difficultés à m'endormir le soir. J'ai essayé de me relaxer, de me raconter une histoire, de boire un verre de lait... Rien n'y fait. Quelqu'un a une idée ?
Aude	Posté le 09/03/2016 à 08:49:07
	Moi, j'étais comme toi. Depuis un mois, je me couche tous les soirs à la même heure dans une chambre pas trop chauffée. Je ne regarde plus d'écran (télé, ordi, portable). Je lis un magazine quelques minutes (pas un roman policier)... et je m'endors très vite.

Auteur	Sujet : Stop à la cigarette
Matthieu	Posté le 24/03/2016 à 14:09:46
	Je fume un paquet de cigarettes par jour. Je sais que c'est dangereux pour ma santé mais je n'ai pas réussi à m'arrêter. J'ai essayé l'acupuncture et le patch. Ça ne marche pas avec moi.
Patrick	Posté le 24/03/2016 à 15:14:44
	As-tu essayé l'hypnose ?

Auteur	Sujet : Se ronger les ongles
Héloïse	Posté le 11/04/2016 à 15:17:13
	Je me ronge les ongles. C'est un vrai problème parce que je n'y fais pas attention. Mes collègues ou mes copines me disent tout le temps « Arrête de te ronger les ongles. C'est énervant ! ». C'est énervant pour moi aussi. Comment faire ?
Maylis	Posté le 11/04/2016 à 23:57:19
	Tu es trop stressée. Fais de la relaxation. Au travail, je te conseille la méthode japonaise (si ton patron est d'accord). Je te donne le lien :

Profession, chat d'entreprise

Les animaux peuvent avoir un effet positif sur notre moral et sur notre santé.
Au Japon, une entreprise de Tokyo a offert à ses employés pas moins de neuf chats qui se promènent jour et nuit dans les bureaux de la société. La Ferray Corporation encourage ses salariés à adopter des animaux et à les emmener chaque jour au travail. Ils reçoivent pour cela 35 € par mois. D'après les dirigeants de l'entreprise, les chats calment le stress et améliorent la productivité.

D'après *Midi Libre*, 10/02/2015.

1 Donnez des conseils de santé.

1. En petit groupe, lisez le Forum santé du site Doctissimo. Pour chaque demande de conseil, trouvez :
a. le problème
b. les essais pour résoudre le problème
c. le conseil qui est donné

2. Donnez votre avis sur ces conseils. Recherchez d'autres conseils à donner.

3. Complétez avec des mots du texte *Profession, chat d'entreprise.*
a. Je suis heureux de vivre. J'ai...
b. L'entreprise Florial emploie 400...
c. Marie a ... un chien trouvé. Quand elle voyage, elle l'... toujours avec elle.

4. Écrivez une réponse à une des questions du forum.

2 Donnez des conseils pour être en forme.

5. Lisez la question du Forum forme. Relevez et classez les mots qui expriment la fréquence. Complétez avec : *quelquefois – de temps en temps.*
très fréquent...
...
pas fréquent...

6. Répondez à la question de Gaëlle.

3 Conseillez quelqu'un sur son image.

7. En petit groupe, choisissez une des questions du Forum mode. Recherchez des conseils à donner.

8. Écrivez votre réponse.

Pour s'exprimer

- La jupe est trop classique. Ce n'est pas assez...
Il faut une jupe plus / moins...
- Elle a besoin de... Il faut qu'elle choisisse...
- Il faut changer, améliorer, allonger / diminuer...

www.doctissimo.fr

Doctissimo

UN ARTICLE | Rechercher un article

SANTÉ | MÉDICAMENTS | GROSSESSE | BÉBÉ | BEAUTÉ | FORME | NUTRITION | RECETTES | FAMILLE

Forum forme

Auteur	Sujet : Rarement en forme
Gaëlle	Posté le 19/04/2016 à 20:46:28
	Je suis rarement en forme. Pourtant, je ne travaille pas plus que les autres. Mon médecin me dit que tout va bien. Mais je vois autour de moi des gens qui ne sont jamais fatigués. Comment faites-vous pour être en forme ?
Nelly	Posté le 19/04/2016 à 21:54:54
	Je fais toujours de petits repas. Je cours trois fois par semaine. Tous les mois, je fais une randonnée de deux ou trois jours.
Solène	Posté le 19/04/2016 à 23:25:11
	Je fais quatre fois par an un régime détox (jus de fruits et de légumes pendant trois jours) et je mange sans gluten, c'est-à-dire sans produit à base de blé (pain, farine, pâtes, etc.). Je vais souvent à la gym...

www.doctissimo.fr

Doctissimo

UN ARTICLE | Rechercher un article

SANTÉ | MÉDICAMENTS | GROSSESSE | BÉBÉ | BEAUTÉ | FORME | NUTRITION | RECETTES | FAMILLE

Forum mode

Auteur	Sujet : Changer de look
Ludivine	Posté le 05/05/2016 à 15:35:14
	J'ai essayé plusieurs styles de vêtements mais je ne suis pas satisfaite. Je suis loin d'être grande (1 m 65). J'aimerais changer de look.
Fabien	Posté le 27/05/2016 à 22:49:12
	Salut. J'ai 35 ans. Au bureau, on se moque de moi. Ce n'est plus possible. J'ai besoin d'un sérieux relooking.

DONNER UNE EXPLICATION

• Exprimer la cause

→ **Pourquoi** est-il triste ? – Il est triste **parce que** sa compagne l'a quitté.
– Elle l'a quitté **à cause de quoi** ? / ... **à cause de qui** ? – Elle l'a quitté **à cause de** son nouvel emploi.
Il n'est pas souvent à la maison **car** il voyage beaucoup.

→ **Venir (de) – s'expliquer (par) – être dû à...**

Ses problèmes de couple { **viennent de**... / **s'expliquent par**... ses absences. / **sont dus à**...

• Exprimer la conséquence

→ Elle a été malade. **Donc**, elle n'est pas allée travailler. / **C'est pourquoi** elle est restée chez elle.

→ **Causer – provoquer– entraîner** (plutôt pour une conséquence négative) – **produire** (plutôt pour une cause positive)
L'incendie **a causé** (**a provoqué**) de gros dégâts dans la maison.
Ces dégâts vont **entraîner** des dépenses importantes.
Le nouveau médicament **a produit** une amélioration de l'état de François.

• Exprimer le moyen

→ Elle a retrouvé la forme **grâce à** ses vacances en Italie. / Ses vacances en Italie lui **ont permis** de retrouver la forme.

EXPRIMER LA FRÉQUENCE

Je fais du sport...
tous les jours, **toutes les** semaines, ...
une fois par jour, deux fois..., ...
Je fais **toujours** du sport le samedi matin.
souvent – très souvent
de temps en temps – quelquefois
rarement
Je **ne** fais **jamais** de sport.

EXPRIMER LA DURÉE

• Exprimer une durée jusqu'au moment présent
– **Il y a combien de temps qu'**il court ? – **Cela fait combien de temps qu'**il court ? **Depuis combien de temps** il court ?
– **Il y a** (**Cela fait**) une heure **qu'**il court.
– Il court depuis une heure.

• Exprimer une durée sans référence à un moment
– **Pendant combien de temps** il a couru ?
– Il a couru (**pendant**) deux heures.

NOMMER LES PARTIES DU CORPS

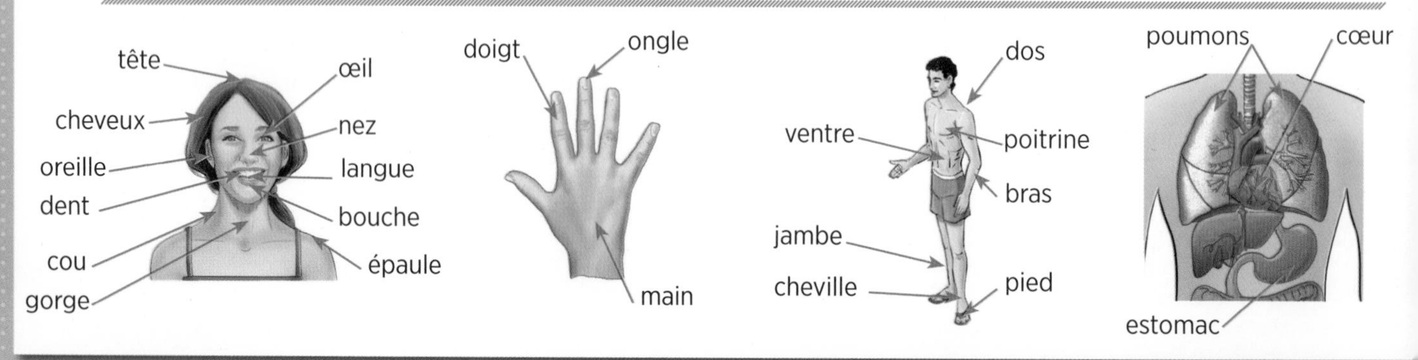

PARLER DE LA SANTÉ

• Les lieux et les professions
- un hôpital – une clinique – un cabinet médical
- un médecin (le docteur Gomez) – un(e) dentiste – une infirmière (un infirmier) – un(e) kinésithérapeute (un(e) kiné)
- un praticien / un patient (un malade)
- consulter un médecin – prendre rendez-vous – aller à l'hôpital, aux urgences
- une maternité – un accouchement – accoucher

• Expliquer un problème de santé
- être fatigué, épuisé
- avoir mal à la gorge, à la tête... – faire mal (Le pied me fait mal.) – souffrir (Elle a mal au ventre. Elle souffre beaucoup.)
- avoir de la fièvre – tousser – se gratter – avoir des difficultés à respirer, à marcher...

• Les examens
- examiner un malade – s'allonger (Allongez-vous !) – respirer (Inspirez... Ne respirez plus ! Expirez !) – prendre la tension d'un patient
- faire une ordonnance – faire une analyse (de sang, d'urines) – faire une radio, une échographie

• Les soins
- soigner un patient – faire un pansement – faire une piqûre – faire un massage
- se soigner – prendre des médicaments – garder le lit – se reposer – se relaxer – se décontracter
- guérir (Le médecin a guéri le patient. – Le malade est guéri.)

RACONTER UN ACCIDENT

• Annoncer un accident
- Un accident est arrivé (s'est produit) rue Mozart. – Paul a eu un accident de moto.

• Décrire un accident
- heurter (Une voiture a heurté une moto. – Elle a renversé un piéton.)
- Il y a eu un accrochage entre deux voitures.
- Un piéton a glissé. Il est tombé.

• Les conséquences
- se blesser (Il est blessé.) – s'évanouir (Il s'est évanoui.) – mourir (Il est mort.)

PARLER DE SPORT

• faire du sport – faire du football, du tennis, de la gymnastique – pratiquer un sport
• le football – le basket-ball – le volley-ball – le hand-ball – le tennis
• la marche (marcher) – la course (courir) – la randonnée (randonner) – la natation (nager) – le ski (skier) – la gymnastique

EXPRIMER L'INQUIÉTUDE – RASSURER

• Je suis inquiet (inquiète). – s'inquiéter (Je m'inquiète.) – J'ai du souci. – J'ai peur qu'il soit arrivé un accident.
• rassurer (Je te rassure.) – Tout va bien. – Ce n'est pas grave. – Ne t'inquiète pas ! – N'aie pas peur !

1. DONNER UNE EXPLICATION

Complétez selon les indications.

a. Exprimer la cause

Dans la rue

Cynthia : Tiens, bonjour Louis. Ça fait longtemps que je ne t'ai pas vu !
Louis : J'ai été malade ... de la dengue.
Cynthia : La dengue ?
Louis : Oui, c'est une fièvre ... par un moustique.

b. Exprimer la conséquence

Louis : Cette maladie ... une grande fatigue. Elle peut aussi ... des paralysies.

c. Exprimer le moyen

Cynthia : Et maintenant, tu es guéri ?
Louis : Oui, ... trois mois de repos. Mais cette maladie a un avantage. Elle m'a ... de perdre 10 kilos.

2. EXPRIMER LA DURÉE

Lisez l'agenda du docteur Anne Guibert, spécialiste des maladies tropicales.

Semaine du 1er au 7 avril
1er : Départ pour Nairobi (Kenya). Arrivée à 20 h.
2 et 3 : Conférence sur les maladies tropicales.
Du 4 au 6 : Visite du parc naturel du Serengeti.
7 : Retour en France. Arrivée à 22 h.

a. Répondez.

Le 6 avril, Anne Guibert rencontre un touriste.

Le touriste : Il y a combien de temps que vous êtes au Kenya ?
Anne : ...
Le touriste : Depuis combien de temps vous visitez le parc ?
Anne : ...

b. Posez la question.

Le 8 avril, Anne rencontre un collègue.

Le collègue : ... ?
Anne : Je suis rentrée hier soir.
Le collègue : ... ?
Anne : Je suis restée 5 jours au Kenya.

3. CONNAÎTRE LES PARTIES DU CORPS

Complétez avec une partie du corps.

a. Le professeur, à ses élèves endormis : « Ouvrez vos ... et vos ... »
b. Après une heure de musculation : « J'ai mal aux ... et aux ... »
c. En randonnée : « Respirez ! Remplissez vos ... d'oxygène. La marche, c'est bon pour le ... »

4. CONSULTER UN MÉDECIN

Remettez les phrases dans l'ordre.

Justine raconte sa visite chez un médecin.

a. Le médecin m'a examinée.
b. J'ai pris des médicaments.
c. Je toussais beaucoup et j'avais mal à la gorge.
d. Maintenant, je suis guérie.
e. J'ai pris rendez-vous chez un médecin.
f. Le médecin m'a fait une ordonnance.
g. On m'a fait une analyse de sang et une radio.

5. RACONTER UN ACCIDENT

N° 56 **Écoutez. Samuel rentre chez lui, le soir. Il a eu un accident.**

a. Répondez.

1. Que s'est-il passé ?
2. Où ?
3. Quand ?
4. Quelle est la cause de l'accident ?
5. Quelles sont les conséquences ?

b. Racontez cet accident en 4 lignes pour la page « Faits divers » d'un journal.

6. DONNER DES CONSEILS DE SANTÉ ET DE FORME

Associez les problèmes et les conseils.

a. Il a mal à la tête.	**1.** « Repose-toi ! »
b. Elle est stressée.	**2.** « Prends une aspirine ! »
c. Il est épuisé par son travail.	**3.** « Va aux urgences ! »
d. Elle va accoucher.	**4.** « Fais un régime ! »
e. Il est trop gros.	**5.** « Fais du yoga ! »

7. EXPRIMER L'INQUIÉTUDE – RASSURER

C'est son premier saut. Elle a peur. Le moniteur la rassure. Imaginez le dialogue.

UNITÉ 6

SORTIR

1 PRÉVOIR UNE SORTIE
- Choisir
- Proposer une sortie à quelqu'un

2 ALLER AU RESTAURANT
- Choisir un restaurant
- Comprendre un menu
- Commander un repas
- Résoudre un problème

3 VOIR UN SPECTACLE
- Comprendre un résumé de film
- Réserver une place de spectacle
- Parler d'un film

4 ALLER À UNE FÊTE
- Comprendre des informations sur une fête
- Raconter une fête

PROJET

FAIRE DES PROJETS POUR VOTRE VILLE
- Nommer des lieux de la ville
- Décrire des animations

Villa Marie-Claire — Propositions

N° 33

N° 57

1. Li Na : J'adore celui-ci... Celui-là aussi est très beau.
Jean-Louis : Et lequel vous préférez ?
Li Na : Celui qui est le plus coloré. Celui-ci, dans le style Mondrian.

2. Jean-Louis : Au fait, vous avez vu l'expo Mondrian ?

Composition, Piet Mondrian, 1927.

Choisir

1. Regardez ou écoutez la séquence 33. Associez les photos et les extraits.

2. Approuvez ou corrigez les phrases suivantes.

a. Un styliste de Florial a dessiné des flacons pour les parfums.
b. Jean-Louis demande à Li Na son avis sur ces projets.
c. Jean-Louis a déjà choisi sans hésiter.
d. Li Na montre le projet qu'elle préfère.
e. Le styliste qui a dessiné le projet s'appelle Mondrian.
f. Jean-Louis a envie de passer une soirée avec Li Na.

Réfléchissons... Les pronoms interrogatifs et démonstratifs

- **Observez l'extrait 1 de la scène.**

a. Relevez les mots utilisés pour :
1. demander un choix (pronoms interrogatifs) ;
2. montrer (pronoms démonstratifs).
b. Quelle est la différence entre *celui-ci* et *celui-là* ?

- **Réécrivez le dialogue en imaginant que Jean-Louis et Li Na choisissent :**

a. une photo → « *J'adore celle-ci... Celle-là...* »
b. des posters pour décorer le couloir → « *J'adore ceux-ci...* »
c. des affiches pour décorer la salle de réunion → « *J'adore celles-ci...* »

- **Complétez le tableau.**

	Pronoms interrogatifs	Pronoms démonstratifs
Masculin singulier	lequel	...
Féminin singulier	...	celle-ci / celle-là celle qui / que / où
Masculin pluriel	...	...
Féminin pluriel	...	...

3. Faites le travail de l'encadré « Réfléchissons ».
Posez les questions avec un pronom interrogatif.

Un ami curieux

Jean-Louis : Hier soir, je suis sorti avec une collègue.
Léon : *Laquelle ?*
Jean-Louis : Li Na. Nous sommes allés voir une expo.
Léon : ... ?
Jean-Louis : L'exposition Mondrian. Puis, nous avons dîné dans un restaurant du quartier.
Léon : ... ?
Jean-Louis : Le Bistrot des Halles. Nous y avons rencontré tes anciens copains.
Léon : ... ?
Jean-Louis : Léo et Cyril. Ils vont se marier avec deux anciennes copines.
Léon : ... ?
Jean-Louis : Celles qui sont parties en Grèce avec vous.

Les sons [s] – [z] – [ʃ]

N° 58

- **Répondez comme dans les exemples.**

Projets de sorties

a. – Tu **ch**oi**s**is **c**e con**c**ert ou **c**elui-là ?
– Je **ch**oi**s**is **c**elui-**c**i.
b. – Nous‿allons voir **c**ette expo ou **c**elle-là ?
– Nous‿allons voir **c**elle-**c**i.
c. – ...

Proposer une sortie à quelqu'un

4. Complétez avec : *celui* (*celle, ceux, celles*) *qui / que*.

Sophie : Si on allait voir le spectacle *Résiste* ?
Marc : ... se joue à l'Arena ?
Sophie : Oui, ... présente les chansons de Michel Berger.
Marc : J'adore les chansons de Michel Berger. Surtout ... il a écrites pour France Gall.
Sophie : Ce sont ... on entend dans le spectacle.
Marc : J'adore la chanson qui parle du peintre Cézanne. C'est ... je préfère. Tu as lu les critiques des spectateurs ?
Sophie : Oui, il y a ... adorent le spectacle. Il y a aussi ... trouvent que les chorégraphies sont très modernes.

5. Par deux, jouez la scène.
Vous êtes à Genève. Vous proposez à votre partenaire d'aller voir un spectacle. Vous regardez le programme. Vous essayez de vous mettre d'accord.

Pour s'exprimer

- Si on allait... – On pourrait aller... – Pourquoi ne pas aller...
- Que penses-tu de celui-ci ? Ou de celui qui se joue à Lausanne ?
- J'hésite... J'ai bien envie d'aller voir...

Sorties

Les spectacles à Genève et dans les environs

MAÎTRE GIMS
à l'Arena de Genève
Ancien membre d'un groupe de rap, Maître Gims se produit en solo.

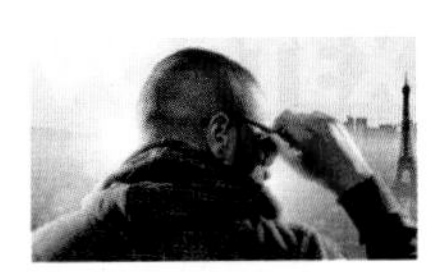

RÉSISTE
à l'Arena de Genève
Comédie musicale. Le meilleur spectacle musical depuis 15 ans ! Les succès du compositeur Michel Berger.

LES FRANÇAIS
à la Comédie de Genève
À la recherche du temps perdu de Marcel Proust revu par Krzysztof Warlikowski. Une adaptation du roman de Proust qui questionne la société européenne d'aujourd'hui.

BÉJART BALLET LAUSANNE
au Palais de Beaulieu à Lausanne
Au programme : *Le Mandarin merveilleux, Suite Barocco.*

LA VISITE DE LA VIEILLE DAME
de Friedrich Dürrenmatt
au théâtre Vidy à Lausanne
Elle est partie pauvre, elle revient riche. Une fable sur l'argent et la vengeance.

SIGNAC, « Une vie au fil de l'eau »
à la Fondation de l'Hermitage de Lausanne
Près de 140 peintures, aquarelles et dessins du maître néo-impressionniste.

Unité 6 - Leçon 2 - Aller au restaurant

www.lafourchette.com

lafourchette STRASBOURG AIDE

Où manger à Strasbourg ?

	**Chez Yvonne** Winstub. Une institution à Strasbourg. Spécialités dans la pure tradition alsacienne. Choucroute garnie ou coq au riesling.	Plats à partir de **14,20 €**	Ouvert tous les jours de 12 h à 14 h 15 et de 18 h à minuit
	**Au Renard prêchant** Auberge chaleureuse, dans une ancienne chapelle du XVIe siècle décorée d'une fresque. Cuisine traditionnelle et plats régionaux.	Plats à partir de **10,80 €**	Tous les jours de 12 h à 14 h et de 19 h à minuit Samedi et dimanche, le soir seulement
	**Le Grand Shanghai** Décoration asiatique. Plats de toute l'Asie (sushis, nems, etc.). Buffet à volonté.	Menu midi : **12,80 €** Soir : **16,80 €**	Tous les jours de 12 h à 14 h 30 et de 19 h à 22 h 30
	**Une fleur des champs** Le plaisir du naturel. Produits bio. Cuisine maison.	Menu : **13,50 €** à midi **15,50 €** le soir	Du mardi au samedi de 12 h à 14 h et de 19 h à 22 h

Choisir un restaurant

1. Ils sont à Strasbourg. Sur le site ci-dessus, choisissez un restaurant pour eux.

a. J'aimerais goûter la cuisine alsacienne.
b. Où est-ce qu'on peut manger beaucoup et pas cher ?
c. Nous sortons du spectacle. Il est 23 h 30. Où on peut aller dîner ?
d. Je cherche un resto avec un cadre un peu original.
e. J'aime les restos où on mange comme à la maison : produits frais, cuisine familiale...
f. Vous connaissez « le » restaurant de Strasbourg où il faut avoir dîné ?

Point infos

À SAVOIR QUAND ON VA AU RESTAURANT

• **En salle ou en terrasse.** On peut demander une table à l'extérieur du restaurant (en terrasse ou dans le jardin) ou en salle.
• **La carte.** Les étrangers, mais aussi les francophones, ont souvent des difficultés à comprendre les cartes et les menus des restaurants français. Il ne faut pas hésiter à demander des explications (voir l'exercice 2).
• **L'eau et le pain.** Pour avoir de l'eau gratuitement, il faut demander : « une carafe d'eau ». Le serveur apporte toujours du pain sur la table.
• **Le pourboire.** Il n'est jamais obligatoire car le service est toujours compris dans l'addition. Si vous êtes satisfait du serveur ou de la serveuse vous pouvez, bien sûr, lui donner quelques euros.
• **Pour les clients allergiques.** Les produits qui peuvent entraîner des allergies doivent être indiqués sur la carte ou sur un document en libre accès.

Comprendre un menu

2. Travaillez en petit groupe. Lisez la carte du restaurant.

a. Essayez de comprendre les plats. Repérez les mots :

1. qui indiquent le type de produits : viande, poisson, fruits de mer, œufs, etc.
2. qui indiquent l'origine de ces produits → *le jambon* ***« Noir de Bigorre »***
3. qui précisent la préparation → *moules* ***gratinées***
4. qui précisent la sauce ou l'accompagnement → *ravioles de cèpes,* ***bouillon de pot au feu***

b. Posez des questions au professeur sur ce que vous ne comprenez pas.

C'est quoi les copeaux de jambon ?
Comment c'est préparé ?
Qu'est-ce qu'il y a dans... ? Est-ce qu'il y a du lait ?

Le Cheval Blanc

La carte

Nos entrées

Moules de mer gratinées
Tartine de fromage de chèvre et copeaux de jambon « Noir de Bigorre »
Foie gras de canard de la ferme du Gubernat
Ravioles de cèpes, bouillon de pot au feu

Nos plats

Gambas poêlées au piment d'Espelette
Pavé de morue sauce aïoli
Brochettes d'agneau grillées aux herbes
Tournedos aux morilles ou Rossini
Volailles de Bresse aux champignons des bois
Steak tartare race Aubrac

Nos desserts

Nougat glacé au coulis de framboise
Profiteroles au chocolat chaud
Crème brûlée à la réglisse
Crêpes au coulis d'agrumes
Minestrone de fruits frais à la menthe fraîche

D'après la carte du restaurant « Wine Bar Le Cheval blanc » à Nîmes

Commander un repas

3. Jeu de rôle à faire à trois (un couple de clients et le serveur). Un couple va déjeuner au restaurant. Utilisez les phrases ci-dessous.

a. C'est parfait.
b. Comme entrée, nous prenons une salade composée pour monsieur et pour moi, une terrine de saumon.
c. Désolé, nous n'acceptons pas les chèques.
d. Deux plats du jour, c'est noté. Et comme boisson ?
e. Non merci, pas de dessert. Juste deux cafés.
f. Nous allons prendre la formule à 21 €.
g. Tout va comme vous voulez ?
h. Une table pour deux, s'il vous plaît.
i. Voici la carte. Notre plat du jour, c'est un sauté de veau aux olives.
j. Vous pouvez m'apporter l'addition ?

4. Racontez un repas au restaurant sur le modèle suivant. Utilisez les adjectifs de l'encadré.

Action	Commentaire
Nous avons dîné dans un nouveau restaurant.	C'était très agréable.

« Nous avons été bien accueillis. Le serveur... J'ai pris... »

Pour s'exprimer

agréable – bien décorée – bon – cher – créatif – délicieux – excellent – original – sans goût – surprenant – sympathique – traditionnel

5. Lisez le Point infos. Y a-t-il des différences avec les habitudes de votre pays ?

Résoudre un problème

N° 59

6. Écoutez. Ils appellent la serveuse parce qu'ils ont un problème. Associez avec les phrases suivantes.

a. Il est trop près de la porte.
b. Il manque quelque chose sur la table.
c. La viande n'est pas assez cuite.
d. Le vin n'est pas bon.
e. Le plat est froid.
f. Il y a une erreur dans la commande.
g. Il y a une erreur dans l'addition.

■ Sélection DVD Saint-Valentin

Pas son genre

Clément est un jeune professeur de philosophie, passionné par sa discipline. Il est nommé à Arras, dans le nord de la France, où il ne connaît personne et où il s'ennuie. Il rencontre Jennifer, une jeune mère célibataire qui travaille dans un salon de coiffure. Jennifer aime les romans populaires, les magazines people et les soirées karaoké. Les deux jeunes gens vivent une histoire d'amour passionnée. Mais pourra-t-elle durer ?

2014, film de Lucas Belvaux
avec Émilie Dequenne et Loïc Corbery

3 cœurs

Marc est un contrôleur des impôts qui travaille à Paris. Au cours d'une mission dans une ville de province, il rencontre Sylvie. Marc et Sylvie passent une nuit à discuter et réalisent le matin qu'ils sont amoureux. Ils se donnent rendez-vous à Paris, mais Marc rate le rendez-vous et Sylvie part aux États-Unis avec Christophe…

Au cours d'une autre mission dans la même ville, Marc rencontre une autre jeune femme : Sophie. Il va l'épouser mais quelques jours avant le mariage, il apprend que Sophie est la sœur de Sylvie…

2014, film de Benoît Jacquot
avec Charlotte Gainsbourg, Chiara Mastroianni et Benoît Poelvoorde

Les Poupées russes

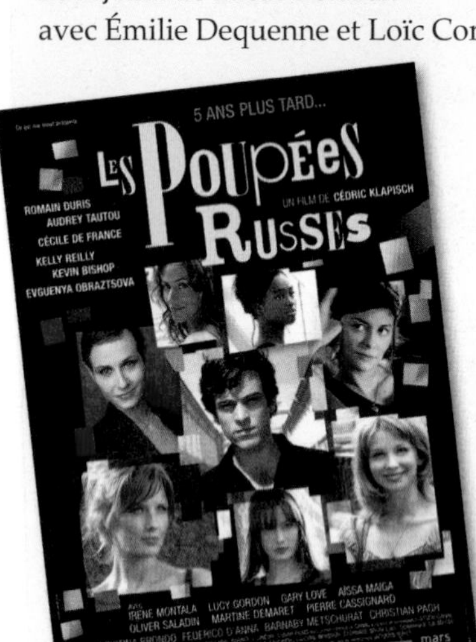

Suite de *L'Auberge espagnole* qui racontait la vie d'un groupe d'étudiants originaires de différents pays d'Europe et vivant en colocation dans un appartement de Barcelone.

Dans **Les Poupées russes**, on retrouve Xavier. Il écrit des autobiographies pour les gens célèbres. Il voit toujours Martine, qui a eu un enfant avec un autre homme, mais habite chez Isabelle, sa meilleure amie. Il est engagé par une top-modèle anglaise qui veut écrire son autobiographie et qui n'est pas insensible à son charme. Lors de ses voyages en Angleterre, il retrouve Wendy, une ancienne colocataire de Barcelone. Il se sent très attiré mais il hésite…

2005, film de Cédric Klapisch
avec Romain Duris, Kelly Reilly, Audrey Tautou, Cécile de France

Comprendre un résumé de film

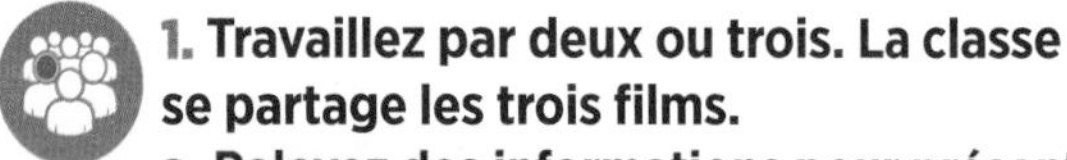

1. Travaillez par deux ou trois. La classe se partage les trois films.
a. Relevez des informations pour présenter le personnage principal.
b. Caractérisez ce personnage avec le vocabulaire de l'encadré.

> différent - égoïste - heureux - incapable d'aimer - infidèle - libre - responsable - romantique - sentimental - sérieux - stable - sûr de lui

c. Quel est le problème du personnage ?
d. Imaginez la suite du film.

2. Présentez le film à la classe. Discutez la suite que vous avez imaginée.

Réserver une place de spectacle

N° 60

3. Écoutez. Ils réservent des places de spectacle. Montrez ces places sur le plan.

Villa Marie-Claire — Désaccords

N° 34

N° 61

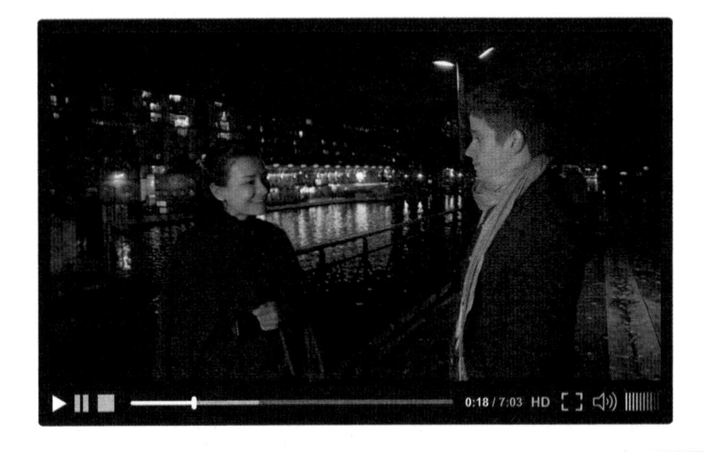

Parler d'un film

4. Regardez ou écoutez la séquence 34. Complétez le résumé de la scène.

a. Li Na et Ludo sortent de...
b. Ils viennent de voir...
c. Ludo donne son avis sur...
d. Il trouve que...
e. Puis, Ludo compare...
f. Il croit que Li Na...
g. Li Na affirme que...

5. Travaillez en petit groupe.
a. À quel propos les personnages disent-ils les phrases suivantes ?

1. Ludovic : « Il la trompe. »
2. Ludovic : « J'ai l'impression que tu me caches quelque chose. »
3. Li Na : « Ce n'est pas de ma faute. »
4. Li Na : « Mais... tu es jaloux ! »
5. Li Na : « Je te demande pardon. »
6. Li Na : « Je ne l'ai pas fait exprès. »

b. Trouvez d'autres situations où l'on peut les utiliser.

6. Lisez le Point infos. Comparez avec les réalités de votre pays.

7. Écrivez une courte présentation d'une histoire sentimentale (film, roman, pièce de théâtre) que vous connaissez.

Prononcer « ex » : [ɛks] devant une consonne, [ɛgz] devant une voyelle

• **Répétez.**

N° 62

Apprentissage du français
Explication et **ex**emples,
Exercices de syntaxe,
Examens et **ex**posés,
Pour être **ex**cellent en **ex**pression.
Quelle **ex**istence !

Point infos

LE COUPLE ET LE CINÉMA

En France, les jeunes entrent de plus en plus tard dans la vie de couple. Et même quand ils sont en couple, ils hésitent à s'installer ensemble. Entre 30 et 40 ans, 60 % seulement des couples vivent sous le même toit. Il est vrai qu'on finit par se marier ou par se pacser (le PACS, pacte civil de solidarité, est choisi par 30 % de ceux qui veulent officialiser leur union). On le fait parce qu'on croit encore au grand amour ou parce qu'on veut avoir des enfants. Mais, une union sur trois finit par un divorce.

Depuis les films de François Truffaut dans les années 1960 (*Jules et Jim*, *La Femme d'à côté*), le couple est un des grands sujets du cinéma français. On y parle de peur, d'égoïsme, de la difficulté à accorder ses rêves avec la réalité, de passions qui ne résistent pas au temps ou à de nouvelles rencontres. Donc, souvent, de couples malheureux.

Il est vrai que les couples heureux n'ont pas d'histoire... y compris au cinéma.

Mon roi, film de Maïwenn (2015)

Unité 6 - Leçon 4 - Aller à une fête

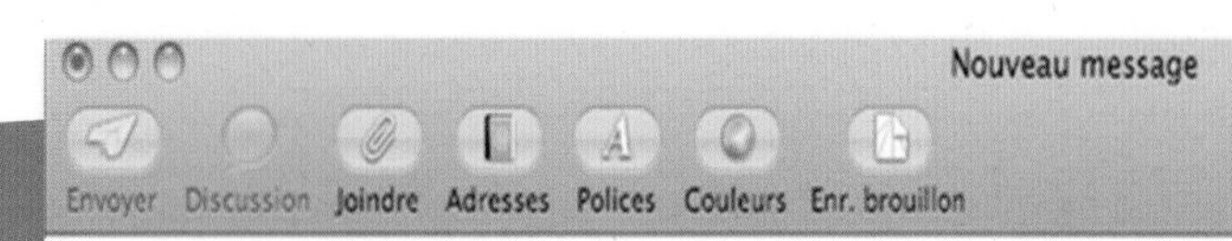

Envoyé le : 04/01/2016 14:57
À : céline.malrieu@free.fr
De : marion-leroy@gmail.com
Objet : Petit bonjour !

Coucou Céline,

Je t'envoie un petit bonjour de Cayenne et quelques photos de ma nouvelle tenue de carnaval.
Je m'adapte bien à la vie en Guyane et mon travail me plaît. On vient juste de passer les fêtes de fin d'année et voilà qu'on entre dans la période du carnaval. Ça va commencer le 6 janvier, jour où on remettra les clés de la ville au roi Vaval, le chef du carnaval. Il y aura un grand défilé et on dansera. Mais ici, la fête dure un mois ! Alors, bien sûr, on ne s'arrête pas de travailler mais tous les samedis soir, je mettrai ma tenue de Touloulou et j'irai au « bal paré-masqué ». Le Touloulou, c'est un personnage de bourgeoise du XIXe siècle. L'originalité du costume, c'est qu'on ne doit pas voir un centimètre de peau. Le visage est masqué. Je porte des gants et des bas. J'aurai donc très chaud quand je danserai. On peut aussi se déguiser en diable, en coupeuse de canne à sucre, etc.
Le carnaval se terminera la semaine de Mardi gras. Le lundi, les hommes se déguiseront en femmes et les femmes en hommes. Puis, le mercredi, on brûlera le mannequin du roi Vaval et on rangera les costumes jusqu'à l'année suivante...

Comprendre des informations sur une fête

1. Lisez le courriel ci-dessus. Céline rencontre un ami. Complétez le dialogue.
Céline : J'ai reçu un mail de Marion.
L'ami : Elle est où ? Qu'est-ce qu'elle fait ?
Céline : ... Elle m'a joint des photos.
L'ami : De ses amis ?
Céline : ...
L'ami : Alors, elle te parle de quoi dans ce mail ?
Céline : ...
L'ami : Ça commence quand ? Ça finit quand ?
Céline : ...
L'ami : Et pendant tout ce temps, on fait la fête ?
Céline : ...
L'ami : Alors qu'est-ce qu'on fait pendant ce carnaval ?
Céline : ...
L'ami : Tu dis qu'elle a une tenue originale. Pourquoi ?
Céline : ...
L'ami : Et ils sont tous habillés comme ça ?
Céline : ...

2. Recherchez dans le courriel les mots qui servent à parler :
a. des vêtements ;
b. du déroulement de la fête.

Apprenons à conjuguer... Révisons le futur

• **Dans le courriel de Marion, relevez les verbes au futur et trouvez leur infinitif.**
on remettra → *remettre* – il y aura → ... – ...

• **Mettez les verbes suivants à la forme du futur qui correspond.**
– Cas où le futur se forme d'après l'infinitif
parler : elle ... – **prendre :** nous ...
– Cas où le futur se forme différemment (il faut apprendre la première personne)

aller : tu ... — **venir :** nous ...
avoir : j' ... — **être :** elle ...
savoir : vous ... — **devoir :** ils ...
pouvoir : tu ... — **voir :** je ...

LA FRANCOPHONIE EN FÊTE !

Le Grand Tintamarre au Nouveau-Brunswick

Port de pêche et cœur du monde acadien au Nouveau-Brunswick, Caraquet accueille cet évènement qui témoigne de la vitalité de la culture acadienne. Bals, fêtes populaires et groupes folkloriques animent les rues de la ville.
Le 15 août a lieu le « Tintamarre », un défilé traditionnel où l'on doit faire du « train », c'est-à-dire le plus de bruit possible. Il a lieu le 15 août à 17 h 55 précises, heure symbolique commémorant le Grand Dérangement de 1755[1]. Acadien ou non, chacun descend dans la rue pour faire du bruit et proclamer au monde sa fierté d'être acadien malgré une histoire tragique.
Des bateaux sont également bénis au cours de ce festival qui n'engendre nulle mélancolie. Très bonne ambiance.

« Agenda culturel, fêtes et festivals », www.routard.com

1. Épisode tragique de la guerre entre la France et l'Angleterre pour la colonisation du Canada.

Fête de l'igname en Nouvelle-Calédonie

Une touriste raconte son voyage en Nouvelle-Calédonie.
« Mars-avril, c'est la saison des pluies. [...] Pour la fameuse fête de l'igname[1], on va déterrer les ignames, couper du bois, décorer l'église, ratisser les feuilles de manguier, cueillir des fleurs, couper des branches de palmier... Le jour J, je rencontre la tribu, les familles kanakes, les enfants. Superbes rencontres. D'abord timides puis souriants puis curieux, les Kanaks font preuve de beaucoup de gentillesse et de générosité à mon égard. [...] Le chef de tribu répartit[2] les ignames de manière équitable entre chaque famille et nous partageons un repas... C'est vraiment super cette expérience en communauté, avec les femmes, les enfants, à discuter, échanger, rigoler, manger, se baigner dans la rivière, danser... Les Kanaks sont sympas, calmes, ouverts. On m'a prêté une jolie robe missionnaire[3] à fleurs pour l'occasion. Sympa... »

« Retour d'un mois en Nouvelle-Calédonie : conseils ! », Stell 44, 05/01/2014, www.routard.com

1. L'igname est un produit cultivé de la famille de la pomme de terre. C'est la nourriture de base traditionnelle en Nouvelle-Calédonie. – 2. partager – 3. La robe missionnaire ou « robe mission » est une robe traditionnelle, longue, ample, sans décolleté, portée par les femmes en Océanie. Ce sont les missionnaires chrétiens qui ont imposé le port de cette robe au XIXe siècle.

Raconter une fête

3. Travaillez en deux groupes. Partagez-vous les deux documents ci-dessus. Répondez.

a. Où trouve-t-on ce document ? Qui l'a écrit ? Pourquoi ?
b. Où se passe la fête (lieu, pays) ? Pourquoi ce lieu est-il francophone ?
c. Quand a lieu la fête ?
d. Quelle est l'origine de la fête ?
e. Que fait-on pendant cette fête ? Pourquoi peut-on dire qu'elle est originale ?

4. Chaque groupe présente le document qu'il a lu au reste de la classe.

5. Racontez par écrit une fête de votre pays.

a. Choisissez comment raconter :
❑ courriel à un ami
❑ récit sur internet
❑ article d'information dans le journal de l'école

b. Préparez des informations sur :
- le lieu ;
- le moment de l'année et la durée ;
- l'origine de la fête ;
- les vêtements et les costumes ;
- ce que le public peut voir ou entendre ;
- comment le public participe.

c. Rédigez l'article.

d. Présentez-le à la classe.

En petit groupe de cinq étudiants, vous allez imaginer et rédiger cinq projets pour améliorer la vie dans votre ville.

DES PROJETS POUR PARIS

Chaque année, les Parisiens, français ou étrangers, peuvent participer au choix de projets pour améliorer la ville et la vie de ses habitants. Voici quelques projets qui ont été retenus récemment.

DES KIOSQUES POUR FAIRE LA FÊTE

Redonner vie aux 33 kiosques à musique parisiens, en les rénovant et en les ouvrant, dès les premiers beaux jours, à toutes les pratiques : musique – déjà environ 400 concerts gratuits chaque année –, mais aussi danse, théâtre, marionnettes, jeux, démonstrations et pratiques sportives…

DES JARDINS SUR LES MURS

Faire disparaître une quarantaine de murs aveugles en les végétalisant. Ce tour de passe-passe n'embellit pas seulement les quartiers concernés. Il contribue aussi à l'environnement, en créant un microclimat, et à la biodiversité, en offrant un abri aux oiseaux et aux petits mammifères.

RENDRE LA RUE AUX ENFANTS

Équiper une vingtaine de tronçons de rues parisiennes de barrières mobiles, afin de les fermer à certaines heures et, grâce à des marquages au sol (marelles, damiers…), offrir cet espace public aux enfants pour le jeu et la détente… Pour jouer en toute sécurité, les activités seront encadrées et animées par des associations agréées par la ville.

SPORT URBAIN EN LIBERTÉ

Équipements pour pratiquer la gymnastique ou la musculation, création de terrains de jeux de ballons (Playground, City Stade), etc. : une autre façon de vivre le sport en milieu urbain. Le tout sur des sites inhabituels, comme des terrains installés sous les lignes de métro aériennes ou sur la petite ceinture.

DES FONTAINES À BOIRE DANS TOUT PARIS

Ce projet propose la construction d'une quarantaine de nouvelles fontaines, dont certaines d'eau pétillante, et la rénovation de plusieurs autres. Ce projet permettrait la renaissance de nombreuses fontaines de type Wallace, devenues pour certaines d'entre elles des œuvres artistiques qui contribuent à l'embellissement de l'espace public.

1 Observez une présentation de projets.

1. Lisez le site internet de la ville de Paris. Associez les projets et les photos.

2. Trouvez le sens des mots nouveaux. Associez les mots suivants avec ceux de l'encadré.

a. un tour de passe-passe
b. un tronçon
c. une marelle
d. un damier
e. la petite ceinture
f. aveugle
g. urbain
h. contribuer

1. limite extérieure de Paris
2. qui ne peut pas voir
3. aider
4. partie d'une rue ou d'une route
5. jeu que les enfants font dans la rue
6. tour de magie
7. spécifique à la ville
8. cases noires et blanches d'un jeu

3. Voici les verbes du texte qui expriment le changement : *améliorer – créer – embellir – équiper – installer – rénover – végétaliser.*
a. Quels verbes sont dérivés des adjectifs suivants : *beau – meilleur – neuf – végétal ?*
b. Trouvez les noms dérivés de ces verbes.
Exemple : *améliorer → amélioration*

4. Pour chaque projet, indiquez :
a. Quel est l'objet ou le lieu du projet ?
b. Qu'est-ce qu'on va changer ?
c. Quel est l'intérêt du projet ?

2 Choisissez vos animations.

5. En petit groupe, recherchez des idées pour améliorer votre ville dans la liste ci-dessous :
- décoration et embellissement ;
- animation de certains lieux ;
- installation pour les activités physiques et le sport (voies pour les piétons, les vélos ; équipements sportifs dans les jardins et les parcs) ;
- panneaux d'information ou de loisirs.

Vous pouvez aussi vous inspirer des idées développées dans le Point infos.

3 Rédigez vos projets.

6. Partagez-vous les projets. Chaque étudiant rédige un projet en quelques lignes.
a. Décrivez le lieu.
b. Précisez ce qui manque.
c. Décrivez ce que vous allez créer.
d. Montrez que votre projet est utile.

4 Présentez vos projets à la classe.

Pour s'exprimer

Pour décrire un changement, on peut aussi utiliser les formes :
- ***(re)donner* + nom :** Les concerts dans les kiosques vont redonner de la vie aux jardins publics.
- ***rendre* + adjectif :** La végétation rendra les murs plus beaux.

Le Festival interceltique de Lorient

Point infos

DES VILLES FRANÇAISES ANIMÉES

Il n'y a pas que Paris et les grandes villes de France qui sont animées en permanence. Dans les villes moyennes (entre 60 000 et 150 000 habitants), de nombreuses manifestations sont organisées par les municipalités et par les centaines d'associations culturelles ou sportives que comptent ces villes. Il suffit d'ouvrir le journal local pour avoir le choix entre plusieurs possibilités de sorties :
- un calendrier des spectacles : tournées de chanteurs ou de troupes de théâtre, spectacles créés localement ;
- les fêtes et les célébrations qui rythment l'année ;
- les salons : salon de la BD à Angoulême, salon du livre de Brive, ... ;
- les manifestations sportives ou caritatives qui regroupent de nombreuses personnes (marathon, téléthon) ;
- des animations dans les cafés (cafés philosophiques), les quartiers, les rues ou chez des particuliers.

MONTRER - CHOISIR

• Les pronoms interrogatifs
- Tu as vu des films ce mois-ci ? **Lequel** tu as préféré ?
- Il y a de bonnes pièces de théâtre en ce moment. **Laquelle** tu veux voir ?
- Tu as lu des livres ? **Lesquels ?**
- Tu as écouté des chansons ? **Lesquelles ?**

• Les pronoms démonstratifs
Ces pronoms servent à montrer ou à distinguer les personnes ou les choses.

Le pronom représente un nom...	... proche dans la réalité ou dans la pensée	... éloigné, ou pour distinguer du précédent	... suivi d'un complément de nom ou d'une proposition relative
masculin singulier *Quel **foulard** tu préfères ?*	**celui-ci**	**celui-là**	**celui** de Marie **celui** qui est rouge
féminin singulier *Quelle **robe** tu mets ?*	**celle-ci**	**celle-là**	**celle** à rayures **celle** que j'ai achetée hier
masculin pluriel *Quels **pulls** tu prends ?*	**ceux-ci**	**ceux-là**	**ceux** en laine **ceux** qui tiennent chaud
féminin pluriel *Quelles **chemises** tu emportes ?*	**celles-ci**	**celles-là**	**celles** pour l'été **celles** qui sont à manches courtes
neutre ***Qu'est-ce que** je mets pour le mariage de Paul ?*	**ceci**	**cela - ça**	Mets **ce** que tu veux, **ce** qui te plaît

PROPOSER

Pour proposer quelque chose à quelqu'un ou inviter une personne, on peut utiliser :
• **un verbe au conditionnel** (ce mode sera étudié au niveau B1), *ex. :* – **Tu voudrais** aller voir l'exposition Renoir ? **On pourrait** aller la voir ensemble. Clara **pourrait** venir avec nous.
Voir aussi son utilisation pour les formules de politesse (p. 52-53).

• les formules suivantes
- **Et si on allait** au cinéma ? **Et si on dînait** au restaurant ? *(verbes à l'imparfait)*
- **Je vous propose d'**aller voir le dernier film de Woody Allen.

PARLER DU COUPLE

• **rencontrer quelqu'un** – avoir un coup de foudre – plaire à quelqu'un (Ce garçon me plaît.) – être sensible au charme de quelqu'un – se sentir attiré par quelqu'un – tomber amoureux de quelqu'un
• **vivre une histoire d'amour, une passion** – se mettre ensemble – emménager chez quelqu'un – être / se mettre en ménage – s'engager – vivre en couple – cohabiter – se marier avec quelqu'un (un mariage) – épouser quelqu'un – se pacser (le Pacs) – avoir des enfants
• **être heureux en couple** – être sérieux, stable, sûr de soi, responsable – s'entendre – être fidèle
• **être malheureux en couple** – être égoïste, instable, incapable d'aimer – ne pas s'entendre avec quelqu'un – être infidèle – tromper quelqu'un – quitter quelqu'un – se séparer (une séparation) – divorcer (un divorce)

VOIR UN SPECTACLE

• Choisir et réserver
- un calendrier de spectacle - une saison - Cette année, à la Comédie Française, on joue *L'Avare*.
Il y a *Cyrano de Bergerac* à l'affiche cette semaine.
- Ce soir à la télé, on passe (on repasse, on joue) un James Bond des années 1970.
- réserver une place au théâtre, à l'opéra, au Zénith - une place à l'orchestre, au balcon (le rang 20, côté pair / impair) - acheter sur internet, par téléphone, au guichet - être bien / mal placé

• La musique
- **la musique classique :** un orchestre - un chef d'orchestre - diriger un orchestre - un musicien - jouer du piano, du violon, etc.
- un concert - donner un concert - L'orchestre interprète *La Mer* de Debussy.
- **la musique populaire :** la chanson - le rock - la pop - l'électro - le rap - le jazz
- un groupe de rock - un chanteur - un guitariste - un batteur - un bassiste

• Le théâtre et le cinéma
- **les gens du théâtre et du cinéma :** un metteur en scène (un réalisateur, un cinéaste) - un acteur / une actrice - un comédien / une comédienne (un / une interprète) - jouer - Romain Duris joue (interprète) le rôle de Xavier dans *Les Poupées russes*.
- **les spectacles :** une pièce de théâtre classique, contemporaine - le théâtre de boulevard (une comédie) - un film comique, dramatique, historique, romantique, sentimental, policier, d'horreur

ALLER AU RESTAURANT

• **un restaurant** - une brasserie - un bistrot - une auberge - une pizzeria - un kebab - un bar à vin, à soupe, à pâtes...
• aller au restaurant - regarder la carte - choisir un plat / le menu - commander une soupe à l'oignon
- un serveur / une serveuse - Le serveur prend la commande. - Il apporte les boissons.
- demander l'addition - payer - laisser un pourboire
• **La carte** - les entrées - les plats de viande, de poisson - les desserts - les vins - les boissons

PARLER D'UNE FÊTE

• **Les fêtes du calendrier français :** les fêtes de fin d'année (Noël - le jour de l'An) - Mardi gras (le carnaval) - Pâques (en mars ou en avril) - la Pentecôte (en mai ou en juin) - le 14 juillet (la fête nationale) - la Toussaint (le 1er novembre)
• **Les célébrations :** le 1er mai (la fête du travail) - le 8 mai (la fin de la guerre de 1939-1945) - le 11 novembre (la fin de la guerre de 1914-1918)
- la fête de la musique (21 juin) - les journées du patrimoine (en septembre) - la journée de la femme (8 mars)
• **Faire la fête** - se déguiser (mettre un costume de pirate) - danser (un bal populaire) - voir un défilé, un feu d'artifice

1. MONTRER – CHOISIR

Complétez avec des pronoms interrogatifs ou démonstratifs.
Li Na et Jean-Louis préparent un cocktail pour la promotion d'un collègue. Ils sont dans un supermarché.
Li Na : On va acheter une tarte. Regardez ! ... vous préférez ? Celle-ci ou ... ?
Jean-Louis : ... qui est la plus grande.
Li Na : Il faut aussi du vin. ... on choisit ? ... ou ... ?
Jean-Louis : Moi, je ne bois pas de vin. Prenez ... que vous voulez.
Li Na : Il faut aussi des verres en carton. J'aime bien ... qui sont bleus. Et vous ?
Jean-Louis : D'accord. N'oublions pas les serviettes en papier.
Li Na : ... sont très jolies. Elles sont de la couleur des verres.

2. COMMANDER UN REPAS AU RESTAURANT

N° 63 **Écoutez. Camille et Thomas sont au restaurant.**

a. Notez leur commande.

	Camille	Thomas
Apéritif		
Entrée		
Plat principal		
Dessert		
Boissons		
Café		

b. Notez les trois problèmes qu'ils ont au cours du repas.

3. RACONTER UNE HISTOIRE SENTIMENTALE

Remettez dans l'ordre l'histoire de Léa et de Noé depuis leur rencontre jusqu'à leur séparation.
a. Léa et Noé se sont rencontrés chez des amis.
b. Noé et Léa se sont mariés.
c. Un jour, Noé a quitté Léa.
d. Tout de suite, Léa et Noé ont eu un coup de foudre l'un pour l'autre.
e. Mais Léa a trompé Noé avec un collègue de travail.
f. Une semaine après leur rencontre, Noé a emménagé chez Léa.
g. Noé a été jaloux et malheureux.

4. PARLER D'UNE FÊTE

Trouvez les mots du vocabulaire de la fête correspondant à ces définitions.
a. mettre un costume d'une autre époque
b. cacher son visage
c. marcher en groupe pour se montrer
d. Il éclaire le ciel, le soir du 14 juillet.
e. groupe de chanteurs, de musiciens ou de danseurs qui garde les traditions locales
f. célébration d'un évènement historique (comme la fin d'une guerre)

5. COMPRENDRE UN PROGRAMME DE SPECTACLE

Associez le titre du spectacle et le commentaire.

◆ **La légende du roi Arthur**
Comédie musicale, au Palais des Congrès
◆ **Toofan** Le groupe togolais en concert au Zénith
◆ **Notre petite sœur**
Film japonais de Hirokazu Koreeda, aux 3 Luxembourg
◆ **Tartuffe**
Pièce de Molière, à la Comédie Française

Toofan

a. De belles images, de l'émotion et une performance d'actrices.
b. Un style qui combine le rap et la rumba.
c. De magnifiques décors pour cette fresque musicale qui raconte une des plus célèbres histoires d'amour.
d. Du très bon théâtre. Une mise en scène qui met en valeur la modernité des personnages.

6. PROPOSER UNE SORTIE À QUELQU'UN

Vous proposez à un(e) ami(e) d'aller voir un des spectacles ci-dessus. Il / Elle hésite, refuse. Vous insistez.
Écrivez le dialogue. Utilisez les expressions :
On pourrait... – Et si... – J'aimerais bien... – Tu ne voudrais pas...

UNITÉ 7

SE DÉFENDRE

1 DÉFENDRE SON BIEN
- Exprimer l'appartenance
- Réclamer son bien
- Réclamer son droit

2 DEMANDER UNE AUTORISATION
- Interdire
- Demander une autorisation
- Donner une autorisation

3 FAIRE RESPECTER SES DROITS
- Juger une action
- Lire un sondage d'opinion
- Justifier une opinion

4 S'ADAPTER À DES RÈGLES OU À DES HABITUDES
- Juger un comportement
- Respecter les usages

PROJET

FAIRE UNE RÉCLAMATION
- Exprimer une insatisfaction
- Demander un dédommagement

Villa Marie-Claire — Madame Dumas n'est pas contente

N° 35

N° 64

1. **Madame Dumas :** Alors, il va falloir ranger ! Il est à qui ce grand parapluie ? C'est pour une famille, ça !
2. **Mélanie :** Tiens... Tu as eu du courrier. C'est une lettre de la mairie.
3. **Madame Dumas :** C'est quoi ce bazar ?

Madame, Monsieur,

Pour faciliter la circulation dans la ville, la municipalité a l'intention d'élargir la rue Pasteur. Une enquête publique va être ouverte.

Les propriétaires des maisons et immeubles situés dans cette rue sont invités à une réunion d'information :

le 10 mars, à 18 h, à la mairie
salle 12, premier étage.

Exprimer l'appartenance

1. Regardez ou écoutez la séquence 35. Associez les extraits de la scène et les photos.

2. Choisissez les bonnes suites.

a. Madame Dumas rentre...
1. d'un voyage.
2. des courses.

b. Madame Dumas est...
1. surprise.
2. en colère.
3. contente.

c. Mélanie...
1. rentre d'un voyage.
2. a reçu des amis la veille.

d. Madame Dumas veut...
1. mettre de l'ordre.
2. jeter certains objets.

e. Mélanie donne à madame Dumas...
1. la lettre d'une amie.
2. une lettre administrative.

3. Faites la liste des objets trouvés par madame Dumas et de leurs propriétaires.

Objets trouvés par madame Dumas	Propriétaires
un parapluie	...
...	...

Distinguer [jɛ̃] et [jɛn]

• Répétez.

N° 65

Rencontre

Un ch**ien**... Une ch**ienne**...
Un dalmat**ien**... Une dalmat**ienne**...
C'est le s**ien**... ? C'est la s**ienne**... ? C'est le leur... ?
C'est le m**ien**... C'est la m**ienne**...
Il vaut mieux... Quel bonheur...

4. Complétez ces extraits du dialogue.

Madame Dumas : Alors, il va falloir ranger ! Il est … ce grand parapluie ? C'est pour une famille, ça !
Mélanie : …
Madame Dumas : Il est à Greg ?
Mélanie : Non, … Je crois que…
Madame Dumas : Et … ?
Mélanie : Elle … à une amie de Li Na.
Madame Dumas : Et bien, donne-la à Li Na !
Il y a un portable qui sonne… C'est … ?
Mélanie : Non, …
Madame Dumas : Il y a aussi… Ce sont…

Réclamer son bien

5. Vous avez perdu un objet.

a. Écrivez une petite affiche où vous décrivez l'objet.

Perdu !
Sac de sport en toile, de couleur noire, mesurant environ 45 cm, contenant un T-shirt bleu, des baskets et un livre de poche.
Merci d'appeler le 06.22.41.36.12

b. Réclamez l'objet au service des objets trouvés. Jouez la scène à deux.

J'ai perdu… Vous n'avez pas trouvé…
C'est un petit… Il est de couleur…

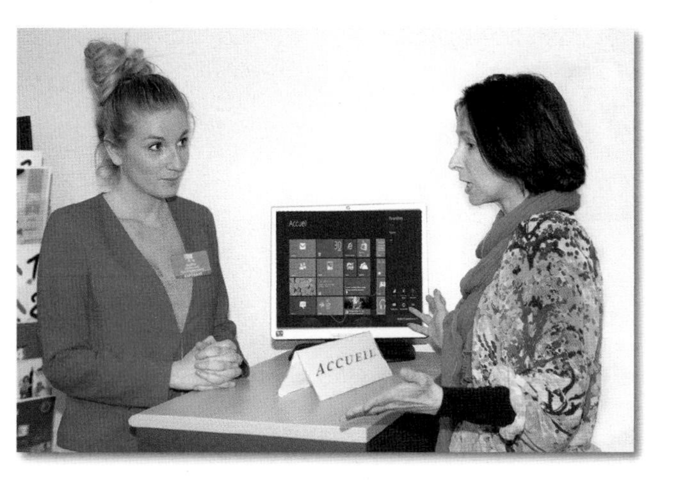

Réfléchissons… Les pronoms possessifs et l'expression de l'appartenance

• Transformez comme dans l'exemple.

Ce n'est pas mon parapluie. → *Ce n'est pas **le mien**.*
C'est son parapluie. → C'est…
C'est ton portable ? → C'est…
Ce sont ses clés. → Ce sont…

• Complétez le tableau des pronoms possessifs avec des exemples.

Masculin singulier	Féminin singulier	Masculin pluriel	Féminin pluriel
mon sac → **le mien**	ma voiture → **la mienne**	mes stylos → **les miens**	mes clés → **les miennes**
ton … → …	ta … → …	tes … → …	tes … → …
son … → …	sa … → …	ses … → …	ses … → …
notre … → **le nôtre**	notre … → …	nos … → …	nos … → …
votre … → …	votre … → **la vôtre**	vos … → …	vos … → …
leur … → …	leur … → …	leurs … → **les leurs**	leurs … → …

L'Expression de l'appartenance par un verbe

Ce livre **est à** Jean (à lui / à moi / à toi, etc.).
Ce livre m'**appartient**. Celui-là **appartient** à Jean.
Jean **possède** une collection de timbres.

Pour s'exprimer

Décrire un objet

• **les dimensions :** long (la longueur) – large (la largeur) – haut (la hauteur) – épais (l'épaisseur)
Cette boîte fait (mesure) 20 centimètres de longueur.
• **la forme :** rond – carré – rectangulaire – triangulaire
Ce sac a une forme triangulaire. / Il a la forme d'un triangle. / Il ressemble à un triangle.
• **la matière :** le cuir – le métal – le tissu – etc.
Ce sac est en cuir.
• **la couleur :** Il est gris clair / foncé.
Il est de la couleur de ma jupe.

Réclamer son droit

6. a. Associez les phrases et les situations.

a. Dans la salle d'attente d'un médecin
b. Dans le train
c. Dans l'appartement, après une fête
d. Pendant un jeu

1. – Ce manteau n'est pas à moi. Le mien est plus foncé.
2. – C'est à qui le tour ?
3. – Je crois que c'est ma place. La vôtre est dans la voiture 5.
4. – Maintenant, c'est à ton tour de battre les cartes.

b. Par deux, imaginez un bref dialogue pour certaines de ces situations.

Interdire

1. a. Où peut-on trouver ces panneaux ?
a. dans une forêt
b. dans une rue
c. dans un jardin public
d. dans un parc naturel
e. dans un musée
f. sur une route
g. dans une station service
h. sur une piste cyclable

b. Associez les panneaux et les phrases.
1. Il est interdit de tourner à droite.
2. Les animaux ne sont pas autorisés.
3. Défense de marcher sur les pelouses.
4. Prière de ne pas photographier.
5. Dépassement interdit.
6. Interdit aux véhicules à moteur.
7. Il est défendu de faire du feu.
8. Ne pas utiliser son portable.

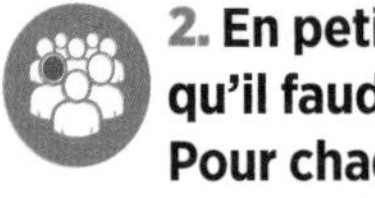

2. En petit groupe, cherchez trois choses qu'il faudrait interdire. Imaginez le panneau. Pour chaque interdiction, écrivez une phrase en utilisant les formes de l'exercice 1b.

Demander une autorisation

3. Lisez la lettre de la page 109. Répondez en donnant des précisions.
a. Qui écrit ?
b. À qui ?
c. Pourquoi ?

4. a. Repérez les parties de la lettre où les auteurs :
1. se présentent.
2. demandent quelque chose.
3. donnent une explication.
4. remercient.
5. saluent.

b. Relevez les formules utilisées dans chaque cas.
Exemple : *Pour se présenter → Nous sommes...*

5. Écrivez une lettre ou un courriel pour la situation suivante.
Vous faites partie d'une association (sportive, musicale, culturelle, etc.). Vous voulez faire votre spectacle ou votre fête de fin d'année dans un lieu particulier (un jardin, une salle, un monument, etc.). Vous demandez l'autorisation au propriétaire du lieu.

Réfléchissons... La forme impersonnelle

• Observez les phrases suivantes.
a. Il pleut sur l'autoroute.
b. Il faut réduire sa vitesse.
c. Il est interdit de dépasser 110 km / h.
d. Il est obligatoire d'allumer ses phares.

• Dans ces phrases, que représente *il* ?
a. une personne
b. une chose
c. une idée
d. *Il* ne représente rien.

Dans les phrases ci-dessus, l'auteur de l'action n'est pas nommé. On dit que ces formes sont impersonnelles.
On distingue :
– des verbes qui sont toujours à la forme impersonnelle,
ex. : *Il y a... – Il pleut... – Il faut...*
– des verbes qui sont quelquefois à la forme impersonnelle,
ex : *Il existe une université à Perpignan.*
– la construction : *il* + *être* + participe passé ou adjectif,
ex. : *Il est interdit de fumer. – Il est bon de réfléchir avant de parler.*

Madame, Monsieur, le responsable de la Maison de Hergé,

Nous sommes trois étudiants du département « Réalisation Cinéma » de l'INSAS (Institut national supérieur des arts du spectacle et des techniques de diffusion) à Bruxelles.

Dans le cadre de nos études, nous devons réaliser un film documentaire et nous avons choisi de le faire sur Hergé.

Nous souhaiterions avoir l'autorisation de filmer sa maison, La Ferrière, à Céroux-Mousty où il a vécu et travaillé à partir de 1953 et où sont nés de nombreux albums des aventures de Tintin.

Une journée de tournage sera nécessaire. Nous aimerions qu'elle ait lieu pendant la semaine du 3 mai.

En espérant une réponse favorable, nous vous prions d'agréer l'expression de nos salutations distinguées.

Flore Dumont
Mounir Bensalem
Guillaume Figuier

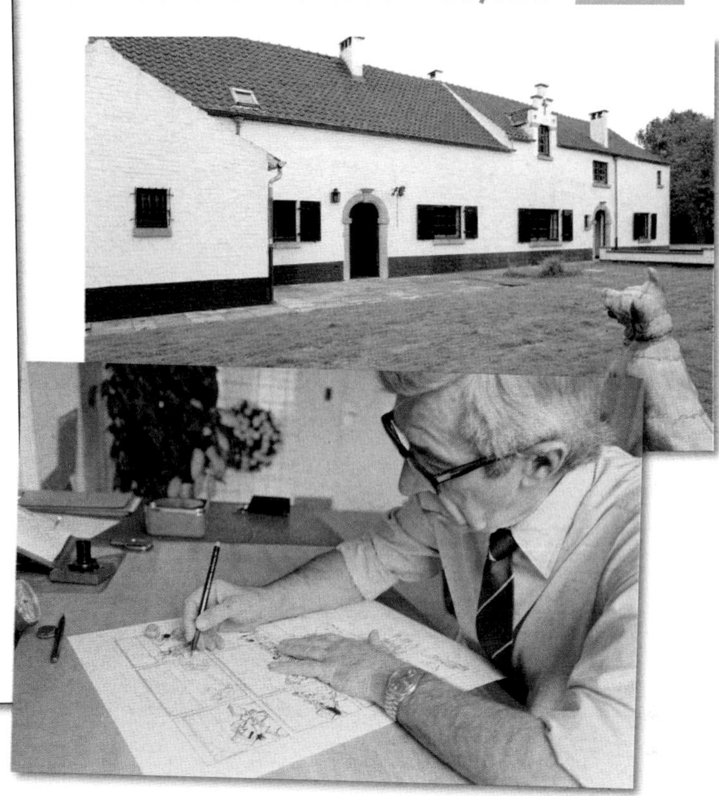

Apprenons à conjuguer...

LES VERBES *INTERDIRE, DÉFENDRE, AUTORISER* CONSTRUITS AVEC UN PRONOM

• Complétez la conjugaison.

INTERDIRE (attention : différent de *dire*)	
j'interdis	nous interdisons
tu ...	vous ...
il / elle ...	ils / elles ...

DÉFENDRE	
je ...	nous ...
tu ...	vous défendez
il / elle défend	ils / elles ...

AUTORISER (verbe en *-er*)
j'autorise, tu ...

• Travaillez les constructions en posant des questions à votre partenaire. Utilisez toutes les personnes.

a. Construction avec pronom indirect :

- interdire à quelqu'un de faire quelque chose
- défendre à quelqu'un de faire quelque chose
- permettre à quelqu'un de faire quelque chose

- Tu interdis à Paul de fumer ?
- Je lui interdis de fumer.
- Nous défendons aux étudiants de parler anglais ?
- Nous leur défendons de parler anglais.
- Vous permettez à Marie de boire en classe ?
- Nous lui permettons de boire.

b. Construction avec pronom direct :

autoriser quelqu'un à faire quelque chose

- Vous autorisez Marie à partir plus tôt ?
- Nous l'autorisons à partir plus tôt.

Donner une autorisation

N° 66

6. Écoutez. Ils demandent des autorisations.
a. Associez chaque scène à une photo.

1

2

b. Répondez.

1. Qui demande l'autorisation ?
2. À qui ?
3. Pourquoi ?
4. L'autorisation est-elle donnée ?
5. Y a-t-il une condition ? Laquelle ?

c. Notez les expressions utilisées pour donner l'autorisation.

7. Jouez la scène avec votre partenaire.
Vous visitez une ville de France et vous admirez l'extérieur d'un bel hôtel particulier. Quelqu'un sort de cet hôtel particulier. Vous lui demandez l'autorisation d'entrer...

Unité 7 - Leçon 3 - Faire respecter ses droits

Villa Marie-Claire — La pétition

N° 36

N° 67

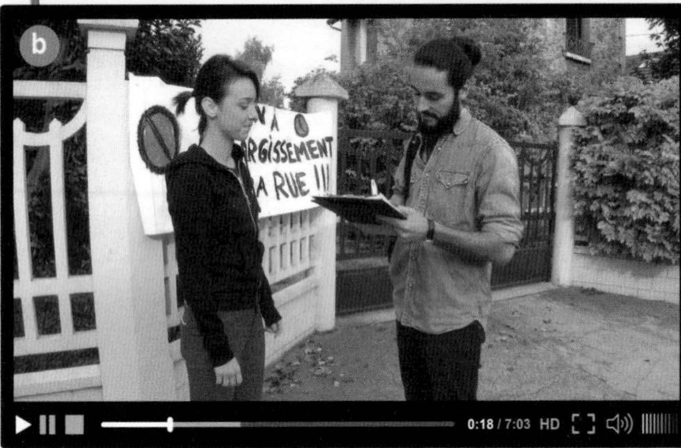

Comité de quartier
de la rue Pasteur

PÉTITION

CONTRE L'ÉLARGISSEMENT DE LA RUE PASTEUR

La municipalité souhaite élargir prochainement la rue Pasteur.
La réalisation de ce projet aura des conséquences négatives sur la vie de notre quartier :
– disparition d'une partie des jardins ;
– augmentation de la circulation automobile ;
– augmentation du bruit et de la pollution ;
– danger pour les piétons et particulièrement, les enfants.

Je m'oppose à la réalisation de ce projet !

NOM	PRÉNOM	SIGNATURE

Juger une action

1. Lisez le document et regardez les photos. Choisissez les bonnes suites.

a. Le document est...
1. une publicité.
2. une lettre adressée à la mairie.

b. Le document a été écrit...
1. par les habitants de la rue Pasteur.
2. par la mairie de Saint-Cloud.

c. Les personnes qui ont écrit le document...
1. sont contre un projet de la mairie.
2. veulent des changements dans leur quartier.

d. La mairie veut...
1. que la rue Pasteur soit plus large.
2. qu'on circule plus facilement.

e. Pour les habitants de la rue Pasteur...
1. le projet a des avantages.
2. le projet a des inconvénients.

2. Réécrivez les conséquences du projet en utilisant *plus* et *moins*.
Si le projet de la mairie se réalise, la rue sera plus...
Les jardins seront... Il y aura plus de...

3. Regardez ou écoutez la séquence 36. Approuvez ou corrigez les phrases suivantes.
a. Mélanie est dans la rue Pasteur.
b. Mélanie demande aux gens de signer la pétition.
c. Elle arrête un homme qui habite dans la rue.
d. Cet homme connaît le projet. Il est contre.
e. Mélanie explique à l'homme les inconvénients du projet.
f. L'homme trouve que le projet n'est pas juste.
g. Il signe la pétition.

Distinguer [ɲ] et [n]

N° 68

• **Répétez.**
C'est si**gné** ? C'est do**nné** ?
Termi**né** ? C'est ga**gné** ?
Alors champa**gne** ! Et pas de pa**nne**...
Je t'accompa**gne**... en deltapla**ne**

Les groupes « consonne + *r* + voyelle »

N° 69

• **Répétez.**
Campagne électorale
De gauche ou de **droi**te... il doit
Prendre le **train**... le matin
Pour **pré**senter... au pays
Son **pro**gramme... politique
Au café... en **cra**vate

4. Par deux, jugez les actions suivantes. Utilisez les mots de l'encadré.

a. Luc et Léa s'aiment. Luc vient d'accepter un poste à l'étranger. Mais Léa ne peut pas partir à cause de son travail.
b. Lucille et Norbert ont deux enfants. Pour Noël, l'un des enfants a eu un cadeau plus beau que l'autre.
c. Margot conduit très vite en ville et passe toujours quand le feu est à l'orange.
d. Le gouvernement veut augmenter le prix des cigarettes et cacher les marques sur les paquets.

Pour s'exprimer

- Il a raison. / Elle a tort.
- C'est juste. / Ce n'est pas juste.
- Elle a le droit de faire cela. / Il n'a pas le droit.
- Je suis pour... / Je suis contre...
- Ça m'est égal.
- Ça dépend de la situation.

Lire un sondage d'opinion

Résultats du sondage « Comment résoudre le problème des voitures dans les villes ? »
Pourcentage des personnes ayant répondu « oui » :

a. Il y a trop de voitures dans les villes ?	**100 %**
b. Il faut construire plus de parkings ?	**86 %**
c. Il faut développer les transports en commun ?	**62 %**
d. Il faut développer les systèmes de vélos et de voitures en libre-service ?	**20 %**
e. Il faut faire la circulation alternée ?	**11 %**
f. Il faut mettre un péage pour les non-résidents ?	**4 %**
g. Il faut totalement interdire les voitures dans les villes ?	**0 %**

5. Lisez le sondage.
a. Faites le travail de l'encadré « Réfléchissons ».
b. La classe répond aux questions du sondage. Levez la main pour dire *oui*.
c. Notez les opinions de la classe en utilisant les mots de quantité.
Exemple : *Aucun n'est pour la circulation alternée.*

Réfléchissons... Les mots indéfinis de quantité

- **Reformulez les résultats du sondage en remplaçant les pourcentages par les mots suivants : *aucun(e)... (ne)... – beaucoup (de)... – certains... – la plupart (des)... – peu (de)... – plusieurs... – quelques-uns... – tous / toutes...***

Exemple : *c.*
→ ***Beaucoup de*** *personnes pensent qu'il faut développer les transports en commun.*
→ ***Beaucoup*** *pensent qu'il faut développer les transports en commun.*

Justifier une opinion

6. Jeu de rôle. Inspirez-vous de la séquence 36.
a. Répartissez-vous les deux projets ci-dessous. Recherchez des arguments contre le projet que vous avez choisi. Vous pouvez aussi écrire une pétition.
b. Dialoguez avec votre partenaire. Vous l'informez du projet et vous le persuadez que votre opinion est juste.

Pour faire face à ses difficultés financières l'université Balzac a dû prendre les décisions suivantes.
L'inscription à la bibliothèque, le prêt des livres et l'accès à internet seront payants.

Le célèbre Café des Arts, situé place Victor-Hugo, va être vendu et démoli pour construire un immeuble.
Rendez-vous des étudiants, des touristes, des personnalités et des habitants du quartier, ce café qui date du XIXe siècle est le plus ancien de la ville.

L'association Robin des bois va porter plainte contre le lâcher de 2 000 ballons

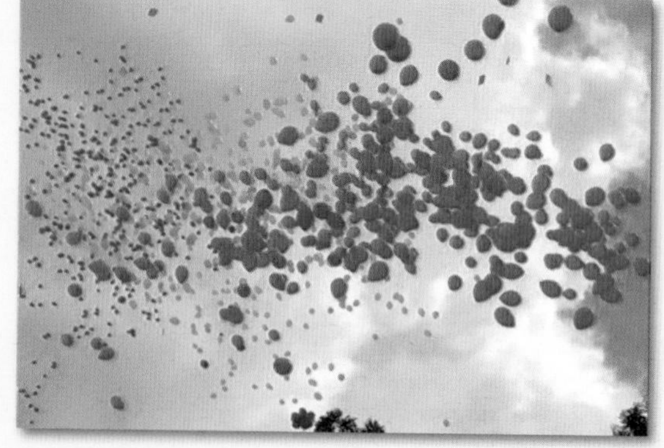

L'association écologiste Robin des bois a annoncé, lundi 4 août, son intention de porter plainte contre la ville de Reims (Marne) pour « abandon de déchets », après un lâcher de 2 000 ballons, dimanche, à l'occasion des commémorations du centenaire de la Grande Guerre. Ces ballons bleus, blancs et rouges transportaient chacun une carte postale en hommage aux soldats morts pour la France. [...]
« *Ces lâchers de ballons, qui sont de plus en plus nombreux et pour n'importe quelle occasion, constituent une nuisance et un danger pour l'environnement et la biodiversité* », explique Jacky Bonnemains, le président de l'association, qui défend « *la protection de l'Homme et de l'environnement* ». « *Des fragments de ces ballons sont retrouvés dans les estomacs des oiseaux, des mammifères marins, des tortues marines et des poissons, et constituent un véritable poison pour eux* », selon l'écologiste. [...]

« Un lâcher de ballons dans le viseur d'une association écologiste à Reims »,
Francetv info avec AFP, 04/08/2014.

Juger un comportement

1. Lisez l'article ci-dessus. Associez les mots nouveaux à leur définition.

a. porter plainte	**1.** libérer, ne plus retenir
b. lâcher	**2.** accuser
c. la Grande Guerre	**3.** acteur d'une guerre
d. un écologiste	**4.** un morceau
e. un centenaire	**5.** personne qui défend la nature
f. un hommage	**6.** la diversité des plantes et des animaux
g. un soldat	**7.** un inconvénient
h. une nuisance	**8.** commémoré tous les cent ans
i. la biodiversité	**9.** 1914-1918
j. un fragment	**10.** expression de respect

2. Recherchez dans l'article des informations sur les trois parties du titre.
a. L'association Robin des bois : que fait-elle ? Qui la préside ? Que défend-elle ?
b. Le lâcher de ballon : quand ? Où ? Pourquoi ? Qui l'a organisé ?
c. Porter plainte : pourquoi ? Contre qui ?

3. Faites deux groupes. Le premier groupe recherche des arguments pour défendre l'association Robin des bois. L'autre pour défendre la mairie de Reims.
a. Pour l'association Robin des bois : *Nous accusons... Les risques sont...*
b. Pour la mairie de Reims : *Nous défendons... C'est important de commémorer...*

4. Chaque groupe présente ses arguments.

Apprenons à conjuguer...

LE SUBJONCTIF DE QUELQUES VERBES COURANTS

Unité 3 leçon 3 p. 55

• Dialoguez avec votre partenaire.
Après un vol
- Il faut que j'aille à la police.
- Oui, il faut que tu ailles à la police.
- Il faut que nous allions à la police ?
- Oui, il faut que vous alliez à la police.
- Il faut qu'elle aille... ?
- Il faut qu'elles aillent... ?

• Continuez avec :
- Il faut que je fasse une déclaration ? - ...
- Il faut que j'aie mes papiers ? - ...
- Il faut que je sois précis ? - ...

HABITUDES

ÇA NE SE FAIT PAS COMME CHEZ NOUS

À notre époque de mondialisation, les comportements ont tendance à se ressembler. Il reste heureusement des différences.

À table, Anglais et Français ont des habitudes différentes. À Londres, on sert le fromage après le dessert sucré. En France, c'est avant. Au Royaume-Uni, les mains doivent être gardées sur les genoux au lieu d'être posées sur la table comme en France.
En entrant chez quelqu'un en Russie, on quitte ses chaussures. On ne serre pas la main sur le pas de la porte car cela porte malheur.

Deux Indiennes se saluent.

Accueil avec des colliers de fleurs à Tahiti.

Quand on reçoit un cadeau en France, on doit obligatoirement l'ouvrir et montrer son plaisir de le recevoir. Ce n'est pas pareil dans d'autres pays. En Chine par exemple, on doit d'abord refuser le cadeau. Puis, on l'accepte en remerciant. Mais, on ne l'ouvre pas pour ne pas risquer de montrer sa déception.
Les sujets de conversation peuvent être différents. En France, on peut parler de tous les sujets mais il ne faut pas poser de questions trop personnelles. On peut parler d'argent mais il ne faut pas demander à son interlocuteur combien il gagne. On peut lui parler de politique mais sans chercher à savoir pour qui il a voté.

Respecter les usages

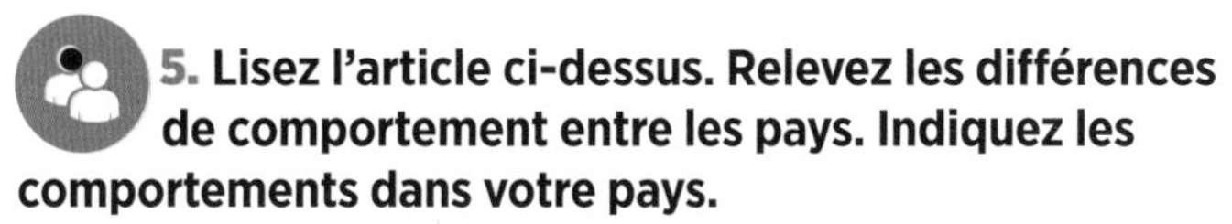

5. Lisez l'article ci-dessus. Relevez les différences de comportement entre les pays. Indiquez les comportements dans votre pays.
Exemple :
Circonstance : *à la fin du repas*
→ *En France : dessert après le fromage*
→ *En Angleterre : ...*
→ *Dans mon pays : ...*

N° 70

6. Écoutez. Ils parlent de leurs voyages et des habitudes qui les ont surpris. Complétez le tableau.

Pays ou région	...
Circonstance	...
Comportement dans le pays étranger	...
Comportement en France	...

7. Lisez l'encadré « Pour s'exprimer ». Dites pourquoi les informations suivantes sont fausses.
a. Les Français mangent comme les Japonais.
b. Tous les Français se ressemblent physiquement.
c. En France, on déjeune généralement entre 12 h et 13 h 30. En Espagne, c'est pareil.
d. Le petit déjeuner français ressemble au petit déjeuner allemand.
e. Les Français et les Anglais ont la même façon de conduire.
f. Les couleurs des drapeaux hollandais et français sont différentes.

8. Trouvez une différence de comportement entre votre pays et des pays étrangers (ou entre les régions de votre pays). Présentez-la à la classe.

Pour s'exprimer

La ressemblance et la différence
• ressembler (à)
Lucille ressemble à Marion Cotillard.
Lucille et Chloé se ressemblent.
• le même / différent
Elles ont les mêmes goûts mais elles portent des vêtements différents.
• pareil
Lucille a changé de portable. Chloé a fait pareil.
• comme
Elle fait des études de lettres comme Chloé.

Dans cette leçon, vous allez apprendre à faire une réclamation écrite et orale.

1 Choisissez votre sujet d'insatisfaction.

1. Vous avez eu des problèmes :
- ❑ pendant un voyage.
- ❑ pour votre logement (hôtel, location, etc.).
- ❑ avec une commande.
- ❑ pendant un stage ou un séjour de loisirs.
- ❑ autre situation : ...

2 Observez une lettre de réclamation.

2. Lisez la lettre ci-contre. Répondez.
a. À qui la lettre est-elle adressée ?
b. Dans quelle situation Mathieu Mercier a-t-il eu des problèmes ?
c. Quels sont ces problèmes ?
d. Que demande-t-il ?

3. Repérez les parties de la lettre.
a. la présentation de la situation
b. la présentation des problèmes
c. la demande de dédommagement
d. la formule de politesse

3 Présentez votre situation.

4. Écrivez une ou deux phrases pour :
a. décrire ce que vous attendiez ;
Exemple : *J'ai commandé le 12 mars un pull gris clair, référence 0256814...*
b. exprimer votre déception.
Exemple : *Le produit que j'ai reçu ne correspond pas à la commande...*

Pour s'exprimer

La déception
- décevoir – Je suis déçu par ce séjour. – Ce séjour m'a déçu. – J'ai eu une grosse déception.
- correspondre – Le stage ne correspondait pas à la publicité.
- Je ne suis pas satisfait de... – Je suis mécontent de...
- J'espérais (J'attendais)... mais...

Mathieu Mercier — Le 24 novembre 2015.

Météores Tourisme

Madame, Monsieur,

Mon épouse et moi avons fait appel à votre agence pour organiser notre voyage de noces du 7 au 22 novembre, à...

Ce séjour qui devait être pour nous un moment de bonheur nous a beaucoup déçus.

Tout d'abord, votre site indiquait que la chambre avait un accès direct à la plage. Celle qu'on nous a attribuée en arrivant à l'hôtel était au premier étage sans vue sur la mer. L'hôtel étant complet, il n'a pas été possible de changer.

Ensuite, le programme prévoyait une plongée sous-marine et une expédition en pirogue. Nous les avons plusieurs fois demandées. Elles n'ont pas eu lieu et aucune explication ne nous a été donnée.

Enfin, certains membres du personnel de l'hôtel ont été peu efficaces et quelquefois désagréables.

Nous vous réclamons donc le remboursement des prestations qui n'ont pas été effectuées.

Je vous prie d'agréer, Madame, Monsieur, l'expression de mes salutations distinguées.

Mathieu Mercier

4 Présentez les causes d'insatisfaction.

5. Décrivez les causes d'insatisfaction.
a. Les lieux et les choses

Pour s'exprimer

Les nuisances : Il y a du bruit. – La vue n'est pas belle.
La propreté : une chambre sale, pas nettoyée, pas propre
Le fonctionnement : Le matériel est en mauvais état. – Le vélo est cassé. – La télé ne marche pas. – La climatisation ne fonctionne pas.

b. les gens

Pour s'exprimer

Défauts et qualités
• **Les gens :** le personnel – les employés – le service – mes interlocuteurs…
• agréable / désagréable – sympathique / antipathique – gentil / agressif – juste / injuste – serviable / pas serviable

c. le programme et les horaires

Pour s'exprimer

Le programme n'a pas été rempli. – Il a manqué…
Nous partions en retard. – jamais à l'heure
Les animations ne duraient que 30 minutes.

5 Demandez un dédommagement.

6. Écrivez une phrase pour demander un dédommagement.
❑ un remboursement (rembourser un billet de train)
❑ un remplacement (remplacer le téléviseur cassé par un autre)
❑ un autre dédommagement

7. Terminez votre lettre par une formule de politesse.

6 Présentez oralement votre réclamation.

N° 71

8. Écoutez. Ils font une réclamation. Complétez le tableau.

	1.	…
À qui on réclame ?	une entreprise de téléphonie	…
À quel propos ?	…	…
Quel est le problème ?	…	…
Quelle est la solution proposée ?	…	…

9. Présentez votre réclamation à votre partenaire.

La gendarmerie est présente sur les routes et dans les campagnes.

Point infos

ÊTRE AIDÉ ET SE DÉFENDRE EN FRANCE

• Si vous avez un problème en France, vous pouvez bien sûr appeler votre **compagnie d'assurance** ou le **consulat** de votre pays.
• Vous pouvez aussi appeler :
- **le 15 :** le service d'aide médicale urgente (SAMU) ;
- **le 18 :** les pompiers, pour un incendie mais aussi pour un accident ;
- **le 17 :** la police ;
- **le 112 :** numéro de téléphone pour les appels d'urgence dans toute l'Europe.
• Si vous êtes victime d'un vol ou d'une agression, il faut porter plainte auprès d'un **commissariat de police** (dans les villes) ou d'une **gendarmerie** (dans les villages).
• Il existe de nombreuses **associations de consommateurs** qui peuvent défendre vos droits. Elles vous conseilleront si vous avez un problème à la suite d'un achat de bien ou de service (commerces de tous types, transports, logement, etc.). Elles sont regroupées au sein de l'Institut national de la consommation (INC).
• Le site internet www.service-public.fr donne des renseignements dans tous les domaines : papiers, logement, argent, etc.

EXPRIMER L'APPARTENANCE

L'appartenance peut s'exprimer :
- **par un adjectif ou un pronom possessif** (dans le tableau ci-dessous les pronoms sont en gras)
- **par la forme *à moi / à toi*, etc.**

La chose possédée est...	masculin singulier	féminin singulier[1]	masculin pluriel	féminin pluriel
... à moi	mon livre → **le mien**	ma voiture → **la mienne**	mes stylos → **les miens**	mes clés → **les miennes**
... à toi	ton frère → **le tien**	ta sœur → **la tienne**	tes cousins → **les tiens**	tes cousines → **les tiennes**
... à lui / à elle	son ami → **le sien**	sa copine → **la sienne**	ses amis → **les siens**	ses copines → **les siennes**
... à nous	notre appartement → **le nôtre**	notre voiture → **la nôtre**	nos amis → **les nôtres**	nos copines → **les nôtres**
... à vous	votre jardin → **le vôtre**	votre maison → **la vôtre**	vos arbres → **les vôtres**	vos fleurs → **les vôtres**
... à eux / à elles	leur appartement → **le leur**	leur voiture → **la leur**	leurs fils → **les leurs**	leurs filles → **les leurs**

1. Quand le nom féminin commence par une voyelle, on utilise l'adjectif masculin, *ex. :* mon amie – son idée.

- **par un complément du nom :** C'est le livre de Patricia.
- **par des verbes :** posséder – appartenir – être propriétaire de ...

Exemples : Pierre possède un appartement. – L'appartement du 3e étage appartient à Pierre. – Pierre est propriétaire d'un appartement.

EXPRIMER UNE QUANTITÉ INDÉFINIE

- **Pour les quantités comptables (différenciables).** De la moins à la plus importante.

	Devant un nom	Pour représenter un nom
aucun (aucune) (de)	Je n'ai vu **aucun** copain à la soirée.	**Aucun n'**est venu. Paul n'a invité **aucun de** mes amis.
peu (de)	Il y avait **peu d'**étrangers.	**Peu** sont venus. Il y en avait **peu**.
quelques / quelques-uns (unes)	Il y avait **quelques** Italiens et **quelques** Italiennes.	**Quelques-unes** sont venues.
certains (certaines)	**Certains** voisins sont partis tôt.	**Certains** sont partis tôt.
plusieurs	**Plusieurs** amies ont dansé.	**Plusieurs** ont dansé.
beaucoup (de)	**Beaucoup d'**invités sont restés jusqu'à minuit.	**Beaucoup** sont restés jusqu'à minuit.
la plupart (de)	**La plupart des** invités ont chanté.	**La plupart** ont chanté.
tous (toutes)	**Tous** les invités étaient contents.	**Tous** étaient contents.

- **Pour les quantités non comptables (non différenciables)**

	Devant un nom	Pour représenter un nom
peu (de)	Nous avons bu **peu de** vin.	Nous en avons bu **peu**.
un peu (de)	Nous avons bu **un peu de** bière.	Nous en avons bu **un peu**.
beaucoup (de)	Nous avons fait **beaucoup de** bruit.	Nous en avons fait **beaucoup**.

INTERDIRE - AUTORISER

• Interdire (de) – défendre (de)
- Je vous interdis de passer ! – Je vous défends de passer ! – Je ne vous autorise pas à passer !
- C'est interdit ! – C'est défendu ! – Ce n'est pas autorisé !
- Prière de ne pas stationner.

• Demander une autorisation
- Je souhaiterais { avoir l'autorisation de visiter ce château. / pouvoir prendre des photos. / avoir la possibilité de filmer. }
- Pourriez-vous m'autoriser à visiter... ?

• Donner une autorisation – autoriser (à) – permettre (de)
- Je vous autorise à visiter le château. – Je vous permets de filmer. – Vous pouvez prendre des photos.
- C'est autorisé. – C'est permis.

JUGER

• Le droit et la faute
- Vous avez le droit d'entrer. – Vous êtes dans votre droit. / Vous n'avez pas le droit d'entrer.
- Vous avez raison. / Vous avez tort.
- Vous avez fait une faute (une erreur).

• Prendre position
- Je vous accuse d'avoir mis le feu à la maison.
- Je suis pour / contre le projet.
- Je n'ai pas d'opinion. – Ça m'est égal.
- Ça dépend de la situation.

• S'excuser
- Je m'excuse. – Je vous prie de m'excuser.
- Vous avez fait exprès de critiquer Jean ? – Je ne l'ai pas fait exprès.

EXPRIMER LA RESSEMBLANCE ET LA DIFFÉRENCE

• La ressemblance : (se) ressembler – être pareil / différent
- Ces deux robes **se ressemblent**. La robe de Jeanne **ressemble à** celle de Malika.
- La robe d'Inès n'est pas **pareille**. Elle a mis une robe **différente**.
- Jeanne a mis une robe rouge. Malika a fait **pareil**.

• L'identité : même – le même (la même, ...) – autre
- Samuel a acheté le **même** pull que Bilal. Ils ont **le même**.
- David a un jean Levis. Guillaume a acheté une **autre** marque.

LA CONJUGAISON DES VERBES

Interdire	Défendre	Permettre	Décevoir
j'interdis tu interdis il / elle interdit nous interdisons vous interdisez ils / elles interdisent	je défends tu défends il / elle défend nous défendons vous défendez ils / elles défendent	je permets tu permets il / elle permet nous permettons vous permettez ils / elles permettent	je déçois tu déçois il / elle déçoit nous décevons vous décevez ils / elles déçoivent
hier, j'ai interdit	hier, j'ai défendu	hier, j'ai permis	hier, j'ai déçu
avant, j'interdisais	avant, je défendais	avant, je permettais	avant, je décevais
demain, j'interdirai	demain, je défendrai	demain, je permettrai	demain, je décevrai
il faut que j'interdise	il faut que je défende	il faut que je permette	il faut que je déçoive

1. EXPRIMER LA POSSESSION

Insistez. Exprimez la possession de manière différente, comme dans l'exemple.

a. Dans le train

1. C'est votre valise ? → *C'est la vôtre ? Elle est à vous ? Elle vous appartient ?*

2. C'est mon sac... → ...

b. Rangement dans la maison

1. À qui sont ces chaussures ? Elles sont à toi, Julie ? → ...

2. Et ce manteau, c'est celui de François ? → ...

c. Fier d'être propriétaire

1. Voici notre maison... → ...

2. Et là, c'est la maison de ma fille et de son mari... → ...

2. RÉCLAMER SON BIEN

Vous venez d'atterrir à l'aéroport Paris-Charles-de-Gaulle. Mais votre valise n'est pas arrivée. Au service « Bagages Réclamations » vous la décrivez.

C'est une valise... Elle mesure...

3. INTERDIRE

Vous faites une randonnée avec des amis dans le parc national des Écrins (Alpes). Vous leur présentez le panneau qui est à l'entrée du parc. Variez les façons d'exprimer l'interdiction.

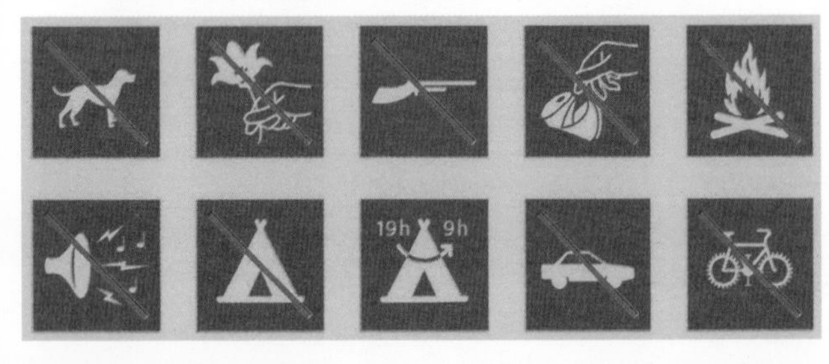

4. JUGER

Trouvez la phrase correspondant à chaque situation.

a. Bilal me montre une pétition pour la construction d'une crèche dans le quartier.

b. L'appartement de Paul a été cambriolé. Beaucoup de choses ont été volées.

c. Guillaume prend le métro sans ticket.

d. Les vêtements que Louis a commandés sur internet sont arrivés très abîmés.

e. Julien a réussi le concours pour entrer dans une grande école de commerce. Il préfère aller faire le tour du monde avec des copains.

1. Il a tort.
2. Il doit réclamer un dédommagement.
3. Il doit porter plainte au commissariat.
4. Je suis pour. Je vais signer.
5. Il n'en a pas le droit.

5. PRÉSENTER DES QUANTITÉS

Présentez le sondage suivant en utilisant les déterminants et les pronoms de quantités indéfinies.

Sondage sur les audiences de télévision

Avez-vous regardé sur France 2 ?

1. le film du lundi	80 %
2. mardi : le débat politique	15 %
3. le documentaire de mercredi	0 %
4. le match de football de jeudi	100 %
5. vendredi : l'émission de téléréalité	5 %
6. l'émission de jeux du samedi	60 %

6. EXPRIMER LA RESSEMBLANCE ET LA DIFFÉRENCE

N° 72 **Écoutez. Caroline va acheter un nouveau sac. Elle le décrit à une amie. Voici le sac qu'elle a actuellement. Notez les ressemblances et les différences avec le nouveau sac.**

DÉCOUVRIR UN PAYS ÉTRANGER

1 PARLER D'UN VOYAGE
- Décrire un itinéraire
- Décrire une action

3 PARLER DES HABITANTS
- Juger des idées reçues
- Comparer des quantités et des actions
- Comparer des modes de vie

2 COMPRENDRE UN GUIDE TOURISTIQUE
- Comprendre des informations sur les lieux
- Comprendre des informations sur le climat

4 DÉCOUVRIR DES TRADITIONS
- Raconter le déroulement d'une tradition
- Évoquer une tradition

PROJET

PRÉSENTER UN PAYS OU UNE RÉGION
- Présenter brièvement des photos de monuments, de lieux touristiques, de paysages
- Raconter une découverte sur les habitudes ou les traditions

Unité 8 - Leçon 1 - Parler d'un voyage

Villa Marie-Claire — Le voyage au Sénégal

N° 37

N° 73

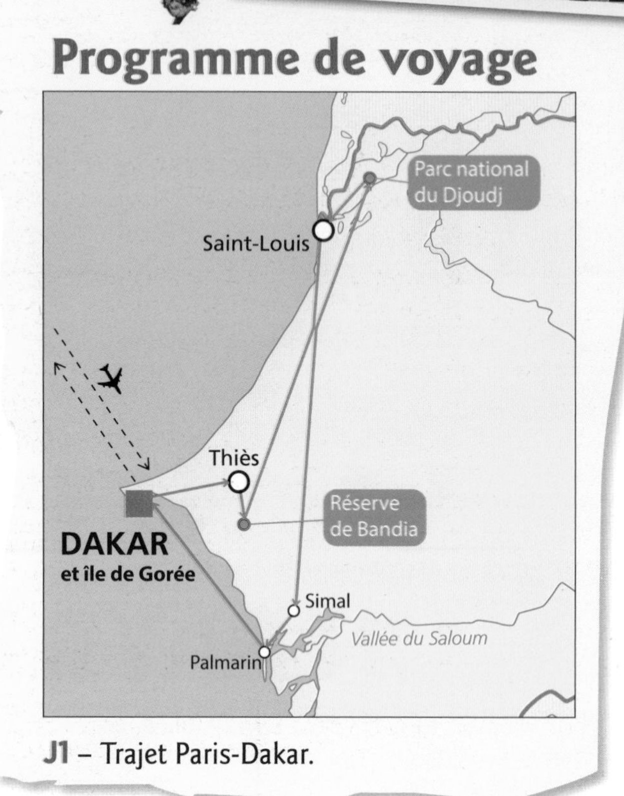

1. **Mélanie :** La rue va être classée en secteur sauvegardé.
2. **Madame Dumas :** Tiens… Je t'ai rapporté un souvenir.
3. **Madame Dumas :** C'était extraordinaire ! Je te montre… Alors, on a atterri à Dakar.

Décrire un itinéraire

1. Regardez les documents ci-dessus ou regardez la vidéo sans le son.
a. Associez les phrases aux photos.
b. Imaginez d'autres phrases de la scène.

2. Regardez la scène avec le son ou écoutez-la jusqu'à « je t'ai rapporté un souvenir ». Trouvez la bonne suite.

a. Madame Dumas…
1. a fait un voyage au Portugal.
2. vient de rentrer d'Afrique.

b. Elle a voyagé…
1. seule.
2. avec une autre personne.
3. avec trois autres personnes.

c. Madame Dumas a fait…
1. un voyage de deux jours.
2. un circuit de plusieurs jours.

d. Madame Dumas et Bertrand ont vu…
1. la capitale du Sénégal.
2. une île.
3. une réserve naturelle.
4. un désert.
5. un grand fleuve.

e. Ils ont…
1. passé un jour à Dakar.
2. nagé dans le fleuve Saloum.
3. mangé chez des Sénégalais.
4. acheté un cadeau pour Mélanie.

f. Ils disent qu'ils ont vu…
1. des buffles.
2. des éléphants.
3. des girafes.
4. des lions.
5. des oiseaux.
6. des singes.

3. Complétez le programme du voyage au Sénégal avec les informations que vous avez apprises.

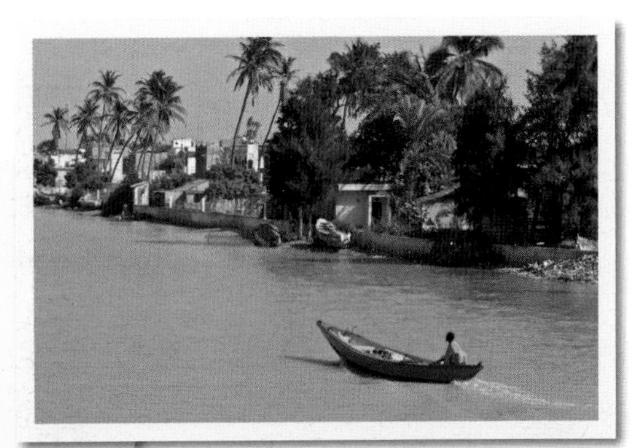

Programme de voyage

J1 – Trajet Paris-Dakar.
J2 – ....
J3 – ....
J4 – ....
J5 – ....
J6 – Visite de Saint-Louis
J7 – Trajet Saint-Louis – Simal sur le fleuve Saloum
J8 – Simal – Palmarin
J9 – Journée à Palmarin
J10 – Retour Dakar – Paris

Prononciation avec la construction « *faire* + infinitif »

• **Répondez selon votre situation personnelle.**
a. – Vous réparez votre voiture vous-même ?
– Oui, je la répare moi-même.
– Non, je la fais réparer.
b. – Vous lavez vos vêtements vous-même ?
– ...

N° 74

4. Complétez avec les verbes de l'encadré.

Randonnée dans le Massif des Écrins (Alpes)
Nous sommes partis du village, le matin, à 7 h.
Nous ... jusqu'au lac vert à 2 800 mètres d'altitude.
Nous ... au lac à 11 h.
Nous ... pour déjeuner et nous ... vers 12 h.
Nous ... de la montagne par le côté nord qui est très beau.
Nous ... plusieurs rivières et nous ... le bord d'une falaise.
Nous ... au village vers 17 h.

Pour s'exprimer

• **Les déplacements**
– partir – s'arrêter – arriver – repartir – revenir – rentrer – monter – redescendre / descendre – remonter
– entrer / sortir – traverser – longer
– décoller / atterrir

• **Le préfixe *re-* peut exprimer :**
– la répétition d'une action : *Il a vu le Sénégal en 2002. Il l'a revu cette année.*
– le retour au point de départ : *Nous sommes montés au sommet de la montagne. Nous sommes redescendus le soir.*

Décrire une action

5. Regardez ou écoutez la fin de la séquence 37. Complétez le récit.

Madame Dumas a rapporté du Sénégal...
Mélanie annonce à madame Dumas et à Bertrand que...
Tout le monde est...

6. Lisez l'encadré « Réfléchissons ». Que faites-vous dans les situations suivantes ? Utilisez la forme « *faire* + verbe à l'infinitif » et le verbe entre parenthèses.

a. Vous préparez un barbecue... *(griller)*
b. Votre chien a soif... *(boire)*
c. Vous recevez une lettre écrite dans une langue que vous ne connaissez pas... *(traduire)*
d. Vous racontez des histoires amusantes à des amis... *(rire)*
e. Vous aidez un ami qui veut apprendre le français... *(lire, répéter, apprendre)*

7. Par deux, choisissez une des situations suivantes. Pour chaque situation, trouvez trois actions en utilisant « *faire* + infinitif ».

- Préparer un plat.
- Aider un ami étranger à apprendre votre langue.
- Faire découvrir votre pays à une amie étrangère.

Réfléchissons... La forme « *faire* + infinitif »

• **Observez les phrases suivantes. Qui fait l'action ?**
Au Sénégal, madame Dumas a fait faire une robe par un tailleur.
Elle a fait peindre son appartement par un peintre.
Ma voiture est en panne. Je la fais réparer par un garagiste.

• **Continuez en utilisant la forme « *faire* + verbe à l'infinitif ».**
Il a reçu une lettre en russe. Il n'est pas capable de la traduire...
Elle a les cheveux trop longs...

• **Observez ces phrases. Redites-les sans utiliser la forme « *faire* + verbe ». Utilisez : *emmener – montrer – présenter.***
Amidou a fait visiter le Sénégal à Marie-Claire et à Bertrand. Il leur a fait voir des animaux. Il leur a fait rencontrer des Sénégalais.

LA CORSE, une montagne dans la mer

Une île mais tout un monde ! Longue de 183 km et large de 83 km, la Corse déroule une extraordinaire variété de paysages. Caps, falaises, golfes et plages rythment les 1 047 km de côtes... En un éclair, on passe des plages dorées à la haute montagne : à 25 km seulement du littoral, un rien sépare le mont Cinto (2 706 m), éternellement enneigé, du ras des flots... Cette haute montagne alpine fait la joie des randonneurs en quête de paysages sauvages. Vignobles, cultures et vergers s'épanouissent en Balagne et sur la vaste plaine d'Aléria, d'une grande monotonie. Il faut encore évoquer les falaises calcaires de Bonifacio, à la pointe sud, et la péninsule du cap Corse, ce « doigt divin » qui indique le nord et résume à lui seul ce double tempérament maritime et montagneux de la Corse.

La Corse selon les saisons

Printemps

C'est la saison idéale pour découvrir la Corse, en particulier en mai et juin. Le doux soleil de printemps (entre 15 °C et 25 °C) invite à d'agréables pique-niques et promenades dans un maquis éclatant de parfums et de couleurs. L'eau est fraîche jusqu'en mai mais les plages sont encore paisibles.

Été

Les étés éclatants de soleil et de luminosité sont brûlants (jusqu'à 36 °C sur les côtes et 26 °C à 1 000 m). Les randonneurs souffriront de la chaleur (gare au risque d'orages en montagne !)... La température de la mer peut atteindre 25 °C et les torrents de montagne sont des havres de fraîcheur. Principal inconvénient en été : le monde !

Automne

Une saison tout aussi délicieuse que l'été, la foule en moins... car la mer est encore chaude pour la baignade. Il faut composer avec quelques jours de pluie mais, jusqu'à 600 m, il fera toujours bon se promener et ramasser des châtaignes.

Hiver

Montagnes et forêts enneigées, la Corse, désertée et solitaire, est sublime dans ses manteaux d'hiver. Châtaignes grillées au coin du feu, joie de la glisse, randonnée en raquette... l'hiver, c'est aussi la saison où on peut goûter aux meilleures spécialités locales comme le *figatellu* grillé ou le *brocciu*.

Extrait de : *Le Carnet corse*, éd. Michelin, 2015.

Comprendre des informations sur les lieux

1. Lisez la première partie de l'extrait du guide touristique. Relevez les mots utilisés pour décrire les paysages. Classez-les.

la mer – la côte : un cap, ...
...
la montagne

2. Que pensez-vous de ces affirmations sur la Corse ?
a. On peut aller en Corse en voiture.
b. C'est un pays monotone.
c. C'est surtout pour les touristes qui aiment la mer.
d. Il n'y a que des paysages sauvages. Il n'y a pas de cultures.
e. C'est une région qu'on visite en une journée.

3. Travaillez par trois. Complétez le nom de ces lieux célèbres dans le monde avec les mots de l'encadré.
Trouvez des lieux de votre pays correspondant à ces noms.
a. la ... d'Amazonie
b. le ... Horn
c. les ... d'Étretat
d. le ... du Mexique
e. le ... Blanc
f. la ... arabique
g. le ... de l'Himalaya
h. le ... de l'Etna
i. le ... Mékong
j. les ... du Niagara
k. la ... caspienne
l. le ... du Nil
m. les ... de l'Ukraine

un cap
les chutes (une cascade)
un delta
une falaise
un fleuve
une forêt
un golfe
un massif
une mer
un mont
une péninsule
une plaine
un volcan

Comprendre des informations sur le climat

4. Lisez la deuxième partie du guide touristique.
Classez les informations dans le tableau selon les saisons.

	Le printemps	...
La température	- douce (entre 15 et 25 °C) - fraîcheur de l'eau	...
La lumière	soleil	...
L'humidité	/	...
Les sensations	parfums et couleurs	...
Les activités	pique-niques et promenades	...

Apprenons à conjuguer...

Les verbes utilisés pour la météo
• **Retrouvez les formes de *pleuvoir – faire beau – neiger – il y a du vent.***

	Pleuvoir	Faire beau	...
Maintenant, ...	il pleut.	...	...
Hier, ...	il a plu.	...	...
Avant, ...	...	il faisait beau.	...
Demain, ...	...	il fera beau.	...
Je voudrais qu'...	...	il fasse beau.	...

N° 75

5. Écoutez. Complétez le tableau de l'aéroport avec le temps qu'il a fait dans chaque ville le 20 décembre.

MONTRÉAL	03:00	TEMPS FROID ET SEC (-10 °C)
RIO DE JANEIRO	06:00	
DAKAR	08:00	
PARIS	09:00	
JOHANNESBURG	10:00	
MOSCOU	11:00	
JAKARTA	15:00	
PEKIN	16:00	
TOKYO	17:00	

6. Lisez le Point infos. Par deux, faites un Point infos sur le climat de votre pays.

Point infos

LE CLIMAT EN FRANCE

Sur la façade atlantique, la Bretagne, la Normandie et la région Nord-Picardie, les hivers sont doux et les étés ne sont pas très chauds. Il pleut environ 130 jours par an.
Le Sud connaît des étés très chauds (jusqu'à 35 °C). Les hivers sont doux et ensoleillés avec de brèves périodes froides et ventées sauf sur la Côte d'Azur. À la fin de l'été, de violents orages peuvent s'abattre sur ces régions.
Les régions montagneuses ont des hivers très froids et neigeux et des étés chauds.
Le reste du pays comme la région parisienne a un climat proche du climat atlantique avec moins de pluies et des saisons plus contrastées.
Comme dans le reste du monde, la tendance est à un léger réchauffement de l'ensemble des saisons.

DIX IDÉES REÇUES SUR LES FRANÇAIS

LA FRANCE QUI EN FAIT PLUS...
Comparés aux autres nationalités, les Français...
1. sont plus petits.
2. mangent plus de pain et de croissants.
3. consomment plus de fromage.
4. payent plus d'impôts.
5. sont souvent en grève.

LA FRANCE QUI EN FAIT MOINS...
Les Français...
6. travaillent moins.
7. se lavent moins.
8. sont moins polis.
9. sont moins fidèles en amour.
10. parlent moins bien les langues étrangères.

- **Vérifiez si ces idées sont vraies ou fausses !**

1. Faux. Avec une moyenne d'1 m 76 pour les hommes, ils sont plus grands que les Allemands (1 m 70) ou les Jordaniens (1 m 65).
2. Vrai. Mais la consommation a beaucoup diminué. 15 % seulement des Français mangent des croissants.
3. Faux. Les Grecs en consomment plus.
4. Vrai (44 % du PIB).
5. Vrai. La contestation est une tradition.
6. Faux. La production française à l'heure est l'une des plus élevées d'Europe.
7. Faux. Les Françaises passent en moyenne 45 minutes par jour dans leur salle de bain.
8. Vrai en partie, surtout à Paris. Mais, ils sont plus impolis entre eux qu'avec les étrangers.
9. Ils le sont sans doute autant que les autres.
10. Vrai. Les lycéens français se classent avant-derniers sur 14 pays européens.

D'après *Ça m'intéresse.*

Juger des idées reçues

1. a. Par trois, lisez et donnez votre avis sur chaque idée reçue. Selon vous, est-elle vraie ou fausse ?
b. Vérifiez vos réponses en lisant les notes.

2. Par trois, faites une liste d'idées reçues sur les gens de votre région ou de votre pays.

Comparer des quantités et des actions

3. Lisez l'encadré « Réfléchissons ». Complétez, d'après les informations du tableau.
a. L'Allemagne a ... habitants ... la France.
b. Le PIB de la France est ... élevé ... celui du Royaume-Uni.
c. Au Royaume-Uni, on travaille ... en France. En Allemagne, on travaille ...
d. Les Anglais ont ... de jours de vacances que les Français. Les Allemands en ont ...
e. La France est le pays où on travaille ... mais c'est le pays où le taux de productivité est ... élevé.

Réfléchissons... Comparer

- **Observez les différences selon ce qu'on compare.**

	Léo	Lucie	Marc
Taille	1,70 m	1,70 m	1,80 m
Nombre d'enfants	2	3	2
Salaire	4 000 €	3 000 €	3 000 €

– Comparaison des qualités
Marc est **plus** grand **que** Lucie.
Lucie est **aussi** grande **que** Léo.
Léo est **moins** grand **que** Marc.
C'est Marc **le plus** grand.
– Comparaison des quantités
Lucie a **plus d'**enfants **que** Léo.
Léo a **autant d'**enfants **que** Marc.
Marc a **moins d'**enfants **que** Lucie.
C'est Lucie qui en a **le plus**.
– Comparaison des actions
Léo gagne **plus que** Lucie.
Lucie gagne **autant que** Marc.
Marc gagne **moins que** Léo.
C'est Léo qui gagne **le plus**.

ÉCONOMIE | Trois pays d'Europe à la loupe

	Population (en millions d'habitants)	**PIB en euros** (par habitant)	**Horaire hebdomadaire** (heures supplémentaires incluses)	**Nombre de jours de vacances**	**Taux de productivité horaire**
Allemagne	81	45 600	41,7	29	106
France	66	32 400	40,7	36	125
Royaume-Uni	64	34 400	42,2	36	109

D'après Eurostat

Villa Marie-Claire — Mélanie, Greg et l'Allemagne

N° 38

N° 76

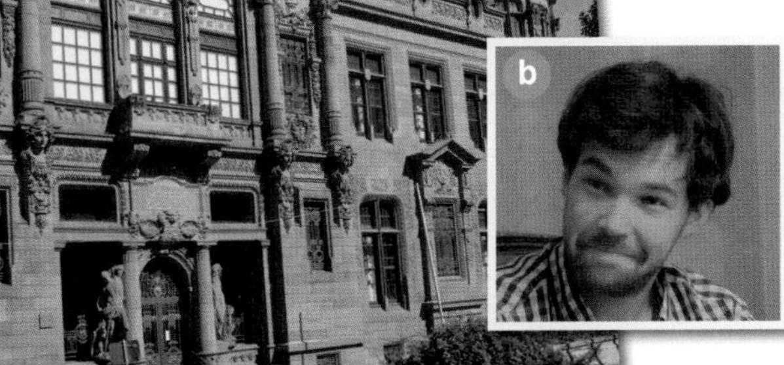

L'université d'Heidelberg

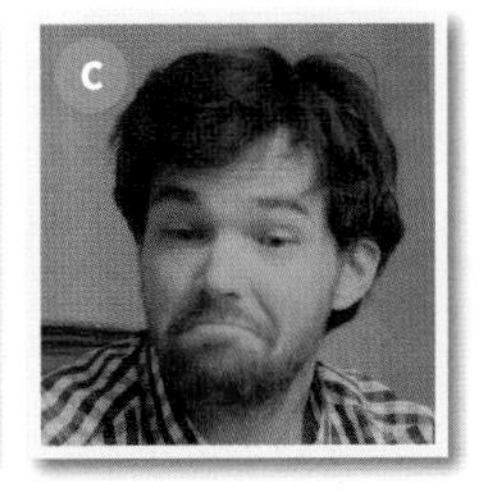

Comparer des modes de vie

4. Regardez ou écoutez la séquence 38. Associez les photos à un moment de la scène.

5. Approuvez ou corrigez les phrases suivantes.
a. Mélanie est heureuse.
b. L'an dernier, elle était à Berlin. Elle va retourner dans cette ville.
c. Mélanie sera aidée pour faire ses études.
d. En Allemagne, elle sera traductrice pour un écrivain allemand.
e. Greg rêve d'aller en Allemagne.
f. Mais, il pense qu'il ne s'habituera pas au mode de vie allemand.
g. Il est intéressé par une bourse d'études.
h. Mélanie a envie que Greg aille en Allemagne.

6. Relevez les jugements que Greg porte sur l'Allemagne et les opinions de Mélanie.
Greg : *En Allemagne, on travaille... – ...*
Mélanie : ...

7. Préparez et jouez la scène.
Votre partenaire va partir travailler ou faire des études dans un pays étranger. Il vous propose de partir avec lui.
Vous hésitez.
Vous avez peur de ne pas vous adapter.
Vous parlez des inconvénients du pays (le climat, la langue, l'administration, les gens, etc.).

Prononcer *plus* et *moins*

a. Distinguez [ply] – [plys] – [plyz]. Répétez. N° 77
Lucas et les autres
Lucas est **plus** grand... Il travaille **plus**...
Il est **plus** aimable...

b. Distinguez [mwɛ̃] – [mwɛ̃z]. Répétez.
Lucas est **moins** fort... Il fait **moins** de sport...
Il est **moins** adroit...

N° 78

La Saint-Nicolas

Chaque année, dans l'est et le nord de la France comme dans beaucoup de pays de l'Europe du Nord et de l'Est, on fête la Saint-Nicolas. Cette tradition remonte au IIIe siècle où un riche religieux de Turquie, Nicolas de Myre, distribuait des cadeaux et de la nourriture aux pauvres de sa ville.

Le grand jour, c'est le 6 décembre. Ce jour-là, un grand défilé a lieu dans les villes. Le personnage de saint Nicolas, assis sur un âne, en fait partie. Il distribue des friandises et des cadeaux aux enfants. Mais, il est accompagné de l'horrible père Fouettard qui menace les enfants qui n'ont pas été sages de les emporter dans son sac.

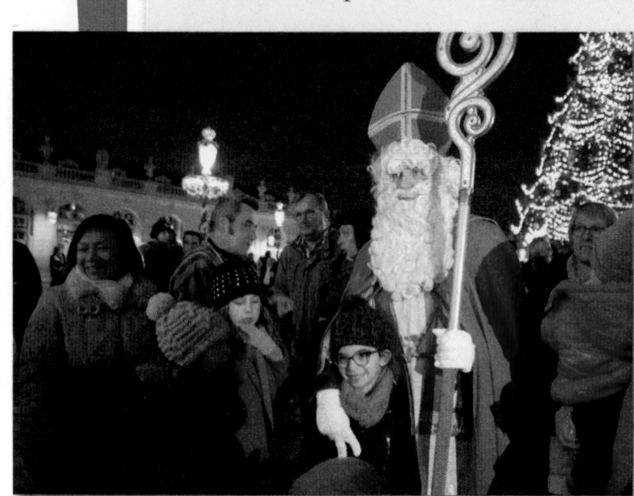

La veille au soir, les enfants ont placé leurs bottes devant la porte pour recevoir des cadeaux, un verre de lait pour saint Nicolas et une carotte pour l'âne. Le matin, ils découvrent avec émerveillement que saint Nicolas est passé.

L'avant-veille, à Nancy, on illumine l'arbre de Noël et on organise un magnifique feu d'artifice.

Le lendemain et les jours suivants, la fête continue avec les marchés de Noël, des concerts et des animations.

Raconter le déroulement d'une tradition

1. Lisez le document. Répondez.

a. En quoi consiste la tradition de la Saint-Nicolas ?
b. Quelle est son origine ?
c. Où est-elle fêtée ?
d. Pour qui est cette fête ?
e. Quelles sont les animations organisées pour cette fête ?

2. Faites le travail de l'encadré « Réfléchissons ». Lisez le programme de la fête des fleurs à Luchon.

Fête des fleurs de Luchon (Pyrénées)
Semaine du 22 août : préparation des chars
jeudi 25 août : élection de la Reine des fleurs
vendredi 26 août : feu d'artifice
samedi 27 août : spectacle des troupes étrangères
dimanche 28 août : grand défilé des chars fleuris
lundi 29 août : départ des troupes invitées
semaine du 29 août : démontage des chars

a. Vous participez à la fête des fleurs. C'est aujourd'hui le 28 août. Racontez le déroulement de la fête.
« Nous sommes le 28 août. Aujourd'hui, c'est la fête des fleurs. Hier, ... »

b. Vous racontez cette fête 5 ans après.
« C'était il y a 5 ans. Ce jour-là, je participais à la fête des fleurs. La veille, ... »

Réfléchissons... Préciser le moment

• Dans le document, notez les mots qui précisent le moment des évènements.

a. le 6 décembre → *ce jour-là*
b. le 5 décembre → ...
c. le 4 décembre → ...
d. le 7 décembre → ...
e. les jours après le 7 décembre → ...

• Complétez le tableau des mots qui précisent le moment.

La précision est en relation avec le moment où on parle (*maintenant – aujourd'hui*).	La précision est en relation avec un autre moment.
– aujourd'hui – maintenant	– ce jour-là – à ce moment-là
hier	...
avant-hier	...
– ... – ...	– la semaine précédente – le mois précédent
demain	...
...	le surlendemain
– ... – ...	– la semaine suivante – le mois suivant

Nouveau message

Envoyer Discussion Joindre Adresses Polices Couleurs Enr. brouillon

Envoyé le : 07/03/2016 16:52
À : karen.l@orange.fr
De : erwan_scott@gmail.com
Objet : Voyage au Québec

Salut Karen,

Mon séjour à Montréal se passe bien. Hier, c'était dimanche et nous avons fait une « partie de sucre ». Nous sommes allés dans une cabane à sucre, à quelques kilomètres de Montréal. C'était une vraie cabane en bois, dans une forêt d'érables. Le paysage de neige était magnifique. Le patron était génial : grande barbe, chemise à carreaux, bon vivant.
D'abord, nous avons goûté une tire d'érable. Le patron a versé du sirop d'érable chaud sur de la neige. Il a formé un bâton glacé. C'était délicieux.

Puis, nous avons mangé des plats traditionnels. Tous étaient préparés avec du sirop d'érable : des œufs dans le sirop, du jambon et de la saucisse au sirop. Quel repas !
Il y avait une très bonne ambiance. Nous avons sympathisé avec des Québécois qui adorent les traditions de leur pays. Il y avait de la musique traditionnelle et nous avons dansé. On a passé une super journée !

Erwan

Évoquer une tradition

3. Lisez le courriel d'Erwan et travaillez par deux. L'un(e) de vous est allé(e) faire la « partie de sucre » avec Erwan. L'autre va l'interroger sur sa sortie.
a. L'un(e) de vous prépare des questions. L'autre se prépare à répondre.
b. Dialoguez à propos de cette sortie.

Une journée d'intégration.

4. Dans le courriel d'Erwan, observez les temps du récit. Notez les verbes dans le tableau.

Actions permanentes (présent)	**Actions principales passées** (passé composé)	**Verbes indiquant les circonstances des actions passées** (imparfait)
Mon séjour se passe bien. – ...	*nous avons fait une « partie de sucre » – ...*	*c'était dimanche – ...*

5. Lisez le Point infos. Faites des comparaisons avec les traditions de votre pays.

6. Présentez à la classe une tradition de votre région ou de votre pays que vous souhaitez conserver.

Point infos

LES TRADITIONS

Beaucoup de traditions ont aujourd'hui disparu à cause de l'unification culturelle du pays au XXe siècle et de la mondialisation. Mais, certaines se maintiennent ou ont été remplacées par d'autres.

• Dans les régions, beaucoup d'**associations folkloriques** entretiennent les traditions locales : les costumes, les fêtes, les langues régionales, les chants et les danses.

• **Pour que l'avenir soit favorable,** on souhaite toujours « Bon appétit » au début d'un repas. On dit « À vos souhaits » quand quelqu'un éternue. On croise les doigts ou on touche du bois pour qu'un projet se réalise. On dit « merde[1] » à quelqu'un qui va passer un examen.

• Ce ne sont plus le service militaire ou des cérémonies religieuses qui marquent les étapes de la vie mais des rites comme **les journées d'intégration** dans certaines facultés ou grandes écoles où les nouveaux étudiants passent des épreuves bizarres et amusantes.

• Les occasions de se retrouver en famille ou entre amis sont moins nombreuses. On a donc inventé la « **cousinade** » (grande réunion de tous les membres d'une famille), **les fêtes de quartier ou d'immeuble** (Immeubles en fête, Apérovoisin). Début janvier, on continue à partager **la galette des rois** (voir p. 129).

1. mot vulgaire. Pour ne pas avoir à le prononcer on peut dire : « Je ne te dis rien... » ou simplement « M... ».

Présenter un pays ou une région

Vous allez préparer la présentation d'une région ou d'un pays à l'intention de personnes qui ne le connaissent pas. Cette présentation peut aussi être un récit de voyage. Elle sera illustrée par des photos (diaporama ou panneau de photos) que vous commenterez oralement.

Le Val de Loire

1 Présentez la carte de votre pays ou de votre région.

1. Complétez cette présentation du Val de Loire avec les prépositions de l'encadré.

a. Le Val de Loire est une région située ... sud-ouest de Paris, ... 150 km de la capitale. C'est une région de rivières et de collines qui borde la partie centrale de la Loire.

b. Nous sommes partis ... Orléans. Nous sommes allés ... Angers en six jours.

c. Nous avons longé la Loire ... Angers. Nous nous sommes arrêtés ... Blois et ... Tours pour visiter les célèbres châteaux de la Loire. Nous avons traversé la forêt de Chinon. À Chinon, nous sommes montés ... les tours du château d'où on a une vue magnifique. Nous sommes revenus à Orléans ... la rive gauche de la Loire.

2. Préparez la présentation de la région ou du pays que vous avez choisi.

2 Commentez des photos de monuments ou de constructions célèbres.

3. Lisez l'extrait du guide touristique sur le théâtre antique d'Orange. Trouvez les informations suivantes :

a. époque de construction

b. fonctions à l'époque de la construction (À quoi servait-il ?)

c. dimensions

d. particularités

e. fonctions actuelles (À quoi sert-il ?)

Pour s'exprimer

Pour introduire le lieu où on va : à... – au... – à la... – aux... – jusqu'à...

Pour introduire le lieu d'où on vient : de... – du... – de la... – des...

Autres prépositions : par... – sur... – dans...

Le théâtre antique d'Orange

Édifié sous le règne d'Auguste, le théâtre antique d'Orange est l'un des théâtres romains les mieux préservés dans le monde occidental et classé au patrimoine mondial de l'UNESCO.

Il doit sa réputation à l'exceptionnelle conservation de son mur de scène. Sa façade nord (37 m de haut sur 107 m de long) devient, à partir du XIXe siècle, le cadre de grands spectacles lyriques. Conçu pour accueillir le public gallo-romain, c'est par ce lieu que se diffusait la culture et la langue romaine. 8 000 spectateurs pouvaient assister à des tragédies, à des comédies mais aussi à des spectacles de danse, d'acrobatie et de jonglerie. Ce n'est qu'au XIXe siècle que le théâtre retrouvera sa vocation de lieu de spectacle.

Il accueille aujourd'hui Les Chorégies, un festival d'art lyrique de réputation mondiale et des spectacles romains.

D'après www.provenceguide.com

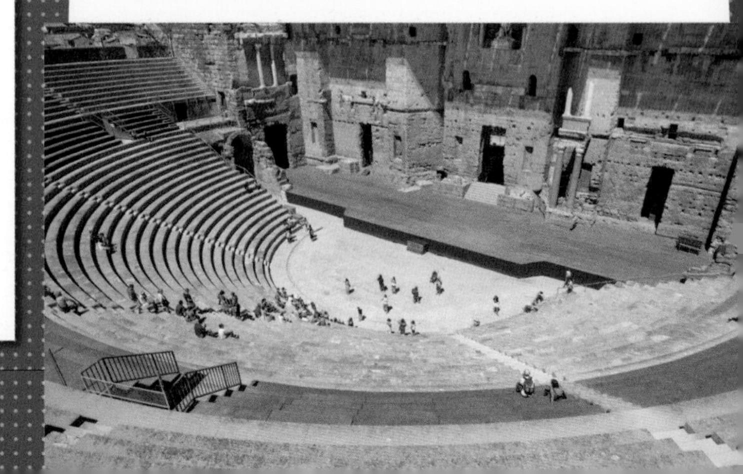

4. Préparez la présentation des photos de monuments ou de constructions célèbres.
Ce monument est... Il date de...
À l'époque, il servait à... Aujourd'hui, c'est...
Il présente une particularité...
Il est remarquable par ses dimensions..., son état de conservation..., la beauté de...

3 Parlez des paysages et du climat.

5. Lisez la présentation des photos de l'île aux Moines. Répondez aux questions d'un touriste.
a. On m'a dit que je devais aller voir l'île aux Moines, c'est où ?
b. Cette île est grande ?
c. Qu'est-ce qu'il y a à voir ?
d. Pourquoi on l'appelle l'île aux Moines ?
e. Quelle est la meilleure saison pour y aller ?

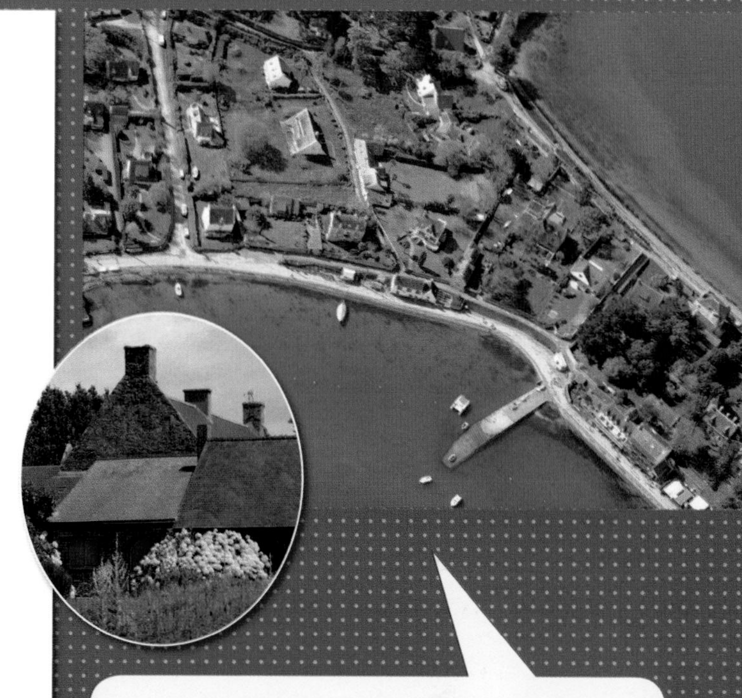

« Voici l'île aux Moines dans le golfe du Morbihan sur la côte de la Bretagne, au nord-ouest de la ville de Nantes. C'est une petite île qui fait 7 km de long et 3 km de large. On l'appelle « île aux Moines » parce qu'au Moyen Âge, des moines s'y sont installés. C'est une île très pittoresque qui a inspiré des peintres et des écrivains. On peut y faire des promenades à pied ou à vélo sur ses collines couvertes d'arbres et de bruyère ou le long de ses belles plages. Ce qui est très joli aussi, ce sont les petites maisons de pêcheurs avec leurs murs blancs et leurs portes bleues, les maisons en pierres et les jolis jardins fleuris.
Ces paysages sont magnifiques sous le soleil mais ils ont aussi leur charme quand le ciel est couvert et qu'il tombe une petite pluie fine. Ici, on est en Bretagne. Il ne fait jamais froid mais il pleut souvent. »

6. Préparez la présentation de vos photos de paysages.

4 Racontez vos découvertes sur les habitudes et les traditions.

N° 79

7. Regardez la photo et écoutez le commentaire de Leïla, une Marocaine qui découvre une tradition française. Complétez l'histoire.
a. Elle a été invitée par...
b. C'était au mois de...
c. À la fin du repas, Pierre a apporté...
d. Il a coupé...
e. Un enfant s'est mis...
f. Pierre a servi... et il a dit...
g. Chacun a mangé...
h. À un moment, une des invités a crié...
i. Alors, Pierre a mis...
j. Tout le monde a dit...
k. Alors, la cousine...

8. Choisissez une habitude ou une tradition. Recherchez les photos et documents. Préparez la présentation.

5 Présentez votre travail à la classe.

UTILISER LA FORME « *FAIRE* + VERBE À L'INFINITIF »

• **La forme « *faire* + verbe à l'infinitif » est utilisée quand une autre personne fait l'action à la place du sujet.**
Ex. : Camille peint les murs de son salon elle-même. (→ *c'est Camille qui fait l'action*) / Camille fait peindre les murs de son salon par un peintre professionnel. (→ *c'est le peintre qui fait l'action*)
Je fais réparer ma voiture. (→ *par un garagiste*)

• **Quand l'action porte sur le sujet, on utilise « *se faire* + verbe à l'infinitif ».**
Ex. : Louis s'est fait couper les cheveux (→ *par un coiffeur*).
Dans tous ces cas, le sujet est passif.

• **La forme « *faire* + verbe à l'infinitif » est aussi utilisée quand l'action est faite par le complément du verbe par l'intermédiaire du sujet.**
Ex. : Le docteur Duplan fait faire un régime à Antoine. (→ *Antoine fait le régime ordonné par le docteur Duplan*)
Agnès m'a fait rire avec une histoire drôle. (→ *j'ai ri grâce à Agnès*)

COMPARER

› **Enquête sur les loisirs**

NOMBRE DE PAYS ÉTRANGERS VISITÉS DANS SA VIE PAR UN ADULTE DE PLUS DE 18 ANS

Royaume-Uni : 10
Allemagne : 8
France : 5
Espagne : 5
États-Unis : 3

• **Comparaison des qualités (adjectifs et adverbes)**
Les Anglais sont **plus** voyageurs **que** les Allemands. Ils voyagent **plus** fréquemment.
Les Français sont **aussi** voyageurs **que** les Espagnols. Ils voyagent **aussi** peu.
Les Américains sont **moins** voyageurs **que** les Français. Ils voyagent **moins** souvent.
Les Anglais sont **les plus** voyageurs. Les Américains sont **les moins** voyageurs.

• **Comparaison des quantités**
Les Anglais font **plus de** voyages à l'étranger **que** les Français.
Les Français font **autant de** voyages **que** les Espagnols.
Les Français font **moins de** voyages **que** les Allemands.
Ce sont les Anglais qui font **le plus de** voyages. Ce sont les Américains qui en font **le moins**.

• **Comparaison de l'importance des actions**
Les Allemands voyagent **plus que** les Français.
Les Espagnols voyagent **autant que** les Français.
Les Américains voyagent **moins que** les autres.
Ce sont les Anglais qui voyagent **le plus**. Ce sont les Américains qui voyagent **le moins**.

PRÉCISER LA DATE OU LE MOMENT

• **Indiquer une date en général**
Nous avons visité le Pérou **en** 2015, **au** mois de mai.
Nous sommes partis **le** 3 mai. Nous sommes restés **jusqu'à** la fin mai.
Nous sommes rentrés **vers** la fin mai.

• Indiquer une date par rapport à un moment précis

Mois de mai	Par rapport au moment où on parle	Par rapport à un autre moment
Avant le 11 mai	la semaine dernière le mois dernier – l'année dernière il y a 5 ans	la semaine précédente – la semaine avant le mois précédent (avant) – l'année précédente (avant) 5 ans avant
11	avant-hier	l'avant-veille
12	hier	la veille
13	**aujourd'hui**	**le 13 mai – ce jour-là**
14	demain	le lendemain
15	après-demain	le surlendemain
Après le 15 mai	la semaine prochaine le mois prochain – l'année prochaine dans 5 ans	la semaine suivante – la semaine après le mois suivant (après) – l'année suivante (après) 5 ans après

DÉCRIRE DES DÉPLACEMENTS

• aller d'un lieu vers un autre lieu
– aller à Paris – partir à (pour) Paris – s'arrêter à Lyon – rester deux jours à Lyon – repartir à (pour) Paris – arriver à Paris
– venir de Paris (D'où venez-vous ? – Je viens de Paris.)
– venir à Marseille, chez Louis (Quand est-ce que tu viens à Marseille ?)

• autres déplacements
monter à Val d'Isère, sur la montagne/ descendre de Val d'Isère, de la montagne – entrer dans la forêt / sortir de la forêt – traverser la rivière – longer une falaise

• revenir au point de départ
revenir à Marseille – rentrer chez soi – retourner à Paris – redescendre de la montagne (après être monté) – remonter de la vallée (après être descendu)

DÉCRIRE UN PAYSAGE

• le relief
une plaine – une colline – une montagne (un pic, un mont, un sommet) – un massif montagneux – la haute montagne

• la mer
la plage – la côte – un cap – une péninsule – une île – un golfe – une falaise

• les cours d'eau
un fleuve – une rivière – un torrent – une cascade – une chute – une source

PARLER DU CLIMAT

• la température
il fait chaud – il fait bon – il fait doux – il fait froid – il gèle (geler)

• les éléments climatiques
le soleil (il fait soleil) – la pluie (il pleut) – la neige (il neige) – le vent (il fait du vent) – un orage (il fait un orage) – les nuages (le ciel est couvert, nuageux)
la lune – un clair de lune

1. DÉCRIRE UN ITINÉRAIRE

Vous avez fait une randonnée. Décrivez votre itinéraire d'après le plan ci-contre.
Je suis parti(e) de...

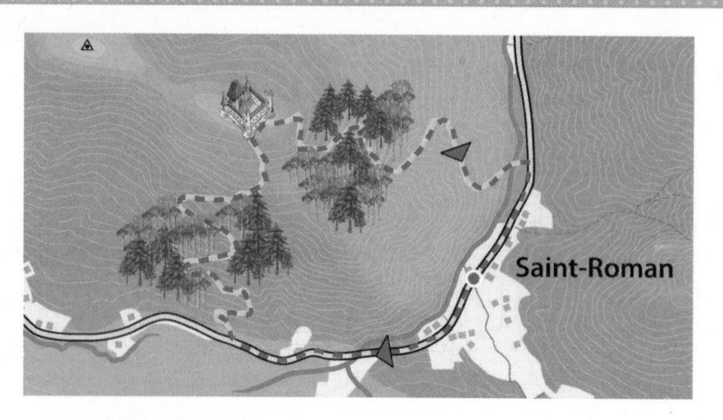

2. PRÉCISER LE MOMENT

Il y a cinq ans, vous avez visité le nord de la France. Voici le courriel que vous avez envoyé à des amis. Vous racontez ce voyage aujourd'hui.
« Je me souviens du 15 juillet. Ce jour-là, nous avons visité le parc du Marquenterre... »

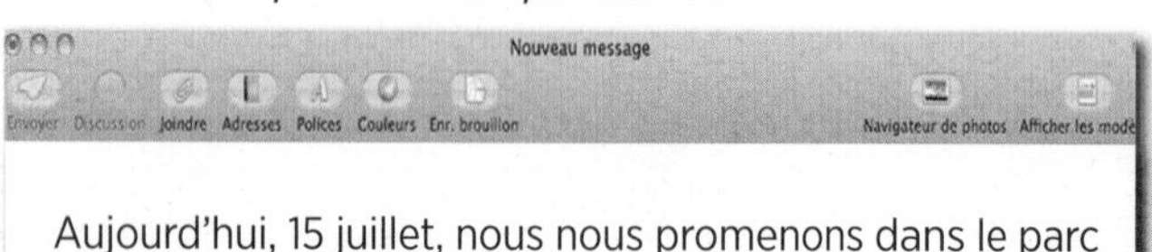

Aujourd'hui, 15 juillet, nous nous promenons dans le parc du Marquenterre.
Hier, nous avons visité Arras.
Avant-hier, nous avons déjeuné chez nos cousins à Douai.
La semaine dernière, nous étions en Belgique.
Demain, nous irons à Amiens. Nous y resterons après-demain.
La semaine prochaine, nous visiterons la Champagne.

3. COMPRENDRE LA MÉTÉO

Lisez ces extraits d'un bulletin météo et répondez.

	Prévisions pour aujourd'hui	Prévisions pour demain
1. Station de sports d'hiver Chamrousse	abondantes chutes de neige	beau temps, ensoleillé
2. Marseille et sa région	temps doux et soleil	pluie
3. Région Nord-Pas-de-Calais	temps brumeux	beau temps le matin, pluie dans la soirée
4. Façade atlantique	avis de tempête, vent violent	mer calme
5. Île de la Martinique	violents orages par endroits	chaud et ensoleillé

a. Des Grenoblois : « Est-ce qu'on monte faire du ski à Chamrousse aujourd'hui ? »
b. Des Marseillais : « La randonnée dans les calanques, on la fait aujourd'hui ou demain ? »
c. Des Parisiens : « Regarde la météo. Quel jour tu préfères pour aller à Lille en voiture ? »
d. Des Bordelais : « On fait quand la sortie en bateau ? »
e. Des Martiniquais : « Vous ne croyez pas qu'il faudrait reporter notre pique-nique sur la plage ? »

4. COMPARER

Lisez ci-dessous les statistiques d'un club de vacances. Comparez les activités préférées des membres du club en 2015 et en 2016.
Exemple : *a. Les membres de 2015 étaient plus sportifs que ceux de 2016.*

a. être sportif
b. être intéressé par les activités culturelles
c. animations le soir
d. rencontrer les habitants
e. faire des achats
f. se reposer au club

Comparaison des activités du club Pacifico		
Activités	**2015**	**2016**
Activités sportives	60 %	40 %
Visites culturelles	20 %	30 %
Animations le soir	30 %	30 %
Rencontres avec les habitants	15 %	10 %
Demi- journées achats	5 %	5 %
Journées repos au club	20 %	30 %

5. UTILISER LA FORME « *FAIRE* + VERBE À L'INFINITIF »

Vous gagnez 10 millions d'euros à l'Euromillions. Que faites-vous ? Que continuez-vous à faire vous-même ? Que faites-vous faire ?

a. le ménage
b. une maison neuve
c. des vêtements par un grand couturier
d. conduire votre voiture
e. la cuisine

6. COMPRENDRE LA DESCRIPTION D'UNE TRADITION

Écoutez et répondez.

N° 80 **a.** Où se déroule la tradition des Pailhasses ?
b. À quel moment de l'année ?
c. En quoi consiste cette tradition ?
d. Tout le monde peut y assister ?
e. Quelle est l'origine de cette fête ?

UNITÉ 9

VIVRE ENSEMBLE

1 RENDRE SERVICE
- Nommer les tâches domestiques
- Échanger des services

2 RENCONTRER DE NOUVELLES PERSONNES
- Décrire une personne
- Décrire un caractère et un comportement
- Décrire une personne qu'on admire

3 S'ENTENDRE
- Exprimer son désaccord
- Exprimer un besoin ou un manque
- Négocier

4 CONNAÎTRE LA SOCIÉTÉ
- Comprendre les différences

PROJET

DONNER DE SES NOUVELLES
- Décrire un nouvel environnement
- Parler de ses nouveaux amis
- Parler de ses problèmes au travail ou dans ses études
- Exprimer des sentiments

Les Français et les Françaises face aux tâches domestiques

➡ Le temps passé au travail et aux tâches domestiques est à peu près égal entre les femmes et les hommes mais la répartition entre les deux types d'activités reste inégale.

➡ Depuis 25 ans, le temps consacré par les femmes aux tâches domestiques a diminué d'une heure par jour. Le temps qu'y consacrent les hommes a augmenté de 6 minutes.

➡ Si les tâches domestiques occupent moins les femmes c'est à cause de l'évolution de ces tâches (appareils ménagers plus performants, plats préparés, etc.).

Don Jon, film de Joseph Gordon-Levitt (2013).

Alexandra Lamy et Jean Dujardin dans *Un gars, une fille*

➡ Plus il y a d'enfants dans le ménage, plus le partage des tâches est inégal.

Répartition des tâches en minutes par jour

Type de tâches	Hommes	Femmes
Cuisine	24	70
Ménage	15	51
Linge	4	23
Courses	17	27
Soins aux enfants	16	46
Jeux et instruction des enfants	10	15
Bricolage et jardinage	57	17
Divers (papiers administratifs, entretien, etc.)	13	11

D'après « Regards sur la parité », Enquête de l'INSEE, 2012.

Nommer les tâches domestiques

1. Lisez le document. Approuvez ou corrigez les phrases suivantes.

a. Aujourd'hui, les hommes aident beaucoup plus les femmes dans les tâches domestiques qu'il y a 25 ans.
b. Les Françaises sont moins occupées qu'avant par les tâches domestiques.
c. Les hommes aident moins les femmes pour la cuisine que pour faire le ménage.
d. Ce sont surtout les hommes qui s'occupent du jardinage et du bricolage.
e. Les hommes s'occupent plus des enfants quand ceux-ci vont à l'école.

2. a. En petit groupe, classez les activités suivantes d'après les types de tâches du tableau.

Exemple : *1. → Jeux et instruction des enfants*

1. aider les enfants à faire leurs devoirs
2. mettre la table
3. faire le lit
4. faire la vaisselle
5. aller au supermarché
6. changer une ampoule
7. faire la cuisine
8. faire la lessive
9. sortir le chien
10. repasser le linge
11. passer l'aspirateur
12. faire la toilette du bébé

b. Trouvez d'autres tâches domestiques.

3. Dialoguez avec votre partenaire.

a. Quelles tâches tu aimes faire ? Quelles tâches tu détestes faire ?

b. Quelles tâches tu fais... tous les jours ? ... souvent ? ... rarement ?
Quelles tâches tu ne fais jamais ?

Échanger des services

4. Regardez ou écoutez la séquence 39.

a. Associez les extraits et les photos.

b. Complétez le récit de la scène.

1. Li Na est en train de préparer...
2. Elle ne réussit pas à...
3. Elle demande à Ludo...
4. Ludo accepte de l'aider si...
5. Li Na est d'accord à condition que Ludo...
6. Ludo annonce à Li Na...
7. Li Na demande...

5. Quel est le projet de Ludo ?

« Ludo va monter... »

Réfléchissons... Poser des conditions

• Observez les trois façons d'exprimer une condition. Notez les constructions et le temps des verbes.

Li Na : Ludo... tu peux m'aider ?
Ludo : À condition que tu sois gentille avec moi.
Li Na : Je te promets d'être gentille... si tu n'es plus jaloux.
[...]
Tu crois qu'il peut marcher ton projet ?
Ludo : Oui, à condition d'avoir une bonne équipe.

• Complétez en posant des conditions. Utilisez les trois formes.

Léa : Vous pouvez m'aider à déménager ?
Léo : D'accord, ...
Luc : Oui, ...
Léon : Je veux bien...

6. Jeu de rôle.

a. Lisez les annonces du site ESAP. Pour chaque annonce, relevez :
- ce que souhaite l'annonceur ;
- ce qu'il propose.

b. Chacun écrit une annonce pour le site.

c. Vous êtes intéressé(e) par l'annonce d'un(e) étudiant(e). Vous lui téléphonez. Au cours de la conversation :
- vous posez vos conditions (horaires, etc.) ;
- vous acceptez ou refusez les conditions de votre partenaire ;
- vous exprimez votre accord ou des regrets ;
- vous faites une promesse.

Villa Marie-Claire — Le projet de Ludo

N° 39

N° 81

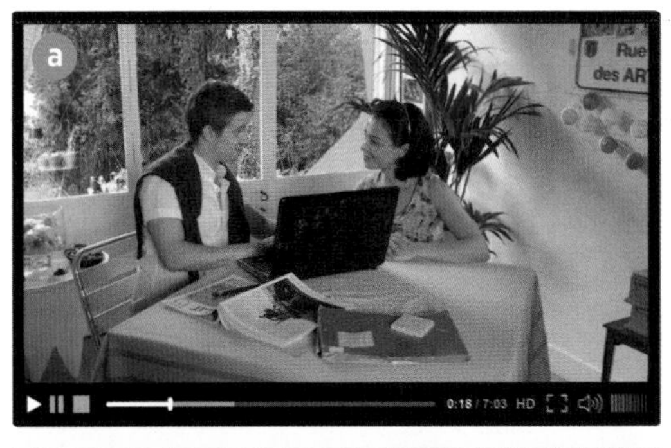

1. Li Na : Tu crois qu'il peut marcher ton projet ?
Ludo : Oui, à condition d'avoir une bonne équipe.

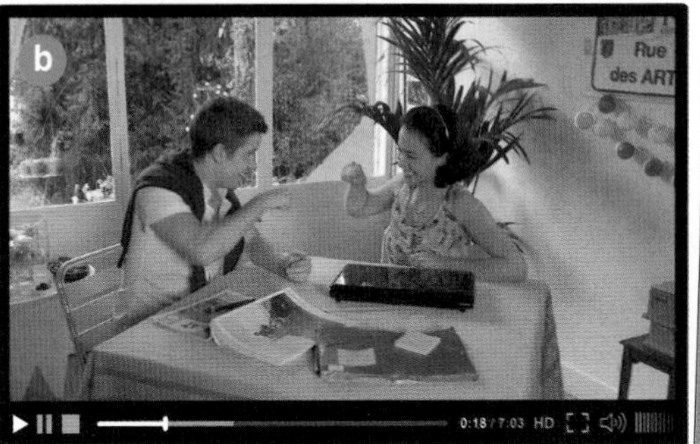

2. Ludo : Voilà ! Tu as compris ?

Le [j] dans les formes verbales au subjonctif

• Confirmez en utilisant la forme « *à condition que* + verbe au subjonctif ».

N° 82

Invitations

a. – Juliette vient au concert si nous y allons ?
– Oui, à condition que nous y a**lli**ons.

b. – On y va tous si nous avons des billets ?
– Oui, ...

Pour s'exprimer

• Promettre – Je vous promets (que)... – Je vous assure que...
• Regretter – Je regrette (que)... – C'est dommage – C'est regrettable – Malheureusement...

www.esap.fr

Je suis une étudiante mexicaine. Je cherche une personne pour me donner des cours de français. En échange, je peux donner des cours d'anglais ou d'espagnol, m'occuper des enfants ou des personnes âgées. *Daniela*

Je souhaiterais une formation en informatique (traitement des photos, Powerpoint, etc.). Je peux faire de l'entretien ou des petits travaux dans la maison. *Éric*

Décrire une personne

1. Lisez les messages ci-dessous.
a. Associez les textes et les photos.
b. Relevez le vocabulaire utilisé pour décrire :

1. la taille **3.** le poids
2. les yeux **4.** les cheveux

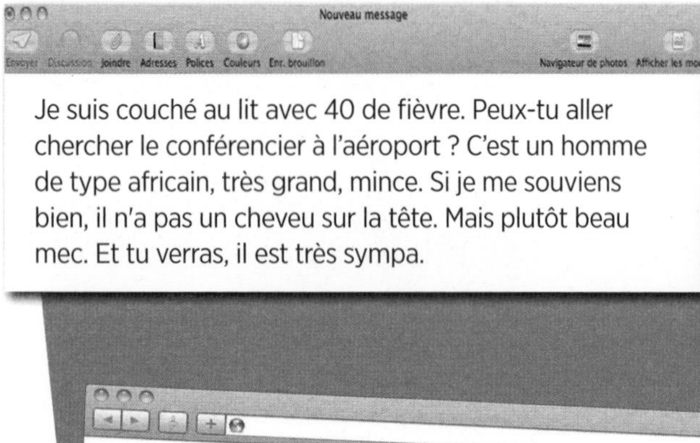
Je suis couché au lit avec 40 de fièvre. Peux-tu aller chercher le conférencier à l'aéroport ? C'est un homme de type africain, très grand, mince. Si je me souviens bien, il n'a pas un cheveu sur la tête. Mais plutôt beau mec. Et tu verras, il est très sympa.

Salut Anne-Sophie ! J'ai un dossier sur ton sujet. Je peux te l'apporter à la cafèt' demain à midi. Tu me reconnaîtras facilement. J'ai une grande barbe, les cheveux courts. Je suis plutôt rond, les épaules larges.

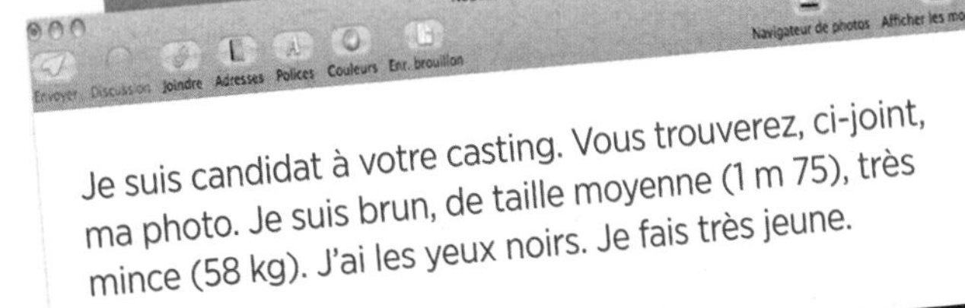
Je suis candidat à votre casting. Vous trouverez, ci-joint, ma photo. Je suis brun, de taille moyenne (1 m 75), très mince (58 kg). J'ai les yeux noirs. Je fais très jeune.

2. Associez les mots des deux colonnes.

a. Léa est très grande.
b. Elle est assez ronde.
c. Elle est bronzée.
d. Elle a les cheveux frisés.
e. Laure est de taille moyenne.
f. Elle est mince.
g. Elle est âgée.
h. Lise est maigre.

1. Elle a la peau brune.
2. Elle mesure 1 m 85.
3. En taille, elle fait du S, c'est-à-dire 36.
4. Elle a les cheveux blancs.
5. Elle a de belles boucles rousses.
6. Elle est assez grosse.
7. Elle pèse 50 kg pour 1 m 75.
8. Elle fait 1 m 68.

3. Jeu à faire en grand groupe.

a. Chaque étudiant se décrit sur un petit papier.
b. Rassemblez les petits papiers dans une boîte.
c. À tour de rôle, les étudiants tirent un papier et doivent trouver son auteur.

Pour s'exprimer

Pour décrire une personne
- Il est grand… de taille moyenne… plutôt petit
- Elle a les cheveux longs / courts… frisés / bouclés / lisses… blonds / bruns / châtains / roux / gris…
- Elle est coiffée comme… Elle a la coiffure de…
- Il a une barbe / un collier.
- Il est maigre / mince / un peu rond / gros.
- Elle a les yeux noirs / marron / gris / verts / bleus.
- Il est de type africain / asiatique / européen / maghrébin.

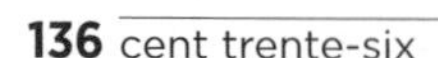

Décrire un caractère et un comportement

4. Lisez le document *Le chiffre de votre personnalité*. Recherchez vos traits de personnalité. Présentez-les au groupe et donnez votre avis.

5. Dans chaque ligne, recherchez le trait de personnalité négatif.

6. Caractérisez ces personnes avec les adjectifs du document.

a. Il aime bien rester chez lui.
b. Elle voudrait avoir un poste important.
c. Tout le monde le trouve sympathique.
d. Elle dit toujours ce qu'elle pense.
e. Il cache ses sentiments.
f. Elle prête facilement à ses amis.
g. On ne peut pas avoir confiance en lui.
h. Elle s'intéresse à tout.

Le chiffre de votre personnalité

Pour connaître le chiffre de votre personnalité, additionnez les nombres de votre date de naissance.
Exemple : vous êtes né(e) le 07/06/1991
→ 0+7+0+6+1+9+9+1 = 33 → 3+3 = 6
Le chiffre de votre personnalité est 6.

Votre personnalité selon votre chiffre :

1 sensible – plein d'énergie – secret – aime la solitude
2 calme – émotif – curieux – sociable
3 ambitieux – optimiste – doué pour les études – populaire
4 franc – volontaire – conservateur – aime la tranquillité
5 dynamique – charmeur – créatif – irréfléchi
6 généreux – très sensible – artiste – instable
7 curieux – patient – timide – solitaire
8 actif – influent – pardonne difficilement – généreux
9 indépendant – ouvert aux autres – changeant – passionné par les grands débats

D'après *Toute la numérologie*, Jean-Pol de Kersaint, Ed. Dangles, 1999

Décrire une personne qu'on admire

7. Lisez l'extrait du magazine *Marianne*. Approuvez ou corrigez les phrases suivantes.

a. Philippe Delerm raconte un souvenir récent.
b. Philippe Delerm a fait des études de lettres.
c. Il a rencontré Jean Loize pour un travail universitaire.
d. Quand Philippe Delerm a rencontré Jean Loize, celui-ci était âgé.
e. À cette époque, Jean Loize ne travaillait plus.
f. Jean Loize a écrit un livre.
g. Alain-Fournier est un écrivain.
h. Philippe Delerm admire Jean Loize parce que celui-ci regarde le monde d'une manière différente.

8. Répondez à la question du magazine *Marianne*. Décrivez une personne que vous admirez ou que vous avez admirée.
Donnez quelques informations sur :
– son physique ;
– sa personnalité.
Dites pourquoi vous l'admirez.

Et vous, qui admirez-vous ?

Le magazine Marianne *a demandé à des personnalités qui elles admiraient le plus. Voici la réponse de Philippe Delerm, écrivain.*

Philippe Delerm : J'admire Jean Loize. Un homme qui avait 80 ans quand j'en avais 20. Il avait été libraire-galeriste rue Bonaparte et organisait des expositions littéraires… Mais surtout, il avait passé vingt-cinq ans de sa vie à recueillir les traces les plus minuscules de la vie d'Alain-Fournier afin d'écrire une biographie admirable… Ayant consacré mon mémoire de maîtrise à cet écrivain, j'ai eu la chance d'être invité longuement chez lui et sa femme, Gilberte, avec ma compagne Martine. Bien au-delà de la littérature, il développait un art de vivre qui m'a profondément marqué, en m'apprenant à m'émerveiller de la présence d'une orange sur la table, du reflet du vin dans un verre… ■

D'après *Marianne*, 02/01/2015

Villa Marie-Claire — Li Na et Ludo déménagent

N° 40

N° 83

1. Ludo : Ça va être difficile...

2. Li Na : Mais, c'est un cadeau de ma grand-mère quand j'avais deux ans. Il ne me quitte pas.

3. Ludo : Tu veux emporter tout ça ?

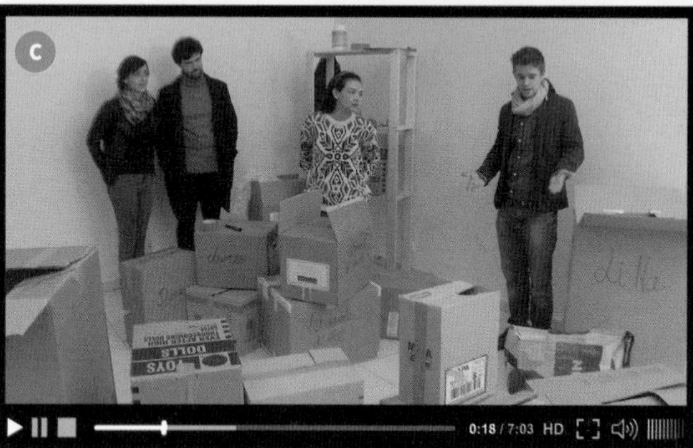

Exprimer son désaccord

1. Regardez ou écoutez la séquence 40. Associez les extraits et les photos.

2. Choisissez les bonnes suites.

a. La scène se passe...
1. chez Ludo.
2. chez Li Na.

b. Li Na...
1. déménage dans le même appartement que Ludo.
2. s'installe dans un grand appartement.

c. Li Na...
1. a mis ses affaires dans des cartons.
2. a apporté des cartons qui étaient chez une cousine.

d. Les affaires de Li Na vont être transportées...
1. avec l'aide de Ludo.
2. avec Ludo et une autre personne.

e. Ludo est...
1. content
2. étonné
3. énervé
4. fâché

f. Ludo trouve...
1. que Li Na emporte trop de choses.
2. qu'elle emporte des choses inutiles.

g. Li Na veut emporter...
1. un cadeau de sa grand-mère.
2. des vêtements.
3. des objets divers.

h. À la fin de la scène, Mélanie et Greg viennent voir Li Na et Ludo pour...
1. les aider.
2. leur annoncer une nouvelle.
3. pour leur demander un service.

Pour s'exprimer

Pour exprimer le besoin et le manque

Pour traduire un texte en anglais difficile...

- **il faut :** Il me faut un bon dictionnaire.
- **manquer :** Il me manque un bon dictionnaire. Mon dictionnaire anglais-français me manque.
- **avoir besoin de :** J'ai besoin d'un dictionnaire.

! Remarque : *Il me faut...* et *Il me manque...* sont des formes impersonnelles.

p. 108

Exprimer un besoin ou un manque

3. Travaillez par deux. Vous êtes dans les situations suivantes. Que vous manque-t-il ? De quoi avez-vous besoin ?

Utilisez les expressions de l'encadré.

a. Vous êtes en France depuis un an.
b. Vous êtes en panne, en hiver, sur une petite route.
c. Vous voulez refaire la décoration de votre chambre.

4. Complétez avec un verbe de l'encadré.
Invitation chez une étudiante
Eugénie : Salut Richard. Je viens de m'installer dans un nouvel appart. Je fais une petite fête. Tu viens ?
Richard : D'accord ! J'... quoi ? Une bouteille de vin ?
Eugénie : Si tu veux. Alors, ... aussi un tire-bouchon. Quand mon ex est parti, il a ... le nôtre.
Richard : Pas de problème.
Eugénie : N'oublie pas que tu as toujours mes DVD de *Star Wars* !
Richard : OK, je les ...
Eugénie : Tu ... Lise ?
Richard : Non, elle sera à l'opéra. Son oncle l'... voir le *Lac des Cygnes*.

5. Où, quand peut-on voir ou entendre les phrases suivantes ?
a. Plats à emporter
b. Apporter votre pique-nique
c. Amenez vos amis !
d. Rex, rapporte !
e. Il faut les emmener voir ce film !
f. Transport scolaire

Négocier

6. Par trois, préparez une des scènes suivantes et jouez-la.
a. *Dans une foire à la brocante*
Vous êtes en train de vous installer avec un(e) ami(e) dans un appartement. Il vous manque des meubles. Dans une brocante, vous repérez une jolie table.
Vous demandez l'avis de votre partenaire.
Vous demandez le prix au vendeur.
Vous essayez de faire baisser le prix.

b. *La vie commune en colocation*
Vous cherchez à vous loger avec un(e) ami(e).
Vous voyez une annonce intéressante : un étudiant qui habite dans un grand appartement appartenant à ses parents cherche deux colocataires.
Vous allez voir l'appartement.

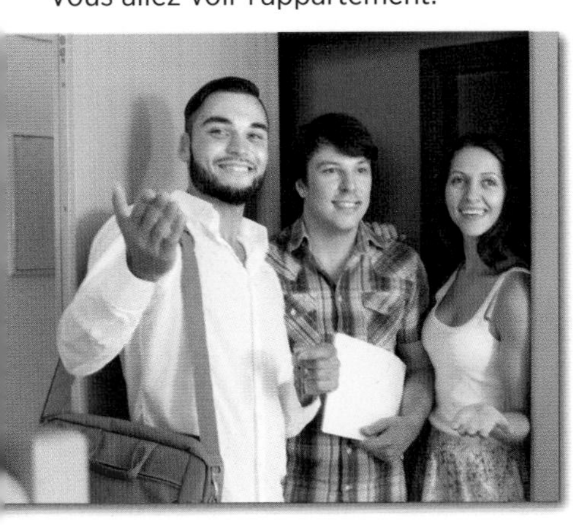

Vous demandez l'avis de votre partenaire.
Vous négociez le loyer.
Vous négociez le règlement de vie en commun : le bruit, les tâches domestiques, l'autorisation ou l'interdiction de fumer, etc.

Pour s'exprimer

Pour exprimer les déplacements
Avec une personne : amener (accompagner) un enfant à l'école – emmener quelqu'un (avec soi) – transporter
Avec une chose : apporter quelque chose (venir avec) – rapporter – emporter (partir avec) – transporter

Apprenons à conjuguer...

Les verbes de type *-eler*, *-eter*, *-ener* au présent

• Observez :
– le changement de voyelle aux personnes *nous* et *vous* ;
– les différences d'orthographe du son [ɛ].

• Complétez.
– Verbes en *-ener* : mener – amener – ramener – emmener

AMENER	EMMENER
j'amène	j'emmène
tu amènes	tu ...
il / elle amène	il / elle ...
nous amenons	nous ...
vous amenez	vous ...
ils / elles amènent	ils / elles ...

– Verbes en *-eter* ou *-eler* où le son [ɛ] s'écrit « *e* + consonne double » : appeler – rappeler – jeter

JETER	
je jette	nous jetons
tu ...	vous ...
il / elle ...	ils / elles ...

– Verbes en *-eler* et *-eter* où le son [ɛ] s'écrit « *è* » : acheter – geler – peler

ACHETER	
j'achète	nous achetons
tu ...	vous ...
il / elle ...	ils / elles ...

Les sons [a] et [ɑ̃] au début d'un mot

• Répétez.

N° 84

L'**am**bassadeur **a**méricain
Emménage dans ses **a**ppartements
Quelle **am**biance ! Quelle **a**ffaire !
Je t'**a**ccompagne ? Tu m'**em**mènes avec toi ?
Florian **a**mène **A**nne
Il **a**pporte le champagne.

Les chansons de la diversité française

« Les Bobos » (Renaud)

On les appelle bourgeois bohèmes
Ou bien bobos pour les intimes.
Dans les chansons d'Vincent Delerm
On les retrouve à chaque rime.
Ils sont une nouvelle classe
Après les bourges et les prolos
Pas loin des beaufs, quoique plus classe.
Je vais vous en dresser le tableau.
Sont un peu artistes c'est déjà ça
Mais leur passion c'est leur boulot
Dans l'informatique, les médias.
Sont fiers d'payer beaucoup d'impôts.
Les bobos, les bobos
Les bobos, les bobos
Ils vivent dans les beaux quartiers
Ou en banlieue mais dans un loft
Ateliers d'artistes branchés,
Bien plus tendances que l'avenue Foch.
Ont des enfants bien élevés
Qui ont lu *Le Petit Prince* à 6 ans
Qui vont dans des écoles privées
Privées de racaille, je me comprends.
Ils fument un joint de temps en temps,
Font leurs courses dans les marchés bios,
Roulent en 4x4, mais l'plus souvent,
Préfèrent s'déplacer à vélo.
Les bobos, les bobos
Les bobos, les bobos [...]

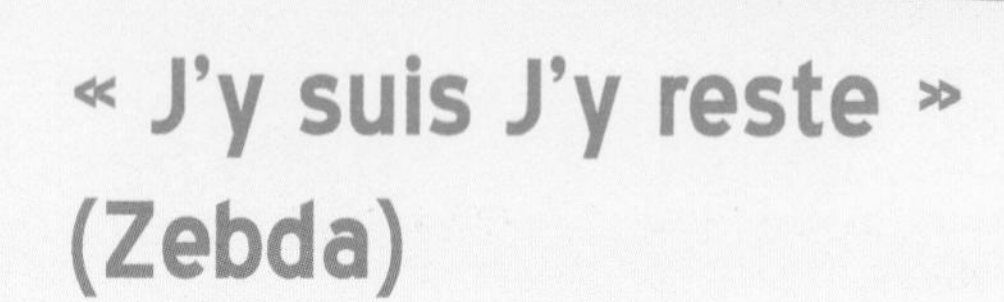

« J'y suis J'y reste » (Zebda)

Ma ville a ses petits avions[1]
Jolis comme des papillons
Mais qui les prend à votre avis
Qui les prend... on s'est compris
Ma ville a ses jardins où le bonheur
S'arrête aux environs de 18 heures
Car les kiosques à la gloire de la patrie
N'aiment pas le bruit
De ceux qui rêvent de lutte de classe
Et qui portent des tee-shirts Chiapas[2]
Ils veulent pas oublier
Que tout ne peut pas s'oublier

Et si c'est en chantant
Moi j'ai choisi mon camp [...]

1. Le groupe Zebda est originaire de Toulouse, ville où l'industrie aéronautique est importante.
2. Région du Mexique qui s'est révoltée contre le pouvoir fédéral dans les années 1990.

Comprendre les différences

1. Lisez le début de la chanson de Renaud. Écoutez-la sur YouTube. Trouvez le nom des groupes sociaux correspondant aux définitions suivantes.
a. riche et conservateur
b. ouvriers ou employés ayant des bas salaires
c. bourgeois sans être conservateur
d. qui appartient à la classe moyenne mais peu cultivé
e. jeune en marge de la société et des lois

2. Relevez les caractéristiques des « bobos ».
a. leurs professions
b. leurs lieux de vie
c. leur éducation
d. leurs goûts

3. Les expressions suivantes peuvent-elles caractériser un « bobo » ?
a. Il est ambitieux.
b. Il est moderne.
c. Il est toujours à la mode.
d. Il veut gagner beaucoup d'argent.
e. Il est écologiste.
f. Il veut rester jeune.
g. Il veut être différent des autres.
h. Il n'aime pas la famille.

4. Décrivez les caractéristiques d'un groupe social original de votre pays.
On les appelle... Leurs passions... Ils habitent...
On les retrouve... Ils font leur course...

5. Lisez le début de la chanson du groupe Zebda. Quel est le sujet de cette chanson ?
a. La ville de Toulouse.
b. Les habitants de Toulouse.
c. Les inégalités entre les habitants.

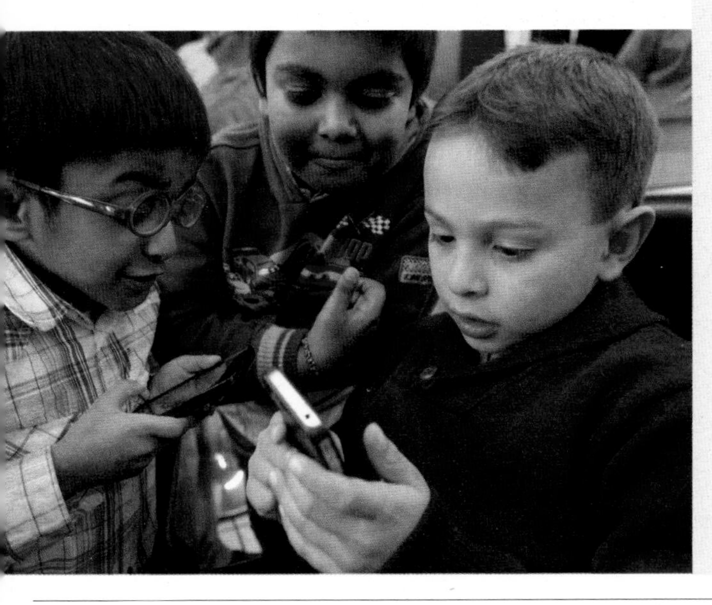

6. Lisez le Point infos. Faites des comparaisons avec la réalité de votre pays.

N° 85

7. Écoutez. Dans le TGV, Alexis engage la conversation avec sa voisine. Justifiez ou corrigez les phrases suivantes.
a. Alexis est né de parents étrangers.
b. Le père d'Alexis a émigré en France.
c. Alexis est attaché à sa région.
d. Alexis appartient aux classes moyennes supérieures.
e. Alexis est plutôt de gauche.

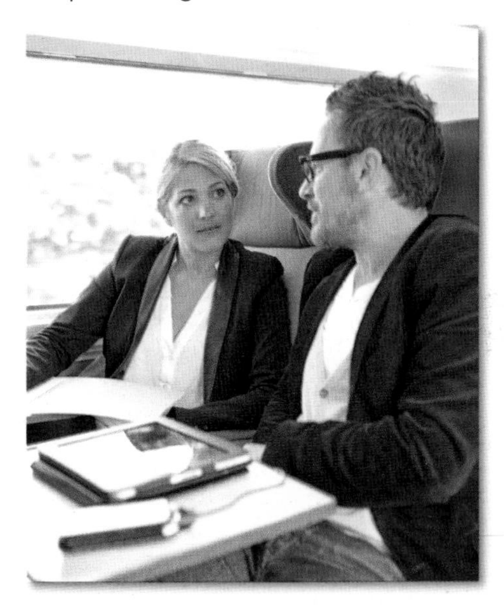

Point infos

LA DIVERSITÉ SOCIALE EN FRANCE

Charles de Gaulle, qui a été président de la France dans les années 1960, a dit un jour : « Comment voulez-vous gouverner un pays où il existe plus de 300 sortes de fromages ? » Il mettait ainsi l'accent sur la diversité du peuple français.

• **Diversité due à l'origine :** à de nombreuses périodes de son histoire, le territoire de la France a été un lieu d'immigration. On peut repérer ces origines dans les noms de famille : espagnols (Perez), italiens (Rossi), polonais (Michalak), arabes (Hamoudi), etc.

• **Identité régionale :** la France n'a fait son unité linguistique et culturelle que très progressivement. Beaucoup de Bretons, de Provençaux, d'Alsaciens ou de Corses sont très attachés à leur région, à certaines coutumes, à la langue que parlaient leurs grands-parents et que certains parlent encore. Ils sont fiers de cette identité.

• **Orientation politique :** les Français élisent leurs représentants politiques selon un système majoritaire. C'est donc toujours la droite ou la gauche qui gouverne. On est donc « de droite » ou « de gauche ». Chaque camp est lui-même divisé par les grands débats d'aujourd'hui : l'autorité, l'écologie, la famille, etc.

• **Inégalités socio-économiques.** Depuis quelques années, l'écart entre les hauts et les bas salaires augmente. Les salaires moyens ne progressent pas et 60 % des salariés gagnent moins de 2 000 euros nets par mois. Le système social français, très développé (gratuité de l'école, la sécurité sociale, aides diverses), ne réussit pas à résoudre le problème de ces inégalités.

Vous vivez depuis quelques mois dans un nouvel environnement qui peut être un pays étranger, une autre région ou votre école de langue. Vous allez écrire un courriel à des amis francophones pour donner de vos nouvelles.

Nouveau message

Envoyer Discussion Joindre Adresses Polices Couleurs Enr. brouillon

À : faustine.proust@icloud.com ; anne-marie.l@yahoo.fr ; jean-pierre_fuchs@orange.fr

Objet : Nouvelles de Bora-Bora

De : géraldine_delcourt@orange.fr

Bonjour à tous,

Voilà maintenant six mois que nous sommes installés à Bora-Bora. L'île est magnifique. Nous sommes très contents de notre maison. Elle est confortable, avec un joli jardin et une belle vue sur le lagon.
Le climat est très agréable. Je regrette seulement qu'il y ait autant de moustiques.
Évidemment, derrière cette image de carte postale, il y a la réalité. Ici, c'est le bout du monde. Bora est un gros village de 7 000 habitants. L'île fait 8 km de long. Il n'y a que deux épiceries tenues par des Chinois et un petit Super U. Pour beaucoup de choses, il faut aller à Tahiti, donc prendre l'avion.
En même temps, on est loin d'être seuls. Il y a beaucoup d'hôtels de luxe et les touristes sont nombreux. Mais, ils ne nous gênent pas beaucoup. Ils restent sur la plage de leur hôtel et font les activités organisées.
Je suis aussi heureuse que Pierre ait trouvé du travail comme comptable dans un hôtel. C'est vrai, nous avons pris ensemble la décision d'accepter le poste qu'on me proposait au collège mais j'avais peur qu'il s'ennuie.

1 Décrivez votre environnement.

1. Lisez le début du courriel de Géraldine. Lors de vacances à Paris, Géraldine rencontre une ancienne amie qui lui pose des questions. Répondez pour elle.

a. C'est où Bora-Bora ?
b. C'est un beau pays ?
c. Vous faites quoi là-bas ?
d. Vous êtes bien logés ?
e. Il y a beaucoup de monde ?
f. Vous vous êtes bien adaptés ?

2. Relevez les informations que vous apprenez sur Géraldine.

Nom : Géraldine Delcourt
Situation de famille : ...
Profession : ...
Profession du conjoint : ...
Etc.

3. Écrivez le début de votre courriel. Décrivez votre nouvel environnement. Exprimez ce que vous ressentez.

Pour s'exprimer

Pour exprimer des sentiments

• Sentiments positifs
– Je suis content, satisfait, heureux...
... de ma nouvelle maison.
... d'être à Bora-Bora.
... que mon compagnon ait du travail.
– C'est un plaisir (Ça me fait plaisir) d'être ici.
– J'espère que les enfants s'adapteront.

• Sentiments négatifs
– Je ne suis pas content, satisfait, heureux...
... des collègues.
... de travailler ici.
... que les collègues ne soient pas sympas.
– Je suis triste que vous ne veniez pas nous voir.
– Je regrette que vous soyez occupés.

N.B. : Beaucoup de verbes exprimant des sentiments sont suivis d'un verbe au subjonctif dans les constructions avec *que* (sauf *espérer*).

2 Parlez des gens que vous avez rencontrés.

4. Lisez la deuxième partie du courriel. Quelles personnes Géraldine a rencontrées ? Qu'en pense-t-elle ?
Les « métro-expats » (les expatriés de la métropole) → ...

5. Complétez les informations sur Géraldine que vous avez notées avec l'exercice 2.
Enfants : ...
Activités : ...

6. Écrivez la suite de votre courriel. Décrivez vos nouveaux amis ou collègues.

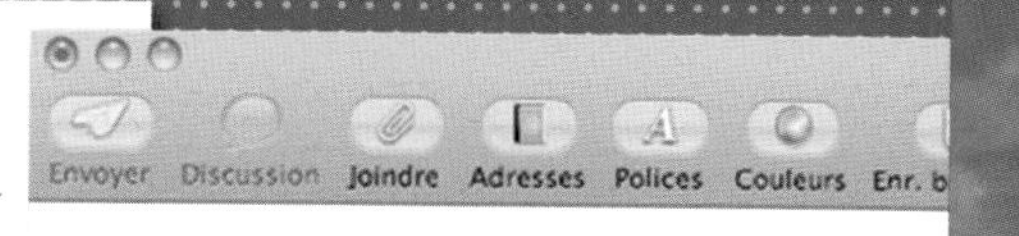

Pour rencontrer des gens, aucun problème. Quand on arrive, on est tout de suite accueillis par les « métro-expats », collègues ou voisins. Nous avons des voisins qui ont des enfants du même âge que les nôtres. On se fait des apéros sur la plage, des barbecues et des balades dans les îles de l'archipel.
Mais certains expats nous ont vite fatigués. Ils n'arrêtent pas de se plaindre que la vie est trop chère et que tout est mieux en métropole. Heureusement, il n'y en a pas beaucoup à Bora.
On m'avait dit qu'il était difficile d'avoir des contacts avec les locaux : Tahitiens ou Chinois, que c'était une société très fermée. Grâce à mon club de danse et aux activités sportives que nous avons Pierre et moi, nous nous sommes fait des amis tahitiens. Nous avons été invités à un mariage local et ils nous ont fait découvrir l'île et les îles des environs. Mais, il faut s'habituer à leur mode de vie. Par exemple, ici, on ne respecte pas beaucoup les heures de rendez-vous. Les gens peuvent passer chez toi à n'importe quelle heure et tu es mal vu si tu ne les accueilles pas. Je trouve cet esprit « village » bien sympathique.

Cela dit, tout n'est pas parfait. D'abord, la vie ici est terriblement chère. Les loyers, l'électricité, le téléphone, tout est plus élevé qu'en métropole. Donc, ce n'est pas ici qu'on fera des économies mais on n'est pas venus pour ça.
Ensuite, il y a l'isolement. Au début, c'est merveilleux : aucun embouteillage dans les rues, une vie calme... Mais certains jours, on se sent un peu à l'étroit. Pas de cinéma, pas de théâtre, pas de café... Alors, on va s'offrir un dîner spectacle dans un des grands hôtels.
Mais, tout cela n'est rien comparé à l'expérience extraordinaire qu'on est en train de vivre : ces petites îles sauvages, ces fonds marins magnifiques, cette impression d'être un peu en vacances toute l'année.

3 Parlez des avantages et des inconvénients.

7. Lisez la fin du courriel de Géraldine. Dans la totalité de la lettre, relevez les avantages et les inconvénients de la vie à Bora-Bora pour un Français de métropole.

8. Finissez votre courriel en présentant les points négatifs et positifs de votre travail ou de vos études.

Point infos

LES DÉPARTEMENTS ET LES TERRITOIRES DE LA FRANCE D'OUTRE-MER

Du XVIe au milieu du XXe siècle, la France a été une puissance colonisatrice. La plupart des territoires sont aujourd'hui indépendants ou intégrés à d'autres états. Mais, quelques-uns font toujours partie de la République française. C'est le cas :

- dans la mer des Caraïbes, des Antilles françaises : îles de la Martinique, de la Guadeloupe, etc. ;
- en Amérique du Nord, de Saint-Pierre-et-Miquelon ;
- en Amérique du Sud, de la Guyane française ;
- dans l'océan Indien, des îles de la Réunion et de Mayotte ;
- dans l'océan Pacifique, de Wallis-et-Futuna, de la Nouvelle-Calédonie et des îles de la Polynésie française (Tahiti, Bora-Bora...).

EXPRIMER UNE CONDITION

• **À condition de... (que...)**
Je t'aiderai à déménager **à condition d'**avoir un congé ce jour-là.
Je fais la vaisselle **à condition que** tu débarrasses la table. (→ à condition que... + *subjonctif*)

• **Si..., sauf si..., excepté si**
Louise viendra au concert **si** elle n'est pas fatiguée.
Mathias viendra aussi **sauf** s'il part en voyage.

• **Dépendre**
Louise a envie de venir au concert mais cela **dépend** de son état de santé.

EXPRIMER UN BESOIN

• **Falloir**
Pour faire une pâte à pizza, **il faut** de la farine.
Pour qu'elle réussisse à son examen, **il** lui **faut** travailler davantage.

• **Avoir besoin de...**
Pour faire le ménage, j'**ai besoin d'**un aspirateur.

• **Manquer (de...)**
Dans cet appartement, **il manque** un aspirateur. (→ il *est impersonnel*)
Il n'y a pas d'aspirateur dans cet appartement. **Cela** me **manque**.

DÉCRIRE UN DÉPLACEMENT

• **Avec une personne : amener (ramener) – emmener (remmener) – accompagner (raccompagner)**
Tous les matins, Philippe **amène (accompagne)** sa fille à l'école. Le soir, il la **ramène (raccompagne)** à la maison.
Je vais faire une promenade. Tu m'**accompagnes** ?
Tu pars en voyage ? Tu m'**emmènes** ?

• **Avec un objet : apporter (rapporter) – emporter (remporter)**
Pour la soirée chez Julien, j'**apporte** un gâteau (à Julien).
J'**emporte** aussi mon jeu de Trivial Pursuit et je **rapporte** à Julien les DVD que je lui ai empruntés.
Personne n'a mangé de mon gâteau. Je le **remporte**.

• **Porter – transporter**
Au défilé du 14 juillet, Philippe **porte** sa fille sur ses épaules.
Le bus scolaire **transporte** les élèves jusqu'au collège.

PARLER DES TÂCHES DOMESTIQUES

• **La cuisine :** faire la cuisine  p. 33.

• **Nettoyer :** faire le ménage – balayer – passer l'aspirateur –
faire la poussière – nettoyer le sol
– faire la lessive – repasser le linge – ranger le linge dans l'armoire
– débarrasser la table – faire la vaisselle – sortir (descendre) les poubelles

• **Réparer :** bricoler – réparer l'ordinateur – changer une ampoule, les piles de la télécommande

• **S'occuper des enfants :** faire la toilette du bébé – faire manger le bébé – aider les enfants à faire leurs devoirs

EXPRIMER DES SENTIMENTS

• **Les verbes exprimant des sentiments peuvent se construire :**
- **avec la préposition *de*** *ex. :* Je suis désolé **de** son départ.
- **avec « *que* + verbe »** quand le sujet des deux verbes est différent. Dans ce cas, on emploie le subjonctif (sauf avec *espérer que..., avoir le sentiment que..., avoir l'impression que...*).
ex. : J'ai peur **qu'il soit** malade. - J'espère **qu'il sera** vite guéri.

• **Sentiments agréables**
- être heureux de... (que...) - être content de... (que...) - être satisfait de... (que...) - être fier de... (que...) - être surpris de... (que...)
- aimer (que...) - adorer (que...) - préférer (que...)
- Je suis contente **qu'il fasse beau** pour notre randonnée. - Je me promène, je préfère **qu'il fasse** soleil.

• **Sentiments désagréables**
- avoir peur de...(que...) - avoir honte de...(que...)
- détester (que...) - avoir horreur (que...) - être déçu (que...) - regretter (que...)
- J'ai horreur **qu'on me téléphone** après 10 h, le soir.

DÉCRIRE LE PHYSIQUE D'UNE PERSONNE

• **Les cheveux :** avoir les cheveux longs / courts - frisés / bouclés / lisses - bruns / blonds / châtains / roux / gris / blancs
• **La taille :** être grand / petit / de taille moyenne
- Quelle est sa taille ? - Il mesure 1 m 80 (il fait 1 m 80).
• **Le poids :** être gros - rond - bien proportionné - mince - maigre
• **La peau :** avoir la peau claire - brune - être bronzé
• **Les yeux :** noirs - marron - gris - verts - bleus

DÉCRIRE LE CARACTÈRE D'UNE PERSONNE

• **La sensibilité :** être sensible - émotif - calme
• **Les relations avec les autres :** ouvert aux autres - sociable - généreux - charmeur - franc - influent - populaire / timide - indépendant - solitaire - secret
• **L'humeur :** de bonne humeur / de mauvaise humeur - stable / instable - changeant - optimiste / pessimiste - patient / impatient
• **L'énergie :** être plein d'énergie - dynamique - volontaire - ambitieux - actif / paresseux
• **L'intelligence :** être intelligent / stupide - réfléchi / irréfléchi - doué - curieux - créatif - passionné par les études

LA CONJUGAISON DES VERBES

• **Irrégularités dans la conjugaison du présent des verbes en *-er***
Les modifications phonétiques et orthographiques portent sur les personnes *nous* et *vous*.

Verbes en *-cer*	Verbes en *-ger*	Cas de beaucoup de verbes terminés par « e + consonne + *er* »	Cas de beaucoup de verbes terminés par « é + consonne + *er* »	Cas des verbes *appeler - rappeler - jeter*	Cas des verbes *geler - peler - acheter*
PLACER	**MANGER**	**AMENER**	**PRÉFÉRER**	**JETER**	**PELER**
je place tu places il / elle place nous pla**çons** vous placez ils / elles placent	je mange tu manges il / elle mange nous mang**eons** vous mangez ils / elles mangent	j'amène tu amènes il / elle amène nous am**e**nons vous amenez ils / elles amènent	je préfère tu préfères il / elle préfère nous préf**é**rons vous préf**é**rez ils / elles préfèrent	je jette tu jettes il / elle jette nous je**t**ons vous je**t**ez ils / elles jettent	je pèle tu pèles il / elle pèle nous p**e**lons vous p**e**lez ils / elles pèlent

1. EXPRIMER DES CONDITIONS

a. Lisez cette conversation entre la mère et le père de Nathan, 16 ans.

La mère : Nathan va nous demander de sortir ce soir. Je veux bien mais avant, il doit faire la vaisselle, ranger sa chambre et finir son devoir de maths. Tu es d'accord ?

Le père : Tu as raison. Je sais aussi que pour son anniversaire, il veut un nouveau portable. Il faut y mettre des conditions : travailler davantage, sortir moins souvent, avoir de bonnes notes.

b. Pendant le repas, Nathan pose ces deux questions à ses parents. Écrivez leur réponse. Variez l'expression de la condition.

Nathan : Je peux sortir ce soir ?
La mère : ...
Nathan : Pour mon anniversaire, j'aimerais bien le nouvel iPhone.
Le père : ...

2. EXPRIMER DES SENTIMENTS

Réécrivez les phrases du courriel d'Emma en exprimant les sentiments entre parenthèses.

Exemple : *a. Je suis contente d'avoir de tes nouvelles.*

Chère Marie,
a. J'ai enfin de tes nouvelles. *(contentement)*
b. Tu es bien installée à Bruxelles. *(contentement)*
c. Tu as un poste de directrice. *(fierté)*
d. Frédéric va-t-il s'adapter ? *(peur)*
e. Il est toujours au chômage. *(regret)*
f. Avec sa formation, il n'a pas trouvé de travail. *(surprise)*

3. DÉCRIRE LE PHYSIQUE D'UNE PERSONNE

N° 86 **Écoutez. Il parle de sa nouvelle collègue. Trouvez 4 erreurs dans sa description.**

1. *Elle a les cheveux...*
2. ...

4. CARACTÉRISER UN COMPORTEMENT

Caractérisez ces personnes avec un adjectif.
a. Elle n'arrête pas de faire des activités.
b. Il plaît beaucoup aux femmes.
c. Quand on lui fait une petite critique, elle rougit.
d. Il adore recevoir les gens chez lui.
e. Elle n'aime pas travailler avec les autres.
f. A propos du même sujet, un jour, il dit oui, un jour, il dit non.

5. PARLER DES TÂCHES DOMESTIQUES

Trouvez deux tâches domestiques en relation avec les objets suivants.

Exemple : *a. mettre les assiettes sur la table – laver les assiettes – mettre les assiettes dans le lave-vaisselle – ranger les assiettes dans le placard*

a. ... les assiettes
b. ... les chemises
c. ... le lit
d. ... le fromage acheté au marché
e. ... le réfrigérateur
f. ... la table

6. NÉGOCIER

Vous recevez d'un ami le message ci-dessous. Répondez-lui en donnant votre accord. Dans votre réponse :
a. posez des conditions : propreté de l'appartement – ne pas fumer – pas d'animaux – etc.
b. faites des recommandations : arroser les plantes vertes – attention à la consommation d'eau et d'électricité – etc.
c. faites des mises en garde : La voisine du dessous est désagréable. – La baignoire se vide mal.

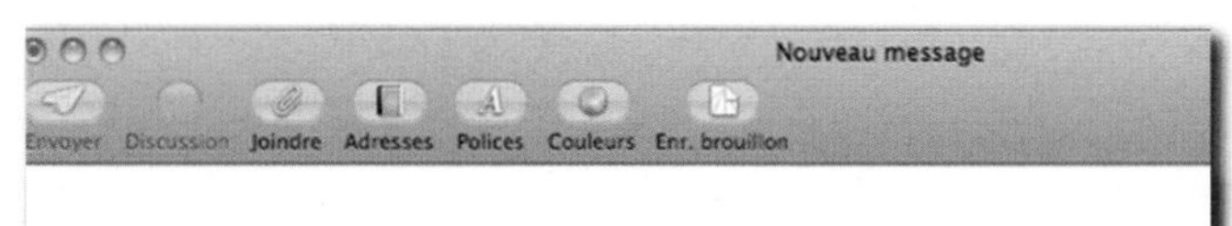

Bonjour Sébastien,

J'ai un petit service à te demander. Je quitte mon appartement le 31 juillet mais le nouvel appartement où je vais m'installer ne sera libre que le 1er septembre.
Tu m'as dit que tu partais dans ta famille pendant tout l'été. Pourrais-tu me prêter ton appartement du 1er au 31 août ?
Bien sûr, je te dédommagerai pour les frais.
Un grand merci d'avance.

Étienne

On trouvera ci-dessous les points de grammaire développés dans le niveau A1 de la méthode ainsi que des renvois aux points abordés dans ce niveau.

NOMMER LES PERSONNES ET LES CHOSES

	Masculin singulier	Féminin singulier	Pluriel
Les articles indéfinis Pour nommer les personnes et les choses en général	**un** *ex. :* Je voudrais **un** dictionnaire.	**une** *ex. :* Voici **une** banque.	**des** *ex. :* J'ai **des** amis.
Les articles définis Pour nommer : • des personnes précises ou uniques *ex. :* la voiture de Paul – le soleil • des qualités ou des domaines ex. : le courage – les sciences	**le** *ex. :* Je voudrais **le** dictionnaire français / anglais. **l'** (devant voyelle ou *h*) *ex. :* Nous arrivons à **l'**hôtel de la Gare.	**la** *ex. :* Voici **la** banque BNP.	**les** *ex. :* J'ai invité **les** amis de Paul.
	Les articles définis *le* et *les* se combinent avec les prépositions *à* et *de*. **à + le → au à + les → aux** *ex. :* Il va **au** cinéma. **de + le → du de + les → des** *ex. :* Il vient **des** États-Unis.		
Les articles partitifs Pour nommer : • une partie d'un ensemble *ex. :* J'ai pris du gâteau. • un ensemble indifférencié *ex. :* Il fait du vent.	**du** *ex. :* Il boit **du** thé.	**de la** *ex. :* Il est tombé **de la** neige.	

MONTRER

1. Les adjectifs démonstratifs

Masculin singulier	Féminin singulier	Pluriel
ce *ex. :* Je voudrais **ce** tee-shirt. **cet** (devant voyelle et *h*) **ex. :** Je loge dans **cet** hôtel.	**cette** *ex. :* J'ai choisi **cette** robe.	**ces** *ex. :* Je mets **ces** chaussures pour randonner.

2. Les pronoms démonstratifs  Outils, p. 102.

EXPRIMER L'APPARTENANCE

1. Le complément du nom

C'est le manteau **de** Mélanie.

2. La forme « *être à + moi, toi, lui / elle, nous, vous, eux / elles* » (uniquement pour l'appartenance à des personnes)

– Cette voiture **est à Pierre** ? – Oui, elle **est à lui**.

3. Les adjectifs possessifs

La chose possédée est...	Masculin singulier	Féminin singulier	Masculin et féminin pluriel
à moi	**mon** frère	**ma** sœur **– mon** amie (devant voyelle)	**mes** vacances
à toi	**ton** frère	**ta** sœur – **ton** amie (devant voyelle)	**tes** vacances
à lui / à elle	**son** frère	**sa** sœur – **son** amie (devant voyelle)	**ses** vacances
à nous	**notre** frère	**notre** sœur – **notre** amie	**nos** vacances
à vous	**votre** frère	**votre** sœur – **votre** amie	**vos** vacances
à eux / à elles	**leur** frère	**leur** sœur – **leur** amie	**leurs** vacances

4. Les pronoms possessifs  Outils, p. 106.

EXPRIMER UNE QUANTITÉ

1. La quantité définie

a. le poids

– Combien pesez-vous ? – Je pèse 50 kilos (kg).
– Ce paquet fait 3 kg.

b. les dimensions  Pour s'exprimer, p. 107.

c. le prix

– Combien coûte ce livre ? – Il coûte 15 €.
– Ça fait combien ? – Ça fait 10,50 € (dix euros cinquante).
– Je vous dois combien ?

2. La quantité indéfini Outils, p. 116.

3. L'appréciation de la quantité et de la qualité

	ne... pas assez (de)...	assez (de...)	trop (de...)
Noms	Je **n'**ai **pas assez d'**argent (pour acheter cette voiture).	Il a **assez d'**argent (pour acheter cette voiture).	Elle a **trop de** travail.
Verbes	Je **n'**économise **pas assez**.	Il travaille **assez**.	Elle travaille **trop**.
Adjectifs et adverbes	Je n'économise **pas assez** vite mon argent.	Ce plat est **assez** salé.	C'est **trop** cher.

REMPLACER UN NOM

1. Les pronoms qui représentent les personnes

	je	tu	il / elle	nous	vous	ils / elles
Le nom remplacé est un complément direct. Le pronom se place avant le verbe.	**me**	**te**	**le / la / l'**	**nous**	**vous**	**les**
	– Tu as vu Valérie et François ? – Je **les** ai vus.					
Le nom remplacé est un complément indirect introduit par *à*. Le pronom se place avant le verbe.	**me**	**te**	**lui**	**nous**	**vous**	**leur**
	– Tu as parlé à Margot ? – Je **lui** ai parlé.					
Le nom remplacé est un complément indirect introduit par une autre préposition. Le pronom se place après le verbe.	**moi**	**toi**	**lui / elle**	**nous**	**vous**	**eux / elles**
	– Tu t'es promené avec Louis ? – Je me suis promené **avec lui.**					

2. Les pronoms qui représentent les choses ou les idées

Le nom remplacé est un complément direct. Le pronom se place avant le verbe.	**le (l')**	**la (l')**	**les**
	– Tu utilises le dictionnaire français-anglais ? – Je **l'**utilise.		
Le nom remplacé est un complément indirect introduit par *à*. Le pronom se place avant le verbe.	**y** – Vous avez réfléchi au problème ? – J'**y** ai réfléchi.		
Le nom remplacé est un complément indirect introduit par *de*. Le pronom se place avant le verbe.	**en** – Tu as besoin de mon aide ? – J'**en** ai besoin.		
Le nom remplacé est un complément indirect introduit par une autre préposition. Le pronom se place après le verbe.	**ceci - cela (ça)** – Tu as oublié **ça**.		

Voir aussi Outils, p. 32.

CARACTÉRISER

1. Caractériser une action Outils, p. 46-47.

2. Caractériser une personne ou une chose

a. l'adjectif qualificatif

• Il se place en général, **après le nom**. *Ex. :* un film policier

• Quelques adjectifs courts et très fréquents se placent souvent avant le nom : beau (belle) - bon- grand - petit - vieux - jeune - joli. *Ex. :* un beau bouquet - un bon repas - un grand restaurant

b. la construction avec préposition

Elle permet d'exprimer :

• l'origine, la propriété : un tableau de Renoir - la maison de madame Dumas

• la matière : un pull de (en) laine

• la fonction : une cuillère à café - une machine à laver

c. la proposition relative Outils, p. 60.

COMPARER

Outils, p. 130.

DONNER UNE INFORMATION DE TEMPS

1. Préciser le moment Outils, p. 74 et 130-131.

2. Préciser la durée Outils, p. 88.

3. Indiquer la fréquence  Outils, p. 88.

NIER

Cas général	Elle **ne** sort **pas**. Elle **n'**aime **pas** la pluie.
La négation porte sur un complément introduit par un article indéfini, par un article partitif ou par un mot de quantité.	Il **n'**a **pas de** voiture. Il **ne** boit **pas de** vin. Il **ne** mange **pas** beaucoup **de** viande.
Comme dans le cas précédent, la négation porte sur un complément précédé d'un article indéfini, d'un article partitif ou d'un mot de quantité mais elle introduit une opposition.	- Est-ce qu'il a une voiture ? - Il **n'**a **pas une** voiture, il en a deux.
Cas des constructions « verbe + verbe » et « auxiliaire + verbe »	Elle **ne** veut **pas** sortir. Elle **n'**a **pas** vu le dernier film d'Anne Fontaine.
Cas des constructions avec un pronom complément placé avant le verbe	Il **ne** les connaît **pas**. Il **ne** lui a **pas** téléphoné.

INTERROGER

1. Interrogation générale

- Intonation : Vous venez ?
- Forme « Est-ce que » : **Est-ce que** vous venez ?
- Inversion du pronom sujet : Venez-vous ?
- Interrogation négative : Ne venez-vous pas ?

2. Interrogation sur le sujet de l'action

- Personnes : **Qui** vient au restaurant avec moi ?
- Choses : **Qu'est-ce qui** vous fait plaisir ?

3. Interrogation sur l'objet de l'action

- Personnes : **Qui** invitez-vous ? - Vous invitez **qui** ? - **À qui** parlez-vous ? - **Avec qui** sortez-vous ?
- Choses : **Que** faites-vous ? - Vous faites **quoi** ? - **À quoi** pensez-vous ? - **De quoi** parlez-vous ?

4. Interrogation sur un choix

Les adjectifs et pronoms interrogatifs Outils, p. 102.

5. Interrogation sur le lieu

Où allez-vous ? - **Où est-ce que** vous allez ? - **D'où** venez-vous ? - **Par où** passez-vous ? - **Chez qui** allez-vous ?
Jusqu'où va ce chemin ?

6. Interrogation sur le moment et la durée

- sur le moment : **Quand** venez-vous ? - **En quelle** année êtes-vous né ? - **Quel** jour vous ne travaillez pas ?
- sur la durée Outils, p. 88.

Principes généraux de conjugaison

LE PRÉSENT DE L'INDICATIF

• Les verbes en *-er*

Ils se conjuguent comme *parler*.
Cas particuliers (voir verbes irréguliers) :
- les verbes qui finissent par *-yer*, *-eler* ou *-eter*
- le verbe *aller*

Parler
je parl**e** tu parl**es** il / elle / on parl**e** nous parl**ons** vous parl**ez** ils / elles parl**ent**

Remarque : À l'oral, il y a seulement trois formes :
(je = tu = il / elle = ils / elles) - nous - vous.

• Les autres verbes

Beaucoup de verbes ont les mêmes terminaisons que *finir*, mais il y a des cas particuliers (voir les verbes irréguliers).

Finir
je fin**is** tu fin**is** il / elle / on fin**it** nous fin**issons** vous fin**issez** ils / elles fin**issent**

• La conjugaison pronominale

Elle utilise deux pronoms. Cette conjugaison donne un sens différent au verbe :
Je ***me*** *regarde dans la glace* (sens réfléchi).
Elles ***se*** *regardent* (sens réciproque).

Se regarder
je me regard**e** tu te regard**es** il / elle / on se regard**e** nous nous regard**ons** vous vous regard**ez** ils / elles se regard**ent**

LE PASSÉ COMPOSÉ

• Cas général : Le passé composé se forme avec ***avoir*** **(au présent) + participe passé**.
Le participe passé ne s'accorde pas avec le sujet du verbe.
Il s'accorde avec le complément, quand ce complément est placé avant le verbe : *Marie a vu ses amies à 17 h.*
Elle ***les*** *a revu****es*** *le soir.*

Finir
j'ai fini tu as fini il / elle / on a fini nous avons fini vous avez fini ils / elles ont fini

• Cas des verbes : aller - arriver - descendre - monter - mourir - naître - partir - passer - rester - retourner - revenir - sortir - venir - tomber.
Le passé composé se forme avec ***être*** **(au présent) + participe passé**.
Le participe passé s'accorde avec le sujet du verbe :
*Elles sont allé****es*** *au cinéma.*

Aller
je suis allé(e) tu es allé(e) il / elle / on est allé(e)(s) nous sommes allé(e)s vous êtes allé(e)(s) ils / elles sont allé(e)s

• Cas de la conjugaison pronominale : Le participe passé se forme avec ***être*** **+ participe passé**.
Le participe passé s'accorde avec le sujet quand le verbe a un sens réfléchi ou réciproque.

Se lever
je me suis levé(e) tu t'es levé(e) il / elle / on s'est levé(e)(s) nous nous sommes levé(e)s vous vous êtes levé(e)(s) ils / elles se sont levé(e)s

• Le participe passé
- **pour les verbes en *-er* → *-é*** ***ex. :*** *donner → donné*
- **pour les autres verbes :** voir colonne « passé composé » dans la conjugaison des verbes irréguliers, pages 152 et 153.

L'IMPARFAIT

Il se forme en général à partir de la 1re personne du pluriel du présent.
Avoir : nous *avons → j'avais* vendre : *nous vendons → je vendais*

Regarder
je regard**ais** tu regard**ais** il / elle / on regard**ait** nous regard**ions** vous regard**iez** ils / elles regard**aient**

LE FUTUR

Les terminaisons sont les mêmes pour tous les verbes : **-ai, -as, -a, -ons, -ez, -ont.**
• Pour les verbes en *-er* et en *-ir* de type *finir*, le futur se forme à partir de l'infinitif.

Parler
je parler**ai**
tu parler**as**
il / elle / on parler**a**
nous parler**ons**
vous parler**ez**
ils / elles parler**ont**

• Pour conjuguer les autres verbes, il faut connaître la première personne du singulier (voir tableau ci-dessous) :
Être : *je serai, tu seras, il / elle / on sera, nous serons, vous serez, ils / elles seront*
Avoir : *j'aurai, tu auras, il / elle / on aura, nous aurons, vous aurez, ils / elles auront*
Aller : *j'irai, tu iras, il / elle / on ira, nous irons, vous irez, ils / elles iront*
Prendre : *je prendrai, tu prendras, il / elle / on prendra, nous prendrons, vous prendrez, ils / elles prendront*

LE SUBJONCTIF PRÉSENT

Les terminaisons sont les mêmes pour tous les verbes : **-e, -es, -e, -ions, -iez, -ent.**
Les verbes *avoir* et *être* sont irréguliers.
• Pour beaucoup de verbes, le subjonctif se forme à partir de la 3e personne du pluriel du présent de l'indicatif.
regarder → ils regardent → que je regarde, que tu regardes, etc.
prendre → ils prennent → que je prenne, que tu prennes, etc.

Parler
que je parl**e**
que tu parl**es**
qu'il / elle / on parl**e**
que nous parl**ions**
que vous parl**iez**
qu'ils / elles parl**ent**

Finir
que je finiss**e**
que tu finiss**es**
qu'il / elle / on finiss**e**
que nous finiss**ions**
que vous finiss**iez**
qu'ils / elles finiss**ent**

• Pour conjuguer les autres verbes il faut connaître la première personne du singulier (voir tableau ci-dessous)
Être : *que je sois, que tu sois, qu'il / elle / on soit, que nous soyons, que vous soyez, qu'ils / elles soient*
Avoir : *que j'aie, que tu aies, qu'il / elle / on ait, que nous ayons, que vous ayez, qu'ils / elles aient*
Aller : *que j'aille, que tu ailles, qu'il / elle / on aille, que nous allions, que vous alliez, qu'ils / elles aillent*
Savoir : *que je sache, que tu saches, qu'il / elle / on sache, que nous sachions, que vous sachiez, qu'ils / elles sachent*

L'IMPÉRATIF

La conjugaison est proche du présent de l'indicatif.
• **Verbes en *-er* :** terminaison sans *-s* à la personne du singulier,
sauf quand l'impératif est suivi d'un pronom *en* ou *y* : *Vas-y ! Cherches-en !*

Manger
mange !
mangeons !
mangez !

Sortir
sors !
sortons !
sortez !

Cas particulier :

Être : *sois à l'heure – soyons à l'heure – soyez à l'heure !*

Avoir : *aie du courage – ayons du courage – ayez du courage !*

Conjugaison des verbes irréguliers

Les principes généraux que nous venons de présenter et les tableaux suivants vous permettront de trouver la conjugaison de tous les verbes introduits dans cette méthode.

Exemples : Verbe *donner* : c'est un verbe en *-er* régulier. Il suit les principes généraux et ne figure donc pas dans les listes suivantes. **Verbe *lire* :** si on trouve ci-dessous « je lis, ... nous lisons, ... » c'est que les autres formes correspondent aux principes généraux : « tu lis, il / elle lit, ... vous lisez, ils / elles lisent ».

Infinitif	Présent de l'indicatif	Passé composé	Futur	Subjonctif présent
Accueillir	j'accueille, ... nous accueillons, ...	j'ai accueilli	j'accueillerai	que j'accueille
Aller	je vais, tu vas, il / elle va, nous allons, ... ils / elles vont	je suis allé(e)	j'irai	que j'aille
Appartenir	j'appartiens, ... nous appartenons, ...	j'ai appartenu	j'appartiendrai	que j'appartienne
Applaudir	j'applaudis, ... nous applaudissons, ...	j'ai applaudi	j'applaudirai	que j'applaudisse
Apprendre	j'apprends, ... nous apprenons, ... ils / elles apprennent	j'ai appris	j'apprendrai	que j'apprenne
Asseoir (s')	je m'assieds, ... nous nous asseyons, ... ils / elles s'asseyent	je me suis assis(e)	je m'assiérai	que je m'assoie (que je m'asseye)
Attendre	j'attends, ... nous attendons, ...	j'ai attendu	j'attendrai	que j'attende
Atterrir	j'atterris, ... nous atterrissons, ...	j'ai atterri	j'atterrirai	que j'atterrisse
Avoir	j'ai, tu as, il / elle a, nous avons, ... ils / elles ont	j'ai eu	j'aurai	que j'aie... que nous ayons... qu'ils / elles aient
Battre	je bats, ... nous battons, ...	j'ai battu	je battrai	que je batte
Bénir	je bénis, ... nous bénissons, ...	j'ai béni	je bénirai	que je bénisse
Boire	je bois, ... nous buvons, ... ils / elles boivent	j'ai bu	je boirai	que je boive
Choisir	je choisis, ... nous choisissons, ...	j'ai choisi	je choisirai	que je choisisse
Comprendre	je comprends, ... nous comprenons, ... ils / elles comprennent	j'ai compris	je comprendrai	que je comprenne
Connaître	je connais, ... il / elle connaît nous connaissons, ...	j'ai connu	je connaîtrai	que je connaisse
Construire	je construis, ... nous construisons, ...	j'ai construit	je construirai	que je construise
Couvrir	je couvre, ... nous couvrons, ...	j'ai couvert	je couvrirai	que je couvre
Croire	je crois, ... nous croyons, ... ils / elles croient	j'ai cru	je croirai	que je croie
Découvrir	je découvre, ... nous découvrons, ...	j'ai découvert	je découvrirai	que je découvre
Défendre	je défends, ... nous défendons, ...	j'ai défendu	je défendrai	que je défende
Démolir	je démolis, ... nous démolissons, ...	j'ai démoli	je démolirai	que je démolisse
Dépendre	je dépends, ... nous dépendons, ...	j'ai dépendu	je dépendrai	que je dépende
Descendre	je descends, ... nous descendons, ...	j'ai descendu	je descendrai	que je descende
Devenir	je deviens, ... nous devenons, ... ils / elles deviennent	je suis devenu(e)	je deviendrai	que je devienne
Devoir	je dois, ... nous devons, ... ils / elles doivent	j'ai dû	je devrai	que je doive
Disparaître	je disparais, ... nous disparaissons, ...	j'ai disparu	je disparaîtrai	que je disparaisse
Dormir	je dors, ... nous dormons, ...	j'ai dormi	je dormirai	que je dorme
Écrire	j'écris, ... nous écrivons, ...	j'ai écrit	j'écrirai	que j'écrive
Élire	j'élis, ... nous élisons, ...	j'ai élu	j'élirai	que j'élise
Ennuyer (s')	je m'ennuie, ... nous nous ennuyons, ... ils / elles s'ennuient	je me suis ennuyé(e)	je m'ennuierai	que je m'ennuie
Entendre	j'entends, ... nous entendons, ...	j'ai entendu	j'entendrai	que j'entende
Envoyer	j'envoie, ... nous envoyons, ... ils / elles envoient	j'ai envoyé	j'enverrai	que j'envoie
Essayer	j'essaie, ... nous essayons, ... ils / elles essaient	j'ai essayé	j'essaierai	que j'essaie
Être	je suis, tu es, il / elle est, nous sommes, vous êtes, ils / elles sont	j'ai été	je serai	que je sois
Faire	je fais, ... nous faisons, vous faites, ils / elles font	j'ai fait	je ferai	que je fasse
Falloir	il faut	il a fallu	il faudra	qu'il faille

Infinitif	Présent de l'indicatif	Passé composé	Futur	Subjonctif présent
Finir	je finis, ... nous finissons, ...	j'ai fini	je finirai	que je finisse
Guérir	je guéris, ...nous guérissons, ...	j'ai guéri	je guérirai	que je guérisse
Inscrire (s')	je m'inscris, ... il / elle s'inscrit, nous nous inscrivons, ...	je me suis inscrit(e)	je m'inscrirai	que je m'inscrive
Interdire	j'interdis, ... nous interdisons, ...	j'ai interdit	j'interdirai	que j'interdise
Lire	je lis, ... nous lisons, ...	j'ai lu	je lirai	que je lise
Mettre	je mets, ... nous mettons, ...	j'ai mis	je mettrai	que je mette
Mourir	je meurs, ... nous mourons, ... ils / elles meurent	je suis mort(e)	je mourrai	que je meure
Offrir	j'offre, ... nous offrons, ...	j'ai offert	j'offrirai	que j'offre
Ouvrir	j'ouvre, ... nous ouvrons, ...	j'ai ouvert	j'ouvrirai	que j'ouvre
Partir	je pars, ... nous partons, ...	je suis parti(e)	je partirai	que je parte
Payer	je paie, ... il / elle paie, nous payons, ... ils / elles paient	j'ai payé	je paierai	que je paie
Peindre	je peins, ... nous peignons, ...	j'ai peint	je peindrai	que je peigne
Perdre	je perds, ... nous perdons, ...	j'ai perdu	je perdrai	que je perde
Permettre	je permets, ... nous permettons, ...	j'ai permis	je permettrai	que je permette
Plaindre	je plains, ... nous plaignons, ...	j'ai plaint	je plaindrai	que je plaigne
Plaire	je plais, ... il / elle plaît, nous plaisons, ...	j'ai plu	je plairai	que je plaise
Pleuvoir	il pleut	il a plu	il pleuvra	qu'il pleuve
Pouvoir	je peux, tu peux, il / elle peut, nous pouvons, vous pouvez, ils / elles peuvent	j'ai pu	je pourrai	que je puisse
Prendre	je prends, ... nous prenons, ... ils / elles prennent	j'ai pris	je prendrai	que je prenne
Produire	je produis, ... nous produisons, ...	j'ai produit	je produirai	que je produise
Promettre	je promets, ... nous promettons, ...	j'ai promis	je promettrai	que je promette
Punir	je punis, ... nous punissons, ...	j'ai puni	je punirai	que je punisse
Recevoir	je reçois, ... il / elle reçoit, nous recevons, ... ils / elles reçoivent	j'ai reçu	je recevrai	que je reçoive
Recueillir	je recueille, ... nous recueillons, ...	j'ai recueilli	je recueillerai	que je recueille
Réduire	je réduis, ... nous réduisons, ...	j'ai réduit	je réduirai	que je réduise
Réfléchir	je réfléchis, ... nous réfléchissons, ...	j'ai réfléchi	je réfléchirai	que je réfléchisse
Remplir	je remplis, ... nous remplissons, ...	j'ai rempli	je remplirai	que je remplisse
Rendre	je rends, ... nous rendons, ...	j'ai rendu	je rendrai	que je rende
Répondre	je réponds, ... nous répondons, ...	j'ai répondu	je répondrai	que je réponde
Résoudre	je résous, ... nous résolvons, ...	j'ai résolu	je résoudrai	que je résolve
Réussir	je réussis, ... nous réussissons, ...	j'ai réussi	je réussirai	que je réussisse
Rire	je ris, ... nous rions, ...	j'ai ri	je rirai	que je rie
Savoir	je sais, ... nous savons, ...	j'ai su	je saurai	que je sache
Sentir	je sens, ... nous sentons, ...	j'ai senti	je sentirai	que je sente
Servir	je sers, ... nous servons, ...	j'ai servi	je servirai	que je serve
Sortir	je sors, ... nous sortons, ...	je suis sorti(e)	je sortirai	que je sorte
Suivre	je suis, ... nous suivons, ...	j'ai suivi	je suivrai	que je suive
Tenir	je tiens, ... nous tenons, ... ils / elles tiennent	j'ai tenu	je tiendrai	que je tienne
Traduire	je traduis, ... nous traduisons, ...	j'ai traduit	je traduirai	que je traduise
Vendre	je vends, ...nous vendons, ...	j'ai vendu	je vendrai	que je vende
Venir	je viens, ... nous venons, ... ils / elles viennent	je suis venu(e)	je viendrai	que je vienne
Vivre	je vis, ... nous vivons, ...	j'ai vécu	je vivrai	que je vive
Voir	je vois, ... nous voyons, ... ils / elles voient	j'ai vu	je verrai	que je voie
Vouloir	je veux, ... il / elle veut nous voulons, ... ils / elles veulent	j'ai voulu	je voudrai	que je veuille

Transcriptions

Unité 0

Leçon 1

p. 13, Séquence 21 – Présentations
N° 1 *Nous sommes à Saint-Cloud, à côté de Paris... À Saint-Cloud, il y a un parc célèbre, une église... et dans une petite rue, la villa Marie-Claire.*
Mme Dumas : Bonjour, je suis Marie-Claire Dumas, la propriétaire de cette villa. J'ai 70 ans. J'ai passé ma vie dans les pays étrangers. J'étais traductrice et interprète. Aujourd'hui, je loue les chambres de ma grande maison à des étudiants ou à de jeunes travailleurs.
Voix off de Mme Dumas : *Elle, c'est Mélanie, ma petite-fille.*
Mélanie : Bonjour ! Je suis Mélanie. J'ai 25 ans. J'ai fait des études d'allemand et je prépare un doctorat. Actuellement, je suis à Berlin, lectrice dans une université.
Voix off de Mme Dumas : *Lui, c'est un de mes locataires. C'est un artiste. Il s'appelle Grégoire.*
Grégoire : Mais tout le monde m'appelle Greg. J'ai fait des études à l'École des beaux-arts de Paris. Maintenant, je fais des expositions.
Voix off de Mme Dumas : *À la villa Marie-Claire, il y a aussi un autre locataire. C'est Ludovic Dubrouck. Il travaille chez Florial, une entreprise spécialisée dans les produits de beauté et les parfums.*
Ludo : Bonjour, je m'appelle Ludovic Dubrouck mais tout le monde m'appelle Ludo. J'ai 26 ans. Je viens de Bruxelles, en Belgique. Je suis informaticien et je travaille ici, chez Florial, depuis deux ans.
Li Na : Moi, c'est Li Na Wang. J'ai 26 ans, comme Ludo. Je travaille aussi chez Florial depuis deux ans. Je suis née à Shanghai, mais je suis française parce que ma mère est française.

Leçon 3

p. 16, Séquence 22 – Des nouvelles de Mélanie
N° 2 **Greg :** Bonjour Mme Dumas !
Mme Dumas : Bonjour Greg, vous avez bien dormi ?
Greg : Pas assez.
Mme Dumas : Vous voulez un café ?
Greg : Oh oui, volontiers !
(Mme Dumas lui montre une carte postale.)
Mme Dumas : Tenez, regardez... Ce matin, j'ai reçu une carte de Mélanie. Vous reconnaissez ?
Greg : Ça ? C'est le château du roi Frédéric II, en Allemagne.
Mme Dumas : Et vous savez comment il s'appelle ce château ?
Greg : « Sans-Souci ». C'est un nom français. Frédéric II parlait français. C'était un ami de Voltaire.
Mme Dumas : Excellente réponse, Greg ! Vous avez gagné un second café !
Greg : Et Mélanie ? Quelles sont les nouvelles ?
Mme Dumas : Là, elle est à Potsdam. La semaine dernière, elle a visité la Bavière. Je ne sais pas quand elle va rentrer en France.
Greg : Elle reste en Allemagne jusqu'au 31 juillet.
Mme Dumas : Ah bon ? Vous êtes plus informé que moi, je vois.
Greg : Bah... C'est sur sa page Facebook.
Mme Dumas : Je vois que... pour elle, le mois de juillet, c'est sans souci !
Greg : Pas vraiment. Elle est en vacances depuis le 10 juillet seulement.
Mme Dumas : Le 10 juillet ? En Allemagne, ils finissent les cours plus tard qu'en France.
Greg : Et oui, Mme Dumas... Les Allemands sont plus travailleurs que nous, c'est connu !
Mme Dumas : Un autre café ?
Greg : Non merci.
Mme Dumas : Et, dites-moi, ce voyage en Allemagne, elle le fait seule ?
Greg : Sur les photos de Facebook, elle est avec des copains. Des Allemands, je crois.
Mme Dumas : Elle a un petit ami allemand ?
Greg *(ton amusé)* **:** Je ne sais pas Mme Dumas.
Mme Dumas : Moi, j'en suis sûre.
Greg : Alors, tout va bien ! Il n'y a pas de souci !

Unité 1

Leçon 1

p. 22, Séquence 23 – Préparatifs de soirée
N° 13 **Greg :** Oh ? Mélanie ! Tu es rentrée ?
Mélanie : Oui, il y a une heure.
Greg : Ça va ?
Mélanie : Ça va.
Greg : Ça me fait plaisir de te voir !
Mélanie : Et moi, ça me fait plaisir d'être ici. Tu as des nouvelles de Ludo et de Li Na ?
Greg : Oui... Ta grand-mère ne t'a pas dit ?
Mme Dumas : Je n'ai pas eu le temps.
Greg : Ils viennent habiter ici. Ils s'installent samedi.
Mélanie : Tous les deux ?
Mme Dumas : Oui ! Je leur ai réservé deux chambres.
Greg : Leur propriétaire, à Nanterre, veut l'appartement pour son fils.
Mélanie : Mais c'est génial ! Il faut fêter ça ! Il faut leur faire une surprise.
Greg : Tu penses à quoi ?
Mélanie : Pour samedi soir, on leur prépare un repas sympa, ici... Puis, je vous montre mes photos d'Allemagne.
Greg : Les photos, c'est bien nécessaire ?
Mélanie : Pas longtemps ! Et après, on va en boîte.
Greg : Ça c'est mieux !
Mme Dumas : Pour le repas, si vous voulez, je vous prépare un bœuf bourguignon.
Mélanie : Mamie, la préparation de la soirée, c'est Greg et moi.
Mme Dumas : J'ai compris... Les vieux avec les vieux, les jeunes avec les jeunes.
Mélanie : Mamie, c'est toujours toi qui travailles ! Cette fois, c'est nous !
Mme Dumas : Et qui prépare le repas ?
Mélanie : C'est Greg !
Greg : Moi ?
Mélanie : Pour la cuisine, c'est toi le meilleur !
Mme Dumas : Je vais lui donner des conseils.
Mélanie : Et moi, je fais les courses. Greg, tu as besoin de quoi ? Qu'est-ce qu'il te faut ?

p. 23, Phonétique Répétez. Puis, continuez sur le même modèle.
N° 14
Un fils difficile
a. Je lui ai demandé de se lever... Il m'a répondu qu'il était fatigué. – **b.** Je lui ai demandé de déjeuner... Il m'a répondu qu'il n'avait pas faim. – **c.** Je lui ai demandé de faire son lit... Il m'a répondu qu'il était occupé. – **d.** Je lui ai demandé de faire ses devoirs... Il m'a répondu qu'il regardait la télé.

Ados difficiles
e. Je leur ai dit de rentrer tôt... Ils m'ont dit qu'on était un samedi. – **f.** Je leur ai dit de m'aider. Ils m'ont dit qu'ils étaient occupés. – **g.** Je leur ai dit d'aller au lycée... Ils m'ont dit qu'ils avaient le temps. – **h.** Je leur ai dit de travailler... Ils m'ont dit qu'ils étaient fatigués.

Leçon 2

p. 25, Exercice 3 Écoutez la recette du gâteau au yaourt.
N° 15
– Maman, tu n'as pas une idée de gâteau facile à faire ?
– Un gâteau au yaourt ?
– C'est facile à faire ?
– Très facile. Alors, il te faut : un pot de yaourt. Tu vas verser le pot de yaourt dans un saladier. Puis tu utilises le pot de yaourt pour la quantité des autres ingrédients. Tu comprends ?
– D'accord.
– Alors, pour 6 personnes, il faut un pot de yaourt, 3 pots de farine, 2 pots de sucre, un demi-pot d'huile, 3 œufs, un sachet de sucre vanillé et un sachet de levure.
– J'ai noté : un pot de yaourt, 3 pots de farine, 2 pots de sucre, un demi-pot d'huile, 3 œufs, un sachet de sucre vanillé et un sachet de levure.
– C'est ça. D'abord, tu fais préchauffer ton four.
– À combien ?
– Thermostat 6, à 180 degrés... Donc, tu prends un saladier. Dans ce saladier, tu verses le pot de yaourt. Tu vas ensuite l'utiliser pour ta farine : 3 pots de farine... Puis, 2 pots de sucre. Tu verses ton sachet de sucre vanillé et tu mélanges.
– Longtemps ?
– Non, quelques secondes. Puis, tu ajoutes les 3 œufs et le demi-pot d'huile... Et tu mélanges un peu. Et enfin...
– J'ajoute la levure.
– C'est ça, et tu mélanges bien. Puis tu verses la préparation dans un moule... et tu mets au four.
– Pendant combien de temps ?
– 30 à 40 minutes.
– Et après ?
– Tu sors ton moule du four. Tu attends un peu pour laisser refroidir. Tu sors ton gâteau du moule et tu le mets sur un plat. Tu peux le servir avec une salade de fruits, avec de la chantilly, du Nutella, de la confiture... C'est comme tu veux.

Leçon 3

p. 26, Séquence 24 – Le dîner de Greg
N° 17 **Greg :** Et voilà : poulet à la catalane !
Ludo : Magnifique !
Li Na : Bravo pour la présentation !
Greg : Je vous remercie, mais goûtez d'abord.
Li Na : Tu nous sers ?
Greg : Si vous voulez.
...
Qu'est-ce qu'il y a ? Il n'est pas bon ?
Ludo : Si, mais... après l'apéritif et l'entrée, je n'ai plus très faim.
Greg : Tu n'aimes pas mon plat !
Ludo : Si, je l'aime... Mais, en fait, il a un goût. Vous ne trouvez pas ?
Mélanie : C'est vrai, Greg. Il a un goût... un goût de piment peut-être ?
Greg : Il n'y en a pas !
Li Na : C'est un goût de citron.
Greg : Oui, il y en a... un peu.
Ludo : Mais... il y a autre chose.
Li Na : De l'ail ?
Greg : Oui, il y en a.
Mélanie : Il y en a beaucoup.
Greg : C'est normal, c'est la recette ! Dans le poulet à la catalane, on met du citron et beaucoup d'ail.
Ludo : Remarque, contre les vampires, c'est très bien !
Greg : C'est fini, je ne fais plus la cuisine !
Li Na : Allez Greg, on plaisante.
Ludo : Ton poulet, on le trouve très bon.
Mélanie : Vraiment ! Je te félicite. Il est parfait ! J'en reprends.
Li Na : Moi aussi.
Ludo : Et moi ?

p. 27, Phonétique b. Répondez.
N° 19 – Il en veut ? – Oui, il en veut.
– Elle en manque ? – Oui, elle en manque.
– Vous en cherchez ? – Oui, nous en cherchons.
– Il vous en faut ? – Oui, il nous en faut.
– Tu en as ? – Oui, j'en ai.
– Tu en vends ? – Oui, j'en vends.

Leçon 4

p. 29, Exercice 9 Écoutez ces quatre messages téléphoniques. Complétez le tableau.
N° 20
1. Bonsoir c'est Olivia Nikos, votre nouvelle voisine. Je vous appelle parce que jeudi soir, à partir de 19 h, je fais un apéritif pour rencontrer mes voisins. Ça me ferait très plaisir de vous avoir avec nous. Alors à jeudi, j'espère. Vous pouvez me rappelez au 06 73 00 28 10. – **2.** Coucou ma sœur chérie, c'est Lucas ton frère préféré... C'était pour te rappeler que samedi c'est mon anniversaire... mais je suis sûr que tu y as pensé... Alors je fais une petite fête... samedi soir... chez moi.... et j'espère que tu viendras... Et si tu viens avec ta copine Louisa, c'est encore mieux... Bisou, bisou ! – **3.** Salut Gilles. C'est Jérémie. Je t'ai envoyé un texto. J'ai essayé de t'appeler. Pas de réponse. Tu fais quoi ce soir ? Si tu es libre, on fait une soirée poker chez Romain. Romain fait des spaghettis. Si tu viens apporte à boire. Allez ciao ! – **4.** Bonsoir Éléna, c'est Charlotte... Bon, tu n'es pas chez toi... Écoute, Pierre est en voyage pour la semaine et je suis sûre que vendredi ton copain va aller voir le match. Alors vendredi, on peut se faire une soirée entre copines. Qu'est-ce que tu en penses ? Une bonne pizza devant une série télé ? Je le propose aussi à Noémie et à Mélanie.

p. 29, Phonétique b. Répondez.
N° 22 – Tu y as réfléchi ? – Oui, j'y ai réfléchi.
– Tu y as pensé ? – Oui, j'y ai pensé.
– Elle s'y est préparée ? – Oui, elle s'y est préparée.
– Elle s'y est intéressée ? – Oui, elle s'y est intéressée.
– Vous y êtes allés ? – Oui, nous y sommes allés.
– Vous y êtes restés ? – Oui, nous y sommes restés.

Bilan

p. 34, Exercice 7 Écoutez. Mélissa raconte sa soirée. Répondez.
N° 23
Julien : Alors, la soirée de Caroline ?
Mélissa : Géniale ! C'était chez le compagnon de sa mère. Il a une grande maison, au bord d'une rivière. Il faisait chaud. On s'est baignés.
Julien : Il y avait qui ?
Mélissa : Ses amis de la fac, son frère et sa sœur et des cousins. Tous sympas...
Julien : Mais pourquoi elle faisait cette soirée ?
Mélissa : Elle fêtait son doctorat de biologie. Mais c'était vraiment super. Il y avait un très bon DJ... On a dansé... et on a mangé une paëlla excellente ! Il y avait un de ses cousins qui animait... On a fait le jeu du portrait. On s'est vraiment bien amusés !

Unité 2

Leçon 1

p. 37, Séquence 25 – L'avenir de Li Na
N° 24 **Li Na :** Tu sais lire les lignes de la main ?

Mélanie : Un peu... Ça m'amuse ! J'ai fait un stage... Tu veux connaître ton avenir ?
Li Na : Mon avenir professionnel, surtout.
Mélanie : Pourquoi ? Chez Florial, tu as des problèmes ?
Li Na : Non, mais j'ai envie de faire autre chose.
Mélanie : Quoi ?
Li Na : Reprendre des études, par exemple.
Mélanie *(commençant à regarder la main de Li Na)* **:** Alors, voyons... Une chose est sûre, tu voyageras beaucoup.
Li Na : Ça me plaît, ça !
Mélanie : Et l'année prochaine, tu feras un voyage important.
Li Na : Ah bon ? Et j'irai où ?
Mélanie : Ah ça, je ne sais pas ! Tout n'est pas écrit... Mais, bientôt, tu rencontreras quelqu'un.
Li Na : Un homme ?
Mélanie : C'est sur ta ligne de cœur...
Li Na : J'espère qu'il sera beau, qu'il sera jeune, que nous serons heureux...
Mélanie : Il sera plus âgé que toi.
Li Na : Beaucoup plus âgé ?
Mélanie : Ah ça, mystère... Mais... ta vie changera... Tu auras un travail important et intéressant.
Li Na : Ok, je prendrai le travail... Pour le reste, on verra !

Leçon 2

p. 39, Phonétique
Confirmez comme dans l'exemple.
N° 26 ***L'université idéale***

On s'inscrit en septembre. C'est facile.
→ On s'inscrit facilement.
On travaille mais c'est différent.
→ On travaille différemment.
On choisit ses cours. On est libre.
→ On choisit ses cours librement.
On assiste aux cours. C'est gratuit.
→ On assiste aux cours gratuitement.
On participe avec intelligence.
→ On participe intelligemment.
On apprend. C'est rapide.
→ On apprend rapidement.
On réussit. On est excellent.
→ On réussit excellemment.

Leçon 3

p. 40, Séquence 26 – Apprentissage
N° 27 **Greg :** Ça alors ! Vous faites de la guitare Mme Dumas ?
Mme Dumas : J'essaie... mais c'est pas facile !
Greg : Vous avez déjà fait de la musique ?
Mme Dumas : Cinq ans de piano. J'ai commencé quand j'avais dix ans.
Greg : Le piano, c'est comme le vélo, on n'oublie pas !
Mme Dumas : Oui mais moi, je n'arrivais pas à jouer avec les deux mains à la fois ! Alors, j'ai arrêté.
Greg : Vous n'avez jamais repris ?
Mme Dumas : Le piano, non. Mais j'ai essayé la flûte. Échec total. Je n'ai pas réussi à faire un son.
Greg : Et là, vous commencez la guitare ?
Mme Dumas : Oui, je voudrais juste accompagner des chansons.
Greg : Qu'est-ce que vous travaillez, là ?
Mme Dumas : « Dernière Danse » d'Indila.
Greg : C'est pas difficile, ça ! Juste avec trois accords : regardez !
(Greg prend la guitare et joue.)
Mme Dumas : Vous vous débrouillez bien à la guitare !
(Greg rend la guitare à Mme Dumas qui va essayer de jouer.)
Greg : Allez, à vous ! Oui, pas mal... Continuez ! Allez, courage !

Leçon 4

p. 43, Exercice 7
Écoutez. On interroge Philippe, un
N° 28 **étudiant à Sciences Po Grenoble.**
La journaliste : Philippe, tu es à Sciences Po Grenoble...
Philippe : Oui, en première année.
La journaliste : Tu es entré facilement ?
Philippe : Oui assez... Enfin... un candidat sur 8 réussit. Mais si on est bon en français et en anglais et si on travaille bien le programme d'histoire, ce n'est pas trop difficile.
La journaliste : Et maintenant, les cours, ça va ?
Philippe : Oui, on a 20 heures de cours par semaine... mais beaucoup de travail personnel.
La journaliste : Il y a un restaurant à Sciences Po Grenoble ?
Philippe : Oui, l'école est située sur le campus universitaire. Donc il y a le restaurant universitaire. Mais, en plus, à Sciences Po, on a une cafétéria. C'est pratique, parce qu'entre midi et 13h 30, il y a beaucoup de monde au CROUS.
La journaliste : Au quoi ?
Philippe : Au CROUS. Le CROUS, c'est l'organisme social qui s'occupe des étudiants. C'est comme ça qu'on appelle le restaurant universitaire à Grenoble. À Paris, ils disent « le resto U ».
Le journaliste : Et il y a une bibliothèque ?
Philippe : Oui, elle est très bien. Il y a tous les livres nécessaires, des ordinateurs pour tout le monde mais le problème, c'est qu'elle ferme le soir à 18 h et qu'elle est fermée le week-end. À Sciences Po Paris, leur bibliothèque ouvre jusqu'à 23 h le soir et elle est ouverte le samedi et le dimanche.
Le journaliste : Et pour les examens ?
Philippe : C'est le système européen des ECTS. ECTS, ça veut dire « european credits transfer system ». Chaque cours donne des ECTS. Il faut avoir 60 ECTS à la fin de l'année pour valider une année.

Bilan

p. 48, Exercice 2
Écoutez. Célia fait des études
N° 29 **de lettres à l'université. C'est dimanche. Elle parle de son emploi du temps. Notez les informations sur l'agenda.**
Thomas : Tu es très occupée la semaine prochaine ?
Célia : Ben oui, mais... jusqu'à mercredi soir seulement. Parce qu'à partir de mercredi soir, c'est les vacances de la Toussaint.
Thomas : Je sais mais moi, mercredi soir, je pars avec des amis en Normandie. Tu n'as pas un moment, un soir... ou à l'heure du déjeuner ?
Célia : Regarde : demain matin, de 8 à 10, j'ai deux heures de cours sur le roman au xviiie siècle. Puis, je retrouve une copine chez elle. On va préparer un exposé. L'après-midi, j'ai cours de 16 h à 18 h. Après, je rentre chez moi, j'ai un commentaire à finir. Je dois le rendre mardi matin.
Thomas : C'est toujours ton commentaire du poème de Victor Hugo ?
Célia : Ben oui, il est toujours pas fini ! Alors après... mardi... mardi matin, j'ai 4 heures de cours : 2 h d'anglais et 2 h de littérature. C'est là que je dois rendre le commentaire. L'après-midi, avec ma copine, on fait notre exposé à 15 h. Tout de suite après, je rentre chez moi pour préparer mes deux partiels de mercredi. Un le matin de 9 h à midi, c'est de la philo et un l'après-midi, en espagnol, à 15 h... Bref, je suis enfin libre mercredi à 17 h.
Thomas : Mais moi, à cette heure-là, je serai sur la route...

Unité 3

Leçon 1

p. 50, Séquence 27 – Greg cherche du travail
N° 30 **Mélanie :** Salut Greg ! Ça va ?
Greg *(regarde son écran d'ordinateur)* **:** Ça va. Enfin, pas vraiment...
Mélanie : Problèmes de cœur ?
Greg : Non... d'argent.
Mélanie : D'argent !? Et ton exposition à la galerie Dubreuil ?
Greg : C'est une expo qui ne marche pas.
Mélanie : Mais la presse a été bonne. Il y a du monde.
Greg : Ce sont des gens qui viennent mais qui n'achètent pas... C'est la crise ! Voilà... Donc, je cherche du travail.
Mélanie : Toi ? Du travail ? Et quoi ?
Greg : Quelque chose que je sais faire. La peinture, la décoration...
Mélanie : Un conseil : choisis un travail que tu as envie de faire.
Greg : C'est facile à dire. Tu connais quelqu'un qui cherche un peintre ?
Mélanie : Non, je ne connais personne... Et sur internet, tu n'as rien trouvé ?
Greg *(montre la page internet)* **:** Ben là, il y a une agence d'intérim qui cherche un décorateur.
Mélanie : Eh bien, c'est pour toi ça !
Greg : Oui... c'est un travail qui me plaît.
Mélanie : Inscris-toi !
Greg : Tu as raison. Allez, je m'inscris ! Alors... Nom... Prénom... Date de naissance... Adresse... E-mail... Votre métier... Qu'est-ce que je mets ?
Mélanie : Mets « décorateur d'intérieur ».
Greg : Mais je n'ai pas de diplôme.
Mélanie : Ça ne fait rien ! Tu sauras te débrouiller ?
Greg : Oui, je pense... Bon, « décorateur d'intérieur »... Région souhaitée : Paris ?
Mélanie : Paris, et région parisienne !
Greg : Dis donc... Je n'ai pas envie de faire 3 heures de trajet par jour, moi.
Mélanie : Tu veux trouver du travail ou pas ? Il faut savoir.
Greg : Ok. « Paris et région parisienne ».

Leçon 2

p. 53, Exercice 5
Écoutez. Trois employés
N° 32 **téléphonent à leurs supérieurs. Complétez le tableau.**
1. Mathias : Bonjour, c'est Mathias Lebrun.
La secrétaire : Ah, bonjour Mathias. Tu vas bien ?
Mathias : Ben non, j'ai un petit problème de santé. Je ne pourrais pas venir aujourd'hui.
La secrétaire : Tu veux que je te passe Mme Martinez ? Elle est là.
Mathias : D'accord, merci...
La secrétaire : ... Voilà, je te passe Mme Martinez.
La directrice : Bonjour monsieur Lebrun. Qu'est-ce qui vous arrive ?
Mathias : Ben, j'ai un petit problème de santé. J'attends le médecin. Je ne pense pas pouvoir venir aujourd'hui. Je suis vraiment désolé pour la réunion.
La directrice : Écoutez, ce n'est pas un problème. On va l'annuler et la mettre un autre jour...
Mathias : Je vous remercie de votre compréhension.
La directrice : Allez, reposez-vous et revenez vite !
2. Le DRH : Allô, oui...
L'employée : Bonjour monsieur. C'est Eugénie Florentin, du service marketing.
Le DRH : Oui, bonjour Eugénie. Qu'est-ce que je peux faire pour vous ?
L'employée : Je voudrais prendre rendez-vous avec vous.
Le DRH : Pourquoi ?
L'employée : Pour un problème d'horaire. J'aimerais changer, faire partie de l'équipe de l'après-midi. Vous pensez que c'est possible ?
Le DRH : Je vais étudier la question. On peut se voir demain, à 15 h 30 ?
L'employée : Demain ! C'est parfait. Je vous remercie.
3. Olivier : Bonjour Sabine, c'est Olivier.
La directrice : Bonjour Olivier. Vous allez bien ?
Olivier : Oui, merci. J'aurais un petit service à vous demander. Mon fils va passer un concours samedi, à Paris.
La directrice : Qu'est-ce qu'il passe ?
Olivier : Écoles de commerce ! C'est samedi prochain. Donc, il part vendredi après-midi et j'aimerais bien l'accompagner...
La directrice : Vous avez raison. Il faut être avec lui... J'ai fait pareil avec ma fille quand elle a passé Sciences po.
Olivier : Bon, ben merci. C'est gentil.
La directrice : Allez, au revoir... Bonne chance à votre fils !
Olivier : Merci encore. Au revoir, Sabine.

Leçon 3

p. 54, Séquence 28 - Une employée pénible
N° 33 *(Greg a garé sa voiture sur un parking réservé.)*
L'employée : Monsieur ? Monsieur !
Greg : Oui ?
L'employée : Il faut que vous gariez votre voiture ailleurs. Ici, c'est interdit.
Greg : Oui mais... je suis de l'entreprise « Tous Services ». Je viens pour la décoration de l'entrée.
L'employée : Deux minutes, alors.
Greg : Cinq minutes ?
(Greg a placé son escabeau devant un couloir.)
L'employée : Monsieur ! S'il vous plaît !
Greg : Oui ?
L'employée : Il ne faut pas que vous vous mettiez ici ! C'est dangereux !
Greg : Oui mais il faut bien que je travaille.
L'employée : Bon... Pas longtemps, alors.
Greg : Cinq minutes, pas plus.
(La perceuse de Greg fait beaucoup de bruit.)
L'employée : Monsieur ! Monsieur.
Greg : Oui ?
L'employée : J'aimerais que vous fassiez moins de bruit. On ne s'entend plus.
Greg : Cinq minutes, pas plus !
(Les affaires de Greg bloquent le passage.)
L'employée : Monsieur !
Greg : Oui ?
L'employée : Je voudrais passer. Il faut que j'aille voir ma responsable.
Greg : Et moi, j'aimerais que vous soyez gentille avec moi.
L'employée : D'accord... Mais cinq minutes... pas plus !

p. 55, Phonétique
Confirmez comme dans l'exemple.
N° 35 – Nous allons à la réunion ? – Oui, il faut que vous alliez à la réunion.
– Vous arrivez à 9 h ? – Oui, il faut que nous arrivions à 9 h.
– Li Na vient ? – Oui, il faut qu'elle vienne.
– Le dossier est prêt ? – Oui, il faut qu'il soit prêt.
– Li Na finit le rapport ? – Oui, il faut qu'elle le finisse.
– Éric fait le Powerpoint. – Oui, il faut qu'il le fasse.

Projet

p. 58, Exercice 7
Écoutez l'entretien d'Alessandra
N° 36 **Tizzoni avec le directeur d'une école de langues en France.**
Le directeur : Mais, je vois que vous parlez très bien français...
Alessandra : Oui, j'ai fait cinq ans d'études de français à l'université.

Le directeur : Mais, il n'y a pas que ça. Vous avez fait des séjours en France...
Alessandra : Ma mère est française.
Le directeur : Ah, je comprends mieux... Et vous arrêtez vos études à la maîtrise ?
Alessandra : En français, oui. Mais j'ai commencé des études d'administration et de gestion.
Le directeur : D'accord. Donc vous ne voulez pas rester professeur.
Alessandra : Si, mais peut-être pas toute ma vie. Je ne l'ai pas mis sur mon CV mais j'ai un peu travaillé à l'office du tourisme de Sienne pour accueillir des étrangers, faire des traductions...
Le directeur : Bien, alors... il faut que je vous dise que, ici, nous donnons des cours de langues à des adultes...
Alessandra : Oui, ça je l'ai fait.
Le directeur : J'ai vu ça sur votre cv. Mais nous avons aussi des enfants.
Alessandra : Ah, j'adore enseigner aux enfants.
Le directeur : Vous l'avez déjà fait ?
Alessandra : Euh non mais quand j'avais 15 ans je m'occupais de groupes d'enfants pendant les vacances. Ça me plaisait bien.
Le directeur : Et une dernière chose, nous organisons aussi des visites touristiques de la ville et de la région. Vous pourriez faire guide, en italien ou en anglais.
Alessandra : Il faut que j'étudie un peu la question, mais oui, pourquoi pas...

Bilan

p. 62, Exercice 5
N° 37 Écoutez. Jeanne participe à un entretien d'embauche.

Le DRH : Bonjour !
Jeanne : Bonjour !
Le DRH : Asseyez-vous... Alors, vous venez pour le poste à l'accueil.
Jeanne : C'est ça.
Le DRH : Vous avez déjà travaillé dans une banque ?
Jeanne : Oui, j'ai fait un stage au Crédit Lyonnais l'an dernier.
Le DRH : Et vous avez 23 ans.
Jeanne : Oui.
Le DRH : Vous avez des enfants ?
Jeanne : Non, je suis célibataire.
Le DRH : Et vous êtes toujours étudiante...
Jeanne : Oui, je prépare un mastère en droit, finance internationale.
Le DRH : Donc vous avez votre licence en droit ?
Jeanne : C'est ça, et je suis en deuxième année de master.
Le DRH : Alors vous parlez anglais...
Jeanne : Oui, assez couramment et je parle aussi assez bien espagnol et italien.
Le DRH : C'est bien, ça. Parce que vous savez qu'à l'accueil, nous avons beaucoup d'étrangers en été.
Jeanne : Oui, pas de problème pour ça. Et j'aime les contacts avec la clientèle.
Le DRH : Ils sont pas toujours faciles. Vous savez ?
Jeanne : Pas de problème pour ça. Je sais rester calme. J'aime bien expliquer...

Unité 4

Leçon 1

p. 65, Séquence 29 - Bonne ou mauvaise nouvelle ?
N° 38 **Li Na :** La réunion s'est bien passée ?
Jean-Louis : Oui ! Et j'ai une nouvelle importante !
Ludo : Bonne ou mauvaise ?
Jean-Louis : Ça dépend...
Ludo *(impatient)* **:** Alors ?
Jean-Louis : Le siège de Florial est transféré à Dublin.
Ludo : En Irlande ?
Jean-Louis : Bravo Ludo ! Dublin est en Irlande... Ici, les bureaux seront fermés. L'immeuble sera vendu.
Ludo : Mais... C'est juste un projet ? !
Jean-Louis : Non. La décision a été prise par la direction.
Ludo : C'est une catastrophe !
Li Na : Mais non, au contraire, c'est génial ! C'est une nouvelle vie qui va commencer.
Ludo : C'est ton avis, pas le mien ! Moi, j'aime trop Paris. Je n'ai pas envie de partir.
Jean-Louis : Vous pouvez rester en France Ludovic. Vous serez engagé par une autre entreprise du groupe...
Ludo : Et vous, qu'est-ce que vous en pensez ?
Jean-Louis : Oh moi, je suis ravi... comme Li Na.

p. 65, Phonétique
N° 39 a. Répondez comme dans l'exemple.

Découverte
– Vous avez ouvert la lettre ? – Je l'ai ouverte.
– Vous avez appris la nouvelle ? – Je l'ai apprise.
– Vous avez compris l'explication ? – Je l'ai comprise.
– Vous avez découvert la solution ? – Je l'ai découverte.
– Vous avez fait la comparaison ? – Je l'ai faite.
– Vous avez écrit la réponse ? – Je l'ai écrite.

p. 65
N° 40 b. Répondez en accordant le participe passé à votre cas.

Offre d'emploi
– Pierre s'est inscrit. Et vous ? – Je me suis inscrit.
– Pierre a été surpris. Et vous ? – J'ai été surprise.
– Pierre a été compris. Et vous ? – J'ai été compris.
– Pierre a été pris. Et vous ? – J'ai été prise.

Leçon 2

p. 67, Exercice 7
N° 41 Observez la photo et écoutez le récit d'un témoin. Répondez.

Elle : Tiens, regarde la photo que j'ai prise avec mon portable.
Lui : Tu étais où, là ?
Elle : À Hong Kong. C'était pour les fêtes de Noël, l'année dernière. J'étais invitée par des amis qui habitent à Hong Kong... C'était un soir, juste avant Noël, le soir du réveillon quoi... On faisait des courses avec mon amie. On était dans Gloucester road, une grande rue de Hong Kong.
Lui : C'est quoi ces papiers ? C'est comme des billets de banque.
Elle : C'est des billets de banque. Des billets de 500 dollars.
Lui : Des faux ?
Elle : Non, des vrais. Il faisait du vent et tout à coup, on a vu des milliers de billets voler dans le vent. C'était extraordinaire.
Lui : Alors, tout le monde en a pris ?!
Elle : Oui, les voitures se sont arrêtées. Les gens ont couru après les billets.
Lui : Tu en as pris ?
Elle : Je n'ai pas eu le temps. La police est arrivée tout de suite. Beaucoup de policiers. Ils ont tout bloqué avec leurs voitures. Ils étaient armés et tout... Ils nous ont dit de rendre les billets.
Lui : Mais d'où ils venaient, ces billets ?
Elle : D'un camion de transport d'argent. Sa porte était mal fermée. Elle s'est ouverte...

Leçon 3

p. 68, Séquence 30 - Disparition
N° 42 **Jean-Louis :** C'est incroyable ! Incroyable !
Li Na : Qu'est-ce qui se passe ?
Jean-Louis : La photo de Catherine Deneuve... elle n'est plus là !
Li Na : Une photo de Catherine Deneuve ?
Jean-Louis : Oui, une magnifique photo collector.
Li Na : Depuis quand elle a disparu ?
Jean-Louis : Je ne sais pas... Depuis ce matin ou depuis hier soir.
Éric *(qui passe et qui a entendu)* **:** Elle était encore là hier soir, j'en suis sûr. Un client s'est arrêté pour la regarder.
Jean-Louis : Qui a pu faire ça ?
Éric : Quelqu'un l'a prise pour son bureau.
Jean-Louis : Mais c'est interdit ça. C'est une photo de valeur !
Li Na : Alors, c'est probablement un voleur.
Éric : Ou peut être un fan de Catherine Deneuve.
Li Na : Ou alors un voleur fan de Catherine Deneuve.
Éric : Tout est possible !
L'employée : Qu'est-ce qui se passe ? Il y a un problème ?
Éric : La photo de Catherine Deneuve a été volée.
L'employée : Mais non... Le décorateur de l'accueil vient de la prendre.
Jean-Louis : Pour quoi faire ?
L'employée : Eh bien, il est en train de décorer l'entrée.
Jean-Louis : Qui l'a autorisé à faire ça ? Il n'avait pas le droit ! Je vais le voir !

p. 68, Phonétique
N° 43 a. Marquez le son que vous entendez au début des mots.

1. beau garçon – **2.** police – **3.** bar des amis – **4.** partie de cartes – **5.** piscine – **6.** bizarre – **7.** peur – **8.** beurre

Projet

p. 73, Exercice 7
N° 45 Écoutez. Un journaliste interroge deux promeneurs du jardin des Tuileries à Paris.

Le journaliste : Bonjour !
Femme : Bonjour !
Le journaliste : Vous aimez ?
Femme : Euh....pas vraiment. C'est bizarre. Je préfère les jardins des Tuileries sans ces choses.
Homme : Moi, je suis pas de cet avis. C'est surprenant. Et puis, on est au milieu d'arbres et ça, c'est un peu une cabane... une cabane au milieu des arbres.
Femme : Un tas de bois, oui !
Le journaliste : Vous savez qui a fait ça ?
Femme : Oui, c'est un artiste japonais, Kengo Kuma.
Homme : C'est placé là, à l'occasion de la FIAC, la Foire internationale de l'art contemporain. Il y a d'autres œuvres d'artistes dans le jardin.
Le journaliste : Vous les avez vues ?
Femme : Certaines, oui. Il y a des ballons dans les arbres, des choses en métal coloré... Mais moi, bon, je suis pas fan.
Homme : Moi, j'adore. Je ne vais jamais voir d'exposition d'art contemporain, mais là, dans un lieu public, on est obligé de les voir. C'est amusant.
Le journaliste : Et d'après vous, ça représente quoi ?
Femme : Je ne sais pas... une armée... n'importe quoi.
Homme : Non, c'est une maison, une maison qui n'est pas encore construite... Voilà, une maison que tu peux imaginer comme tu veux... C'est ça, l'art moderne. Il ne faut jamais être passif devant une œuvre.
Le journaliste : Vous savez que Kengo Kuma est un architecte... Il veut garder la tradition japonaise dans les constructions d'aujourd'hui.
Femme : Ah oui, je comprends. Donc, c'est un peu un puzzle de maison japonaise...

Bilan

p. 76, Exercice 5
N° 46 Écoutez les titres du journal télévisé. Associez chaque information avec un mot et classez-la dans une rubrique.

1. Coupe du monde féminine de football. Une bonne nouvelle : au Canada, les Françaises ont battu les Britanniques par 1 but à 0. – **2.** Bons résultats pour les constructeurs de voitures françaises. Les ventes ont augmenté de 12 % depuis le 1er janvier. – **3.** Voyage du Président de la République en Chine. On y parlera beaucoup d'écologie pour préparer la conférence internationale sur le climat. – **4.** Fermé au public depuis 5 ans pour cause de travaux, le musée Picasso a rouvert ses portes. Les visiteurs sont nombreux. Certains jours, on enregistre plus de 3 000 entrées. – **5.** Élections régionales. Les partis de gauche n'ont pas réussi à se mettre d'accord sur un programme. Ils vont être en difficulté dimanche. – **6.** La population de la ville de Villeneuve manifeste. Le gouvernement a décidé de fermer le petit hôpital de la ville. Les malades devront aller à l'hôpital de Clermont-Ferrand, situé à 40 kilomètres.

Unité 5

Leçon 1

p. 79, Séquence 31 - Malaise
N° 47 **Jean-Louis :** Li Na ? Ça ne va pas ?
Li Na : Excusez-moi. Je ne me sens pas bien.
Jean-Louis : Elle ne se sent pas bien !
Éric : C'est à cause de la chaleur... Je peux baisser le chauffage.
Li Na : Non, non, j'ai plutôt froid.
L'employée : Donc elle a de la fièvre. Il y a des virus dans l'air en ce moment. Vous voulez une aspirine ?
Jean-Louis : Un verre d'eau ?
Li Na : Oui, un verre d'eau, s'il vous plaît.
L'employée : Je vais en chercher un.
Jean-Louis : Non, restez avec elle. J'y vais. *(Jean-Louis sort.)*
L'employée : Vous avez mal à la tête ?
Li Na : Un peu... Je suis surtout très fatiguée.
Éric : Vous travaillez trop, Li Na. Trop de travail, ça entraîne du stress... et trop de stress, ce n'est pas bon pour la santé.
L'employée : C'est pourquoi, Li Na, vous devez vous reposer.
(Jean-Louis revient avec un verre d'eau.)
Jean-Louis : Tenez, buvez...
Li Na : Merci. Ça va un peu mieux.
Jean-Louis : Bon, je vous raccompagne.
Li Na : Ce n'est pas la peine. Je me sens mieux.
Jean-Louis : Un jour de repos et vous reviendrez en pleine forme. Allons-y !
(Jean-Louis aide Li Na à se lever. Ils sortent.)
L'employée *(à Éric)* **:** Sa fatigue ne vient pas du travail... Je crois qu'elle a des problèmes de cœur.
Éric : Ah bon ? Raconte-moi...

p. 79, Phonétique
N° 48 a. Écoutez. Associez chaque mot ci-dessous avec le premier ou le deuxième mot que vous entendez.

a.	1. le poisson	2. le poison
b.	1. le cousin	2. le coussin
c.	1. une ruse	2. un Russe
d.	1. une base	2. une basse
e.	1. le dessert	2. le désert

Leçon 2

p. 80, Exercice 1 — Écoutez. Deux personnes prennent rendez-vous pour un problème de santé. Pour chaque situation, répondez aux questions. (N° 51)

1. La secrétaire : Cabinet médical, bonjour !
Un homme : Bonjour, je voudrais prendre rendez-vous avec le docteur Carcassonne.
La secrétaire : Je n'ai pas de place avant le 28, dans 15 jours.
Un homme : Ça ne fait rien.
La secrétaire : Vous préférez quand ? Le matin ou l'après midi ?
Un homme : Ça m'est égal. Je suis au chômage.
La secrétaire : Le 28, à 9 heures ?
Un homme : Très bien.
La secrétaire : Vous êtes monsieur... ?
2. Le dentiste : Docteur Kaplan, bonjour.
La femme : Bonjour docteur. Je suis Mme Guiraud.
Le dentiste : Ah oui, bonjour madame. Vous avez un problème ?
La femme : Ben oui, j'ai une dent qui me fait très mal. Je n'ai pas dormi cette nuit. Vous (ne) pourriez pas me prendre en urgence ?
Le dentiste : Attendez... Je regarde...Vous pouvez venir à midi ?
La femme : À n'importe quelle heure !
Le dentiste : D'accord, à tout à l'heure. Vous attendrez peut-être un peu. Je vous prendrai entre deux patients.
La femme : Merci beaucoup M. Kaplan, c'est très gentil.

p. 81, Exercice 6 — Écoutez. Associez chaque scène à une photo. (N° 52)

1. Le dentiste : Alors, ça vous fait mal où ?
La jeune fille *(parlant avec difficulté pendant tout le dialogue)* **:** La dent au fond, à droite.
Le dentiste : Ça vous fait mal au chaud, au froid ?
La jeune fille : Ben, ça me fait mal tout le temps.
Le dentiste : Ouvrez bien la bouche... C'est ici ?
La jeune fille : Oui !
Le dentiste : Vous avez une carie. Je vais vous la soigner, puis vous ferez des bains de bouche.
2. Le médecin : Comment vous avez fait ça ?
La patiente : En faisant mon jogging, ce matin. Mon pied a glissé et je suis tombée.
Le médecin : Dites-moi où ça vous fait mal... Là... ? Là... ?
La patiente : Oui, là, à la cheville. Ça fait très mal.
Le médecin : Bon, je vais vous envoyer faire une radio. À mon avis, il n'y a rien de cassé mais on va vérifier.
3. Le kiné : C'est cette épaule qui vous fait mal ?
Le patient : Oui, la droite, depuis que j'ai repris le tennis.
Le kiné : Vous en avez trop fait d'un coup. Il faut y aller progressivement.
Le patient : Je sais. Je n'ai pas été prudent.
Le kiné : Bon, on va faire des massages mais vous arrêtez le tennis pendant deux mois et vous êtes très prudent avec ce bras... !

p. 81, Exercice 8 — Lisez le début du Point infos de la page 115. Écoutez. Ils appellent en urgence. Complétez le tableau. (N° 53)

1. – Le SAMU, j'écoute !
– Oui, je vous appelle parce que je suis dans la rue... et un monsieur âgé est tombé... Il n'est pas bien du tout.
– Vous êtes où ?
– Rue Charles Gounod, au niveau du numéro... 10.
– La personne qui est tombée est consciente ? Elle parle ?
– Non, il est évanoui.
– Bon nous arrivons !
2. – Cabinet dentaire, bonjour.
– Bonjour. Je voudrais avoir un rendez-vous rapidement s'il vous plaît. J'ai une dent qui s'est cassée.
– Vous avez mal ?
– Ben oui, très mal.
– Attendez, je vais voir... Vous pouvez venir dans une heure ?
– Oui, bien sûr.
– Vous êtes déjà venue ?
– Oui, je suis Mme Bouchard. Isabelle Bouchard.
– Très bien. À tout à l'heure...
3. – Femme : SOS médecin, bonjour.
– Homme : Bonjour. J'ai mon fils qui est tombé en skate. Je crois qu'il s'est cassé la cheville. Il a très mal. Est-ce vous pourriez venir docteur ?
– Femme : Je veux bien mais ça va vous retarder. S'il a très mal, il faut d'abord faire une radio. Vous ne pouvez pas l'amener à l'hôpital, aux urgences ?
– Homme : Si, bien sûr.
– Femme : Allez-y. Ils vont s'occuper de vous.

Leçon 3

p. 82, Séquence 32 - Accident (N° 54)

Mélanie *(laisse un message sur son portable)* **:** Greg, c'est Mélanie. Ça fait deux heures que j'essaie de t'avoir. Tu es où ? Je suis inquiète... Mamie, tu as vu Greg aujourd'hui ?
Mme Dumas : Je ne l'ai pas vu depuis le petit déjeuner.
Mélanie : On devait aller au cinéma, à la séance de 19 h. Il est 20h 30.
Mme Dumas : Ne t'inquiète pas. Il a probablement rencontré un copain.
Mélanie : Ce n'est pas normal... *(On entend la porte qui s'ouvre.)* Ah, c'est lui ! Greg, c'est toi ?
Greg : Oui.
Mélanie : Il y a deux heures que je t'attends... *(Greg a un pansement autour de la tête.)* Ah ! Qu'est-ce qui t'est arrivé ?
Greg : Rassurez-vous, ce n'est pas grave.
Mme Dumas : Comment vous avez fait ça ?
Greg : Catherine Deneuve m'est tombée sur la tête.
Mélanie : Mais encore ?
Greg : Ce matin, j'ai accroché une grande photo dans l'entrée de Florial. Une photo de Catherine Deneuve. Elle est tombée. J'étais dessous.
Mme Dumas : Mon pauvre Greg, vous n'avez pas de chance !
Greg : Je me suis évanoui et on m'a transporté à l'hôpital.
Mélanie : Comment ? En ambulance ?
Greg : Oui, le SAMU... Là-bas, j'ai attendu pendant deux heures. Puis, on m'a soigné. Puis, j'ai fait les papiers. Et voilà... Mais ce n'est rien. Demain, je reprends le travail.
Mme Dumas : C'est dangereux le métier de décorateur !

Bilan

p. 90, Exercice 5 — Écoutez. Samuel rentre chez lui, le soir. Il a eu un accident. (N° 56)

La mère : Qu'est-ce qui t'est arrivé ?
Samuel : Je suis tombé de vélo.
La mère : Comment ça s'est passé ?
Samuel : Ce matin, j'allais au lycée... Je roulais dans la rue Pasteur et une voiture est arrivée en face.
La mère : Tu es rentré dans la voiture ?
Samuel : Non, j'ai serré à droite mais j'ai touché une voiture qui était garée. J'ai perdu l'équilibre et je suis tombé...
La mère : Tu es allé à l'hôpital ?
Samuel : Non, ce n'était pas grave. Je suis allé à l'infirmerie du lycée et là, l'infirmière m'a soigné et m'a fait ce pansement.
La mère : Tu dois refaire le pansement ?
Samuel : Non, demain, au lycée, l'infirmière le refait.
La mère : Et le vélo ? Il n'a rien eu ?
Samuel : Non, ça va. Il marche toujours.

Unité 6

Leçon 1

p. 92, Séquence 33 - Propositions (N° 57)

Jean-Louis *(un dossier sous le bras)* **:** Ah, Li Na ! J'ai les projets de flacons.
Li Na : Les flacons... pour le nouveau parfum ?
Jean-Louis : Oui, regardez... Qu'est-ce que vous en pensez ?
Li Na : C'est super ! J'adore celui-ci... Celui-là aussi est très beau.
Jean-Louis : Et lequel vous préférez ?
Li Na : Celui qui est le plus coloré. Celui-ci, dans le style Mondrian.
Jean-Louis : Vous trouvez ?
Li Na : Oui, Mondrian redevient tendance, vous savez... Et vous, quel est celui que vous préférez ?
Jean-Louis : J'hésite entre le Mondrian... Et celui-ci... Je vais réfléchir... Au fait, vous avez vu l'expo Mondrian ?
Li Na : Celle qui est au Centre Pompidou ? Non, je ne l'ai pas vue.
Jean-Louis : Moi non plus. On pourrait y aller...
Li Na : Pourquoi pas ?
Jean-Louis : Et si on y allait ce soir ? C'est ouvert jusqu'à 22 heures. On pourrait aller dîner puis aller voir l'expo.
Li Na : D'accord !

p. 93, Phonétique — Répondez comme dans les exemples. (N° 58)

Projets de sorties
a. – Tu **ch**oisis **c**e **c**oncert ou **c**elui-là ? – Je **ch**oisis **c**elui-**c**i.
b. – Nou**s** allons voir **c**ette expo ou **c**elle-là ? – Nou**s** allons voir **c**elle-**c**i.
c. – Tu ré**s**erves pour **c**ette pièce ou pour **c**elle-là ? – Je ré**s**erve pour **c**elle-**c**i.
d. – Tu t'intére**ss**es à **c**e **ch**anteur ou à **c**elui-là ? – Je m'intére**ss**e à **c**elui-**c**i.
e. – Il **ch**ante **c**ette **ch**anson ou **c**elle-là ? – Il **ch**ante **c**elle-**c**i.
f. – Vous **ch**erchez **c**e théâtre ou **c**elui-là ? – Je **ch**er**ch**e **c**elui-**c**i.

Leçon 2

p. 95, Exercice 6 — Écoutez. Ils appellent la serveuse parce qu'ils ont un problème. Associez avec les phrases suivantes. (N° 59)

1. Le client : Excusez-moi ! Vous pouvez réchauffer ce plat ? – **2. La cliente :** Monsieur, monsieur ! Vous pouvez m'apporter une fourchette ? – **3. Le client :** Désolé, j'ai demandé une viande bien cuite. – **4. La cliente :** Excusez-moi mais on ne peut pas boire ça. C'est du vinaigre ! – **5. Le client :** Désolé, Mme. Ce n'est pas ce que j'ai commandé. Je voulais la tarte à l'oignon. – **6. La cliente :** Excusez-moi, il fait un peu froid, ici. On pourrait se mettre là-bas, au fond de la salle ? – **7. Le client :** Il y a un petit problème. Vous avez compté des apéritifs et on n'a pas pris d'apéritif !

Leçon 3

p. 96, Exercice 3 — Écoutez. Ils réservent des places de spectacle. Montrez ces places sur le plan. (N° 60)

1. – Théâtre du Palais Royal, bonjour !
– Bonjour, je voudrais réserver deux places pour le samedi 28.
– J'ai des orchestres à 60 euros.
– Vous n'avez pas moins cher ?
– Si, des balcons à 25 euros mais un peu sur le côté.
– Mais on voit bien ?
– Oui, oui.
– D'accord, je les prends.
2. – Théâtre du Palais Royal, bonjour !
– Bonjour. Est-ce qu'il reste des places pour ce soir ?
– Pour *La Dame Blanche* ?
– Oui, pour *La Dame Blanche*. Il me faudrait deux places.
– Alors, ... Je n'ai plus rien au balcon... Il me reste des orchestres, à 60 euros... et des corbeilles, au dernier rang, au centre, à 40 euros...
– Et un peu moins cher, vous avez ?
– Je n'ai que des loges à 15 euros mais avec visibilité réduite.
– Je vais prendre les corbeilles...

p. 97, Séquence 34 - Désaccords — *À la sortie d'un cinéma* (N° 61)

Li Na : Alors, le film t'a plu ?
Ludovic : Le film est bien fait... Mais je n'aime pas le personnage de Xavier.
Li Na : Pourquoi ?
Ludovic : Il aime sa copine. Elle l'aime, et pourtant, il la trompe. Il sort avec d'autres filles.
Li Na : C'est parce qu'il n'est pas sûr de lui... Il hésite.
Ludovic : On ne peut pas aimer deux personnes à la fois.
Li Na : Je ne suis pas d'accord.
Ludovic : C'est comme toi, avec Jean-Louis.
Li Na : Quoi ? Moi avec Jean-Louis ?
Ludovic : J'ai l'impression que tu me caches quelque chose.
Li Na : Je ne te cache rien, Ludo. Je trouve ce type sympa, c'est tout.
Ludovic : Il est amoureux de toi, c'est clair.
Li Na : Et alors ? Ce n'est pas de ma faute.
Ludovic : Si... Tu acceptes ses invitations.
Li Na : Je suis libre d'aller voir une exposition avec un collègue, non ?
Ludovic : Bien sûr.
Li Na : Mais... tu es jaloux Ludo !
Ludovic : Non, non... enfin peut-être... Oui, c'est stupide.
Li Na : Non... ce n'est pas stupide. Je te demande pardon Ludo. Si je t'ai blessé je ne l'ai pas fait exprès.
Ludovic : Je te crois.
Li Na : Et entre moi et Jean-Louis, il n'y a rien. C'est clair ?
Ludovic : Ok, je te crois.

Bilan

p. 104, Exercice 2 — Écoutez. Camille et Thomas sont au restaurant. (N° 63)

La serveuse : Bonjour ! Vous êtes deux ?
Thomas : Oui.
La serveuse : Je vous installe ici. Ça vous va ?
Camille : Oui, oui, c'est très bien.
La serveuse : Voici la carte. Vous avez un menu à 15 € et le plat du jour, c'est un rôti de bœuf, haricots verts... Vous prenez un apéritif ?
Thomas : Tu veux un apéritif ?
Camille : Non merci.
Thomas : Moi non plus.
La serveuse : Très bien, je vous laisse choisir.
...
La serveuse : Vous avez fait votre choix ?
Thomas : Oui. Alors, en entrée, pour Mme...
Camille : Une salade composée.
Thomas : Et pour moi, un cocktail de crevettes.
La serveuse : Très bien, et ensuite ?
Camille : Je vais prendre le plat du jour.
La serveuse : Donc un rôti de bœuf, haricots verts, et pour monsieur ?
Thomas : Une truite au beurre.

La serveuse : Avec des pommes de terre ou du riz ?
Thomas : Des pommes de terre...
La serveuse : Très bien... et comme boisson ?
Thomas : Une bouteille d'eau minérale gazeuse et... on prend un verre de vin ?
Camille : Ah oui, je veux bien un verre de vin rouge.
Thomas : Pour moi, un verre de blanc... On peut commander tout de suite les desserts ?
La serveuse : Bien sûr ! Vous avez choisi ?
Thomas : Oui, une salade de fruits pour Mme et pour moi, une tarte aux fraises.
La serveuse : Vous prendrez des cafés ?
Camille : Pas pour moi, merci.
Thomas : Oui, je prendrai un café.
La serveuse : Ça marche !

Unité 7

Leçon 1

p. 106, Séquence 35 - Mme Dumas n'est pas contente
N° 64 **Mme Dumas** (découvrant la pièce en désordre) : Ah non ! Ils ne sont vraiment pas sympas... Mélanie !
Mélanie : Mamie ! Tu es rentrée !?
Mme Dumas : Oui, je suis rentrée, un jour plus tôt... À cause du mauvais temps. C'est quoi ce bazar ?
Mélanie : Et bien, hier soir, comme tu n'étais pas là, on a invité des amis...
Mme Dumas : Alors, il va falloir ranger ! Il est à qui ce grand parapluie ? C'est pour une famille, ça !
Mélanie : Ce n'est pas le mien.
Mme Dumas : Il est à Greg ?
Mélanie : Non, ce n'est pas le sien... Je crois que c'est celui de Ludo.
Mme Dumas : Et cette écharpe ?
Mélanie : Elle appartient à une amie de Li Na.
Mme Dumas : Et bien, donne-la à Li Na ! Il y a un portable qui sonne... C'est le tien ?
Mélanie : Non, c'est celui de Greg.
Mme Dumas : Il y a aussi des clés... Ce sont les siennes. Je reconnais le porte-clés. Il oublie tout, Greg, en ce moment !
Mélanie : Il a des problèmes... Tiens ! Tu as eu du courrier. C'est une lettre de la mairie.
Mme Dumas : De la mairie ! ? Qu'est-ce qu'ils veulent ? (Elle décachète la lettre et la lit.) « Madame..., ... projet d'élargissement de la rue... les propriétaires sont invités à une réunion d'information le 10 mars, à 18 heures, à la mairie... ». Ce n'est pas possible !
Mélanie : Il y a un problème Mamie ?
Mme Dumas : Ils veulent élargir la rue ! Ça veut dire qu'ils me prendront mon jardin. Pas question ! Ce jardin, c'est le mien, il est à moi et il le restera !

Leçon 2

p. 109, Exercice 6
Écoutez. Ils demandent
N° 66 des autorisations.
1. Le photographe : Pardon mademoiselle... Je pourrais faire une ou deux photos de vous ?
La jeune fille : Euh... Pourquoi ? Vous êtes photographe ?
Le photographe : Oui, je fais des photos pour un livre sur la ville.
La jeune fille : Mais je ne suis pas un monument !
Le photographe : Il n'y aura pas que les monuments. Il y aura aussi les jardins publics avec des ambiances...
La jeune fille : Bon d'accord... Mais vous me montrerez la photo avant de la mettre dans votre livre ?
Le photographe : Bien sûr, et j'aurais aussi besoin de votre autorisation écrite... Alors, on y va ?
La jeune fille : Comme ça ? Je ne me recoiffe pas ?
Le photographe : Non. Il faut que ce soit naturel.
2. L'automobiliste : Excusez-moi Madame !
Le propriétaire : Oui...
L'automobiliste : Est-ce que je peux me garer quelques minutes devant votre garage ?
Le propriétaire : Tout le monde se gare ici !
L'automobiliste : Permettez-moi juste 5 min. Je vais à la pharmacie chercher des médicaments pour mon fils.
Le propriétaire : Ah bon, c'est différent. OK, je vous permets de rester 10 minutes mais pas plus. Après, je dois sortir ma voiture.
L'automobiliste : Merci Madame. Ne vous inquiétez pas...

Leçon 3

p. 110, Séquence 36 - La pétition
N° 67 **Mélanie :** Monsieur... Monsieur ! Madame... Madame ! Monsieur ! Vous avez signé la pétition ?
Le passant : C'est pour quoi ?
Mélanie : La mairie veut élargir la rue. On est contre.
Le passant : Oh moi, vous savez, je n'habite pas ici, alors... Élargissement ou pas, ça m'est égal.
Mélanie : Mais vous passez souvent dans cette rue, non ?
Le passant : Oui, j'accompagne mes enfants à l'école.
Mélanie : Et bien, l'élargissement de la rue ça veut dire beaucoup de voitures, du bruit, de la pollution... Et pour les enfants ce sera dangereux.
Le passant : Vous n'avez pas tort. Et la mairie a le droit de faire ça ?
Mélanie : Et oui, ils ont le droit ! Et en plus, ils vont nous prendre nos jardins !
Le passant : Ce n'est pas juste.
Mélanie : Ce n'est pas juste mais c'est la loi... Utilité publique !
Le passant : Et vous croyez que votre pétition arrêtera le projet ?
Mélanie : Ça dépend du nombre de signatures.
Le passant : Alors je signe.
Mélanie : Je vous remercie, monsieur. C'est très gentil.
Le passant : C'est bien naturel.

Leçon 4

p. 113, Exercice 6
Écoutez. Ils parlent de leurs
N° 70 voyages et des habitudes qui les ont surpris. Complétez le tableau.
1. Je vais souvent en Espagne pour mon travail. Je ne m'habitue pas à leurs horaires. Le déjeuner, à deux heures de l'après midi... Et c'est surtout le soir. On ne dîne pas avant 22 heures. Donc, on n'est pas couché avant minuit. Et le lendemain, les Espagnols sont au bureau à 9 h, en pleine forme. Je ne sais pas comment ils font ! En France, on prend les repas deux heures plus tôt.
2. J'ai l'habitude de travailler avec des Japonais. Je sais que si je leur demande leur avis sur un projet, ils ne me diront jamais « non ». Mais je vois à leur visage qu'ils ne sont pas d'accord. Dire « non » pour un Japonais, c'est considéré comme une impolitesse. Alors qu'en France, c'est bien différent. J'ai des collègues qui me disent « non » par principe, y compris quand ils sont d'accord. Tout simplement, ils veulent discuter. Comme ça, la décision sera collective.
3. J'ai fait un voyage professionnel en Chine et j'ai été invitée par des collègues chinois. J'aime bien leur façon de prendre leurs repas. On apporte beaucoup de plats qu'on pose au milieu de la table et chaque personne prend des petites portions dans les plats. C'est collectif. On est libre de prendre ce qu'on veut. En France, c'est plus organisé : entrée, plat principal, fromage, dessert. Il y a un seul plat à la fois sur la table. On se sert une fois. On peut se resservir si on vous le propose, mais jamais plus d'une fois.
4. J'étais aux États-Unis en période d'élection présidentielle. C'est incroyable. Les gens montrent leur opinion très clairement. Ils mettent des drapeaux à leur fenêtre pour montrer qu'ils sont démocrates ou républicains. Ils portent des badges... En France, on dit pour qui on vote à ses amis, c'est tout... et encore, pas toujours. L'opinion politique est une affaire privée. On ne l'affiche pas.

Projet

p. 115, Exercice 8
Écoutez. Ils font une réclamation.
N° 71 Complétez le tableau.
1. Au téléphone
L'employé : Orange service client, bonjour !
Une femme : Je vous appelle parce que j'ai un problème avec mon téléphone fixe et ma Box.
L'employé : Quel est le problème ?
La femme : Ça coupe souvent. Je vous ai déjà appelé mais le problème est le même.
L'employé : Apportez-moi votre Box. On va vous la remplacer.
2. À l'accueil de la gare SNCF
Un homme : Bonjour Madame. Voilà, mon train est arrivé avec plus de deux heures de retard. Je pense que j'ai droit à quelque chose !
L'employée : Tout à fait monsieur. Montrez-moi votre billet.
Un homme : Voici.
L'employée : Merci... Effectivement, il y a eu un retard. Vous avez droit au remboursement de 50 % de votre billet. Vous voulez être remboursé comment ? Sur votre numéro de carte de crédit ?
Un homme : D'accord.
L'employée : Très bien. Vous serez remboursé dans quelques jours.
Un homme : Super ! Merci.
3. Dans un hypermarché
Une femme : Bonjour monsieur. Je vous rapporte cette chemise. Je l'ai achetée pour mon fils et elle est trop petite.
L'employé : Vous avez le ticket de caisse ?
Une femme : Oui, le voici.
L'employé : Vous voulez voir s'il y a la taille au-dessus ou je vous rembourse tout de suite ?
Une femme : Je vais voir s'il y a la taille au-dessus.
L'employé : Alors, je vous rends votre ticket. Quand vous passez en caisse avec le nouveau pull, vous le montrez.

Bilan

p. 118, Exercice 6
Écoutez. Caroline va acheter
N° 72 un nouveau sac. Elle le décrit à une amie. Voici le sac qu'elle a actuellement. Notez les ressemblances et les différences avec le nouveau sac.
Natacha : Tu as toujours ce sac ?
Caroline : Oui, je l'aime bien mais je vais m'en offrir un autre. J'en ai vu un à la boutique de la rue Mozart.
Natacha : Ah bon ! Il est comment ?
Caroline : Ah, pas du tout pareil ! D'abord, il n'a pas cette forme géométrique. Il est plutôt rond. Il n'a pas de poche sur le côté.
Natacha : Il est en cuir ?
Caroline : Non, non, c'est un sac en toile, pour l'été, avec une grande anse.
Natacha : Alors, tu peux le porter sur l'épaule.
Caroline : Oui, c'est ça. Mais, par contre, il est de la même couleur que celui-ci.
Natacha : Tu aimes bien le bleu, toi !
Caroline : Ben oui mais, bon, c'est un joli sac avec des franges en bas... et puis, il va être plus pratique... il est plus petit... on peut le mettre en bandoulière...
Natacha : Il n'est pas trop cher ?
Caroline : Ben, c'est une marque : 200 euros.
Natacha : Ah quand même !

Unité 8

Leçon 1

p. 120, Séquence 37 - Le voyage au Sénégal
N° 73 **Mélanie :** Ah, vous êtes rentrés ?
Mme Dumas : Comme tu vois.
Bertrand : Bonjour Mélanie.
Mélanie : Bonjour Bertrand. Alors, ce voyage au Sénégal ?
Mme Dumas : Écoute, on a adoré ! Tu sais qu'on est partis avec un couple d'amis et que lui est sénégalais ?
Mélanie : Oui, oui, je vois qui c'est... C'est Amidou ? Et alors ? Il vous a fait visiter le pays ?
Mme Dumas : C'était extraordinaire ! Je te montre (elle commente des photos prises sur sa tablette)... Alors, on a atterri à Dakar.
Bertrand *(ironique)* **:** On peut passer rapidement sur l'atterrissage.
Mme Dumas : Après, on est restés deux jours à Dakar. Ça, c'est l'île de Gorée, à côté de Dakar... Puis, on a traversé la réserve de Bandia. Amidou nous a fait voir des animaux sauvages ! Des girafes, des singes... Quoi d'autre ?
Bertrand : Des buffles, et des oiseaux magnifiques !
Mme Dumas : Surtout quand on a descendu le fleuve Saloum. Tiens, regarde... C'est nous en pirogue ! Et après, on est allés dans le village de la famille d'Amidou.
Bertrand : Un grand moment !
Mme Dumas : Oui... Parce que Amidou nous a fait rencontrer des gens adorables ! Ils nous ont fait goûter la cuisine sénégalaise. Regarde : c'est un repas avec eux... Là, c'est nous au marché ! Tiens, je t'ai rapporté un souvenir.
Mélanie : Oh, c'est gentil ! Merci ! Qu'est-ce que c'est ?
Mme Dumas : Regarde...
Mélanie *(plaquant la robe sur elle)* **:** Une robe ! Superbe ! Et en plus, elle est à ma taille.
Mme Dumas : Normal, je l'ai fait faire par un tailleur.... Ils te font ça en une journée !
Mélanie : Encore merci Mamie... Et bien moi aussi, j'ai quelque chose pour toi !
Mme Dumas : Qu'est-ce que c'est ?
Mélanie : Une bonne nouvelle... à propos de l'élargissement de la rue.
Mme Dumas : C'est pas vrai ! On a gagné ?!
Mélanie : Oui, la rue va être classée en secteur sauvegardé.
Mme Dumas : Donc, elle restera comme elle est.
Bertrand : Évidemment ! Et la villa Marie-Claire aussi !
Mme Dumas : On va fêter ça !

p. 121, Phonétique
Répondez selon votre situation
N° 74 personnelle.
a. – Vous réparez votre voiture vous-même ?
– Oui, je la répare moi-même. / – Non, je la fais réparer.
b. – Vous lavez vos vêtements vous-même ?
– Oui, je les lave moi-même. / – Non, je les fais laver.
c. – Vous faites le ménage vous-même ?
– Oui, je le fais moi-même. / – Non, je le fais faire.
d. – Vous peignez les murs de votre salon vous-même ?
– Oui, je les peins moi-même. / – Non, je les fais peindre.
e. – Vous vous coupez les cheveux vous-même ?
– Oui, je me les coupe moi-même. / – Non,

je me les fais couper.
f. - Vous vous soignez vous-même ?
- Oui, je me soigne moi-même. / - Non, je me fais soigner.

Leçon 2

p. 123, Exercice 5
Écoutez. Complétez le tableau
N° 75 de l'aéroport avec le temps qu'il a fait dans chaque ville le 20 décembre.
Je suis à Montréal. Il est 3 heures du matin. Il fait froid. La température est de -10 °C mais le temps est sec. - Je suis à Rio de Janeiro. Il est 6 heures du matin. La météo annonce une journée chaude, 30 °C et un grand soleil. - Je suis à Dakar. Il est 8 heures du matin. Aujourd'hui, on annonce un temps nuageux et une température de 27 °C. - Je suis à Paris. Il est 9 heures du matin. On attend une belle journée ensoleillée et une température, à midi, de 13 °C. - Je suis à Johannesburg. Il est 10 heures du matin. Il fait un orage. La température est de 25 °C. - Je suis à Moscou. Il est11 heures. Le ciel est couvert et la température est de 3 °C. - Je suis à Jakarta. Il est 15 heures. Il pleut et la température est de 25 °C. - Je suis à Pékin. Il est 16 heures. Aujourd'hui, il fait froid, moins 3 °C et il neige. - Je suis à Tokyo. Il est 17 heures. Le ciel est couvert de nuages. Il fait 10 °C.

Leçon 3

p. 125, Séquence 38 - Mélanie, Greg et l'Allemagne
N° 76 Mélanie : Oh, je suis contente ! J'ai ma bourse pour l'Allemagne !
Greg : Tu repars à Berlin ?
Mélanie : Non, je vais passer un an à Heidelberg, dans un centre culturel international. Regarde... C'est sympa, non ? *(elle montre le lieu sur son écran)*
Greg : Qu'est-ce que tu vas y faire ?
Mélanie : Traduire un poète allemand.
Greg : Tu as de la chance, toi !
Mélanie : Tu peux faire un dossier toi aussi. Ils prennent des artistes. Ça ne t'intéresse pas ?
Greg : Je ne me vois pas passer un an en Allemagne.
Mélanie : Et pourquoi ?
Greg : D'abord parce qu'en Allemagne on travaille plus qu'en France. Ce n'est pas fait pour moi.
Mélanie : C'est faux. Les Français travaillent autant que les Allemands. Les statistiques le prouvent !
Greg : Ah bon... mais les Allemands sont très organisés. Moi, je ne suis jamais à l'heure à mes rendez-vous. Je ne vais pas m'adapter.
Mélanie : Tout ça, ce sont des idées fausses. Il y a des Allemands qui arrivent en retard aux rendez-vous. C'est comme partout !
Greg : Remarque, ça me plairait de passer un an sans problèmes d'argent.
Mélanie : Si tu veux t'inscrire, dépêche-toi. Les inscriptions sont closes à la fin de la semaine.
Greg : Alors, il n'y a plus de place.
Mélanie : Si, il y en a encore. Je le sais par un copain. Mais, attention ! Il faut que tu présentes un projet sérieux.
Greg : Des projets, j'en ai mille...

p. 125, Phonétique
a. Répétez.
N° 77 ***Lucas et les autres***
Lucas est **plus** grand...
Il travaille **plus**...
Il est **plus** aimable...
Il est **plus** intelligent...
Il gagne **plus** d'argent...
Il est **plus** intéressant...
Il est **plus** beau...

p. 125, b. Répétez.
N° 78 Lucas est **moins** fort...
Il fait **moins** de sport...
Il est **moins** adroit...
Il est **moins** original...
Il est **moins** amusant...

Projet

p. 129, Exercice 7
Regardez la photo et écoutez
N° 79 le commentaire de Leïla, une Marocaine qui découvre une tradition française. Complétez l'histoire.
Leïla : Quand j'étais en France, chez mon amie Sylvie, j'ai été invitée chez ses parents... des gens super sympas... Je me souviens, c'était au début du mois de janvier. En France, ils ont une tradition : le 6 janvier, on mange en famille ou avec des amis, la galette des rois... Quand on ne peut pas le faire le 6, ça se fait un autre jour, au mois de janvier... Alors, à la fin du repas, le père de Sylvie, qui s'appelle Pierre, a apporté sur la table un gâteau plat, de couleur dorée... Il a coupé la galette en plusieurs parts, une part pour chaque invité plus une autre part... Puis, il a demandé à un enfant, son petit-fils, de se mettre sous la table et de désigner à qui on allait donner chaque part...
Pierre a servi tous les invités et il a dit « Il reste une part. C'est la part du pauvre ! »... Chacun a mangé son morceau de galette et, à un moment, une des invités, la cousine de Sylvie, a crié : « J'ai la fève ! ». La fève, c'est un petit personnage qui est caché dans le gâteau. Alors, Pierre a mis sur la tête de la cousine une couronne et tout le monde a dit « Vive la reine ! ». Puis, la cousine a choisi un garçon et elle a dit : « Je le choisis comme roi » et elle a posé une autre couronne sur la tête du garçon. Voilà la coutume de la galette des rois... Et, évidemment, la part du pauvre, ce sont les enfants qui l'ont mangée...

Bilan

p. 132, Exercice 6
Écoutez et répondez.
N° 80 Élodie : C'est quoi sur cette photo ?
Julien : Ça, c'est une photo que j'ai prise dans un petit village du sud de la France, dans la région de Montpellier. J'étais invité par un copain. C'est pendant la fête des Pailhasses... C'est très amusant...
Élodie : La fête des Pailhasses ? J'en n'ai jamais entendu parler.
Julien : C'est une fête qui se déroule au mois de mars ou d'avril... En fait, c'est une bataille entre jeunes. Une partie des jeunes essaie de jeter sur les autres du vieux jus de raisin.
Élodie : Du jus de raisin ! Mais c'est dégoûtant !
Julien : Oui, surtout que si quelqu'un passe à proximité, il peut aussi être couvert de jus de raisin. Mais, eux, ils sont habillés pour ça.
Élodie : C'est curieux.
Julien : Tout le monde ne peut pas assister à la bataille. Le village est fermé aux touristes. Il n'y a que les gens des environs qui connaissent bien et qui ont mis des vêtements pour ça.
Élodie : Et pourquoi ils font ça ? Juste pour s'amuser ?
Julien : C'est une tradition qui vient du Moyen Âge. À cette époque, il y avait deux villages voisins qui se disputaient tout le temps pour exploiter les forêts. Il y avait des batailles. Et bien la fête rejoue ces batailles.

Unité 9

Leçon 1

p. 135, Séquence 39 - Le projet de Ludo
N° 81 Li Na : Ludo ?
Ludo : Oui ?
Li Na : Ludo... tu peux m'aider ?
Ludo : À condition que tu sois gentille avec moi.
Li Na : Je te promets d'être gentille... si tu n'es plus jaloux.
Ludo : Promis... Alors, quel est ton problème ?
Li Na : Je fais un diaporama pour Florial. Je n'arrive pas à insérer le fichier son.
Ludo : Attends, je te montre.
Ludo : Voilà, tu as compris ?
Li Na : Parfaitement. Merci à l'informaticien.
Ludo : Et au futur chef d'entreprise !
Li Na : Qu'est-ce que tu veux dire ?
Ludo : J'ai décidé. Je ne pars pas à Dublin. Je monte ma boîte.
Li Na : Ah bon ? Et quoi ?
Ludo : Un site internet de conseil pour les produits de beauté.
Li Na : Tu fais ça tout seul ?
Ludo : Non, j'ai un médecin et un copain informaticien qui sont intéressés.
Li Na : C'est bien.
Ludo : Il me manque quelqu'un pour le marketing. Dommage que tu partes à Dublin !
Li Na : Je n'ai pas encore pris ma décision... Tu crois qu'il peut marcher ton projet ?
Ludo : Oui, à condition d'avoir une bonne équipe.

p. 135, Phonétique
Confirmez en utilisant la forme
N° 82 « *à condition que* + subjonctif ».
Invitations
a. - Juliette vient au concert si nous y allons ? - Oui, à condition que nous y allions.
b. - On y va tous si nous avons des billets ? - Oui, à condition que nous ayons des billets.
c. - Vous m'accompagnez si nous prenons un taxi ? - Oui, à condition que nous prenions un taxi.
d. - Après le concert, nous allons au restaurant si nous avons faim ? - Oui, à condition que nous ayons faim.
e. - Après, on va en boîte si nous ne sommes pas fatigués ? - Oui, à condition que nous ne soyons pas fatigués.

Leçon 3

p. 138, Séquence 40 - Li Na et Ludo déménagent
N° 83 Ludo : C'est moi !
Li Na : Entre !
Ludo : Éric arrive à 16 h avec sa voiture pour le déménagement... C'est quoi ça ?
Li Na : Mes cartons.
Ludo : Mais d'où ils sortent ?
Li Na : Ils étaient restés chez ma cousine.
Ludo : Tu veux emporter tout ça ?
Li Na : Ben oui.
Ludo : Éric vient avec une voiture, pas avec un camion !
Li Na : Ce sont mes affaires. J'en ai besoin.
Ludo : Je te signale qu'on s'installe dans un 50 m², avec un petit salon, une petite chambre et un petit bureau pour le travail.
Li Na : Je me débrouillerai. Ne t'énerve pas.
Ludo : Je ne m'énerve pas. « Vêtements d'été », « vêtement d'hiver », « divers »... Tu n'as pas mis ces vêtements cette année. Ils étaient chez ta cousine.
Li Na : Justement, ils m'ont manqué.
Ludo : « Ours » ! C'est quoi ?
Li Na : Mon ours en peluche.
Ludo : Dans ce carton de un mètre ?
Li Na : Oui, il est un peu grand mais c'est un cadeau de ma grand-mère quand j'avais deux ans. Il ne me quitte pas.
Ludo : Mais où est-ce qu'on va mettre tout ça ?
(On frappe à la porte. C'est Greg et Mélanie.)
Li Na : Entrez !
Mélanie : Alors ? Comment se passe le déménagement ?
Ludo : On gère les stocks.
Mélanie : On voulait vous dire... Greg et moi, on part en Allemagne l'année prochaine.
Ludo (à Greg) : Ah, ça y est, tu t'es décidé ?
Greg : Oui et on voulait vous demander... comme on n'emporte pas tout... Est-ce qu'on peut laisser des affaires chez vous ? Ça ne vous dérange pas ?
Ludo : Ça va être difficile...

Leçon 4

p. 141, Exercice 7
Écoutez. Dans le TGV, Alexis
N° 85 engage la conversation avec sa voisine. Justifiez ou corrigez les phrases suivantes.
- Je peux vous emprunter votre journal ?
- Lequel ? *Le Figaro* ?
- Oui.
- Vous pouvez le garder. Je l'ai lu.
- Non, c'est pas un journal que je lis beaucoup... mais il y a un article sur la réforme de l'université. Ça m'intéresse.
- Ah bon, vous travaillez dans ce secteur ?
- Oui, je suis prof à l'université de Nantes.
- Et vous enseignez quoi ?
- Le grec.
- Alors, vous êtes contre la suppression de l'enseignement du grec dans les collèges et les lycées ?
- Non, ça, ça m'est égal. Moi, j'enseigne le grec moderne. Je trouve ça plus utile que le grec ancien.
- Je suis bien d'accord avec vous. Et, pourquoi le grec ?
- Parce que mon père est grec. Moi-même, je suis né à Athènes. Je suis venu en France à l'âge de 5 ans.
- Et vous vivez en Bretagne ?
- Oh là ! Attention ! Beaucoup disent que Nantes ce n'est pas la Bretagne.
- C'est vrai. En plus, Nantes n'est pas située dans la région Bretagne.
- En fait, je me sens breton parce que j'ai passé ma jeunesse dans un village, près du golfe du Morbihan.
- C'est une belle région.
- Je ne dirai pas le contraire.
- Et comment on arrive en Bretagne quand on vient de Grèce ?
- Mon père était technicien dans les bateaux. Il a rencontré ma mère à Athènes, une Bretonne, secrétaire dans une entreprise française. Quand ils sont venus en France, ils se sont tout naturellement installés en Bretagne.
- Et ils ont été bien accueillis ?
- Oui, vous savez, la Bretagne n'est pas une région fermée sur elle-même.
- Elle accueille des réfugiés aujourd'hui ?
- Ben oui. C'est bien normal. Dans leur village, mes parents ont créé une association d'aide aux réfugiés. Je les soutiens.
- Ah bon...

Bilan

p. 146, Exercice 3
Écoutez. Il parle de sa nouvelle
N° 86 collègue. Trouvez 4 erreurs dans sa description.
Geoffrey : Tiens, j'ai vu la nouvelle assistante de Lapierre.
Charles : Elle est comment ?
Geoffrey : Je ne l'ai pas vue longtemps mais elle a l'air sympa.
Charles : Et physiquement ?
Geoffrey : Ah, elle est pas mal du tout. Elle est grande, mince...
Charles : Aussi grande que toi ?
Geoffrey : Avec ses chaussures à talons hauts, oui.
Charles : Brune ou blonde ?
Geoffrey : Euh, il me semble châtain clair avec des cheveux courts.
Charles : Et les yeux ?
Geoffrey : Tu sais, je n'ai pas bien vu... Des yeux bleus, peut-être... mais bien habillée. Elle portait une robe qui lui arrivait aux genoux.

Visite de Paris

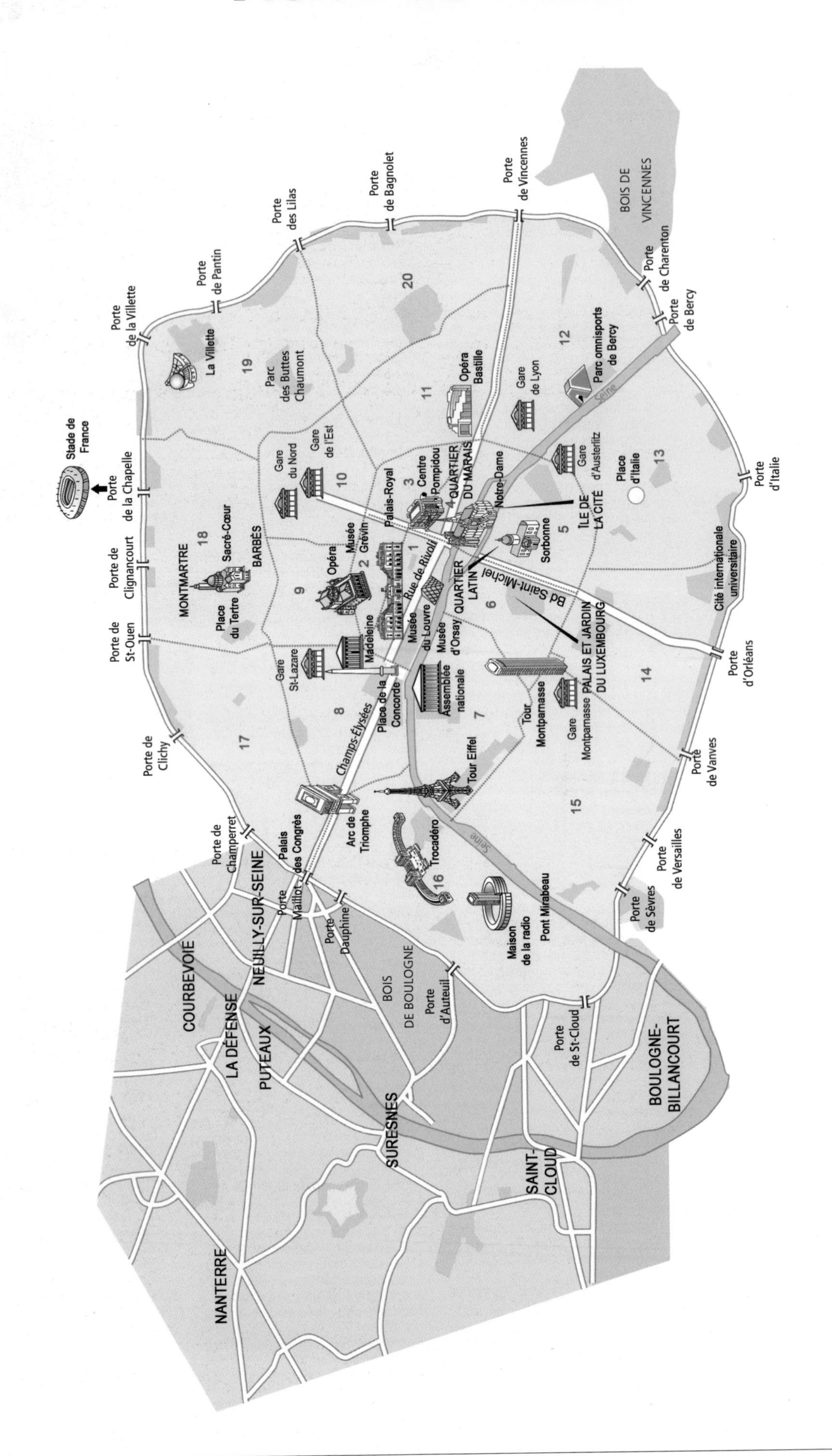